여러분의 합격을 위한

해커스 특별 혜택

단어암기 MP3 / 직무 관련 핵심 어휘[PDF]

해커스공무원(gosi.Hackers.com) 접속 후 로그인 ▶
상단의 [교재·서점 → 무료학습자료] 클릭 ▶ 본 교재 우측의 [자료받기] 클릭하여 이용

무료 자료 바로가기 ▶

단어시험지 제작 프로그램

해커스공무원(gosi.Hackers.com) 접속 후 로그인 ▶
상단의 [교재·서점] 클릭 ▶ 좌측의 [단어시험지 생성기] 클릭

단어암기 어플 이용권

GOSIVOCA4000PL

구글 플레이스토어/애플 앱스토어에서 [해커스공무원 기출보카] 검색 ▶
어플 설치 후 실행 ▶ '인증코드 입력하기' 클릭 ▶ 위 인증코드 입력

* 등록 후 30일간 사용 가능

단어암기 어플 바로가기 ▶

무료 매일 문법 / 어휘 / 독해 실전문제 & 해설강의

해커스공무원(gosi.Hackers.com) 접속 후 로그인 ▶ 상단의 [무료강좌 → 매일영어 학습] 클릭하여 이용

온라인 단과강의 20% 할인쿠폰

49C6B773B9B4766U

해커스공무원(gosi.Hackers.com) 접속 후 로그인 ▶
상단의 [나의 강의실] 클릭 ▶ 좌측의 [쿠폰등록] 클릭 ▶ 쿠폰번호 입력 후 이용

* 등록 후 7일간 사용 가능(ID당 1회에 한해 등록 가능)

합격예측 온라인 모의고사 응시권+해설강의 수강권

F62888329E976C4J

해커스공무원(gosi.Hackers.com) 접속 후 로그인 ▶
상단의 [나의 강의실] 클릭 ▶ 좌측의 [쿠폰등록] 클릭 ▶ 위 쿠폰번호 입력 후 이용

* ID당 1회에 한해 등록 가능

* 기타 쿠폰 관련 문의는 고객센터(1588-4055)로 연락주시거나 1:1 문의 게시판을 이용해주시기 바랍니다.

해커스공무원 **gosi.Hackers.com**

해커스공무원

기출 보카 4000+ 와 함께하면

합격이 빨라지는 이유!

합격에 필요한 모든 어휘가 다 있으니까!

01 최근 23년간 시행된 시험에서 435,021 단어의

공무원 어휘 빅데이터 구축

02 해커스 공무원시험연구소의 노하우로

출제 경향 기반 데이터 분석

03 공무원 필수 어휘 4000 + 기초 어휘 1500 + 다의어 + 생활영어

공무원 기출 어휘 100% 반영

해커스공무원
기출 보카 4000+

단어 하나를 외워도 더 빠르게, 효율적으로 외우니까!

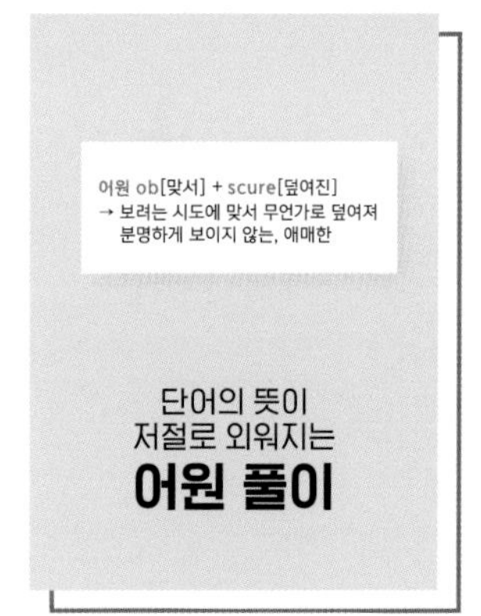

해커스공무원 **단기 합격생**이 말하는

공무원 합격의 비밀!

해커스공무원과 함께라면
다음 합격의 주인공은 바로 여러분입니다.

대학교 재학 중,
7개월 만에 국가직 합격!

김*석 합격생

영어 단어 암기를 하프 모의고사로!

하프 모의고사의 도움을 많이 얻었습니다. **모의고사의 5일 치 단어를 일주일에 한 번씩 외웠고**, 영어 단어 **100개씩은 하루에** 외우려고 노력했습니다.

가산점 없이
6개월 만에 지방직 합격!

김*영 합격생

국어 고득점 비법은 기출과 오답노트!

이론 강의를 두 달간 들으면서 **이론을 제대로 잡고 바로 기출문제로** 들어갔습니다. 문제를 풀어보고 기출강의를 들으며 **틀렸던 부분을 필기하며 머리에 새겼습니다.**

직렬 관련학과 전공,
6개월 만에 서울시 합격!

최*숙 합격생

한국사 공부법은 기출문제 통한 복습!

한국사는 휘발성이 큰 과목이기 때문에 **반복 복습이 중요하다고 생각**했습니다. 선생님의 강의를 듣고 나서 바로 **내용에 해당되는 기출문제를 풀면서 복습**했습니다.

해커스공무원 **gosi.Hackers.com**

더 많은 합격수기가 궁금하다면? ▶

해커스공무원

기출 보카 4000+

1권 | DAY 01-30

해커스공무원

CONTENTS

1권

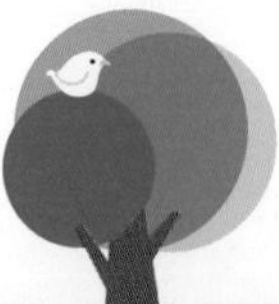

2권

책의 구성

표제어 학습

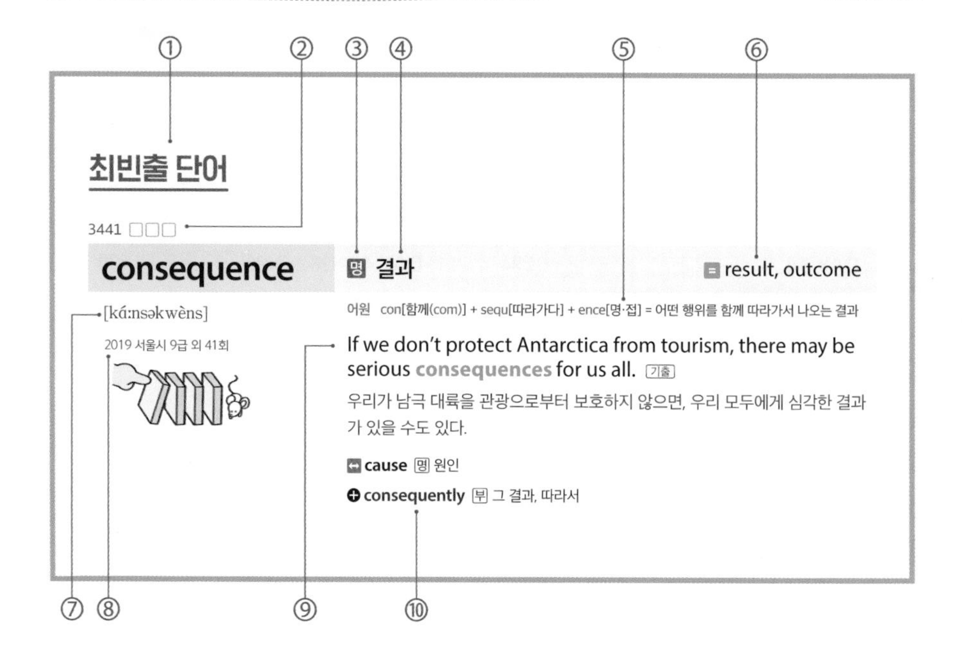
①
②
③
④
⑤
⑥
최빈출 단어
3441 □□□
consequence
명 결과
= result, outcome
[kάːnsəkwèns]
어원 con[함께(com)] + sequ[따라가다] + ence[명·접] = 어떤 행위를 함께 따라가서 나오는 결과
2019 서울시 9급 외 41회
If we don't protect Antarctica from tourism, there may be serious consequences for us all. 기출
우리가 남극 대륙을 관광으로부터 보호하지 않으면, 우리 모두에게 심각한 결과가 있을 수도 있다.
↔ cause 명 원인
+ consequently 부 그 결과, 따라서
⑦
⑧
⑨
⑩

① **출제 빈도** 각 어휘의 출제 빈도에 따라 '최빈출 단어', '빈출 단어'로 나누어져 있으며, 자주 출제된 숙어는 '빈출 숙어'로, 출제 횟수가 적은 고난도 어휘는 '완성 어휘'로 나누어져 있습니다.

② **체크 박스** 회독을 하면서 암기 여부를 체크하고, 복습 시 외우지 못한 어휘 위주로 학습할 수 있습니다.
√ 외운 단어, △ 확실히 외우지 못한 단어, X 외우지 못한 단어

③ **품사** 품사를 한글로 표기하였습니다.
동 동사 명 명사 형 형용사 부 부사 전 전치사 접 접속사

④ **어휘 뜻** 어휘의 뜻을 공무원 영어 시험에서 가장 자주 출제되는 뜻 위주로 정리하였습니다.

⑤ **어원** 접두사 및 어근 정보를 통해 어휘를 쉽게 외울 수 있도록 하였습니다.

⑥ **유의어** 기출 유의어를 수록하였습니다.

⑦ **발음 기호** 영어 발음 기호를 모두 수록하여 영어 사전을 따로 찾아보는 수고를 덜 수 있도록 하였습니다.

⑧ **기출 표시** 공무원 시험에서 해당 어휘가 출제되었던 출제 연도, 직렬 및 출제 횟수를 표시하였습니다.

⑨ **기출 예문** 표제어를 학습하기 위한 기출 예문과 한글 해석이 실려 있습니다.

⑩ **관련 어휘** 표제어와 관련된 반의어와 파생어를 기출 어휘로 수록하였습니다.
↔ 반의어 + 파생어

추가 구성

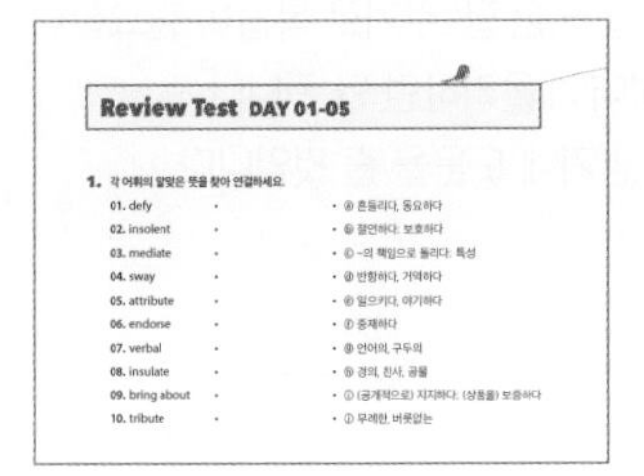

Review Test DAY 01-05

1. 각 어휘의 알맞은 뜻을 찾아 연결하세요.

01. defy	ⓐ 흔들리다, 동요하다
02. insolent	ⓑ 절연하다, 보호하다
03. mediate	ⓒ ~의 책임으로 돌리다; 특성
04. sway	ⓓ 반항하다, 거역하다
05. attribute	ⓔ 일으키다, 야기하다
06. endorse	ⓕ 중재하다
07. verbal	ⓖ 언어의, 구두의
08. insulate	ⓗ 경의, 찬사, 공물
09. bring about	ⓘ (공개적으로) 지지하다, (상품을) 보증하다
10. tribute	ⓙ 무례한, 버릇없는

Review Test

5일마다 실제 시험과 동일한 문제 유형의 Test를 통해, 학습한 내용을 확인하고 복습하여 실전 감각을 향상할 수 있도록 하였습니다.

공무원 필수 기초 어휘 0001-0075

0001 ability	능력, 재능	0019 differ	다르다
0002 address	주소, 연설	0020 dispute	분쟁 / 반박하다
0003 alarm	불안, 경보	0021 during	~동안, 내내
0004 anxiety	불안, 걱정	0022 electricity	전기, 전력
0005 army	군대, 육군	0023 entrance	출입구, 입장
0006 atmosphere	대기, 분위기	0024 exercise	운동, 활동
0007 awkward	어색한, 곤란한	0025 extra	추가의 / 여분의 것
0008 beneath	~의 아래에, 밑에	0026 feather	털, 깃털

공무원 필수 기초 어휘

기출 어휘로 구성된 '공무원 필수 기초 어휘 1500'을 통해, 본격적으로 공무원 어휘를 학습하기 전 기본 어휘 실력을 탄탄히 다질 수 있게 하였습니다.

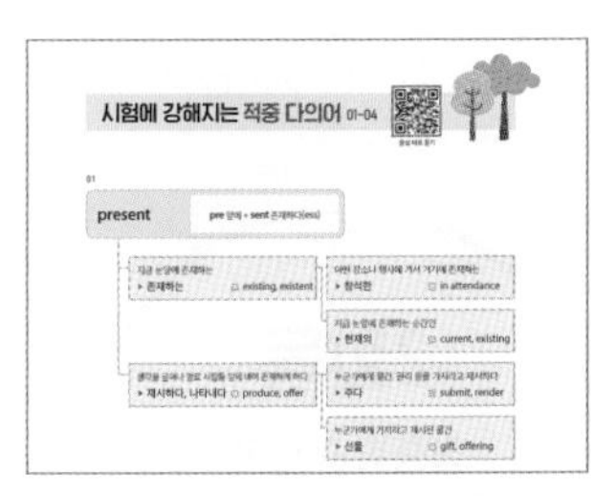

시험에 강해지는 적중 다의어 01-04

01

present — pre 앞에 + sent 존재하다(esse)

▶ 존재하는 existing, existent

▶ 참석한 in attendance

▶ 현재의 current, existing

▶ 제시하다, 나타내다 produce, offer

▶ 주다 submit, render

▶ 선물 gift, offering

시험에 강해지는 적중 다의어

다의어의 여러 가지 뜻이 어떻게 생겨난 것인지를 어원을 통해 정리한 '시험에 강해지는 적중 다의어'를 통해, 어휘력을 폭넓게 향상할 수 있도록 하였습니다.

1. 인사하기 / 전화하기

날씨에 대해 말할 때

1	It's raining cats and dogs.	비가 억수같이 내리네요.
2	The fog is rolling in.	안개가 자욱하네요.

안부를 묻고 답할 때

1	A	How are you feeling today?	오늘 기분이 어때요?
	B	Same old, same old.	늘 똑같죠, 뭐.
2	A	How are things with you?	잘 지내고 있나요?
	B	I can't complain.	잘 지내요.
	B	Things couldn't be better.	더없이 좋아요.

최빈출 생활영어 표현

'시험에 꼭 나오는 최빈출 생활영어 표현'을 수록하여, 생활영어에서 자주 출제되는 표현들도 놓치지 않도록 하였습니다.

3회독 학습 플랜

공무원 어휘 암기에 최적화한 3회독 학습 플랜

어휘 암기는 종합해 한 번 반복하기보다는 분산 반복하는 편이 기억에 더 효과적입니다.
학습한 내용을 잊지 않고 장기 기억으로 만들려면 '하루 → 일주일 → 한 달' 주기로 복습이 필요합니다. 게다가 복습은 시간 대비 효율이 매우 높은 학습법이므로 절대 게을리하면 안 됩니다.
해커스공무원이 제시하는 3회독 학습은 여러분의 공무원 어휘 암기에 도움을 줄 것입니다.

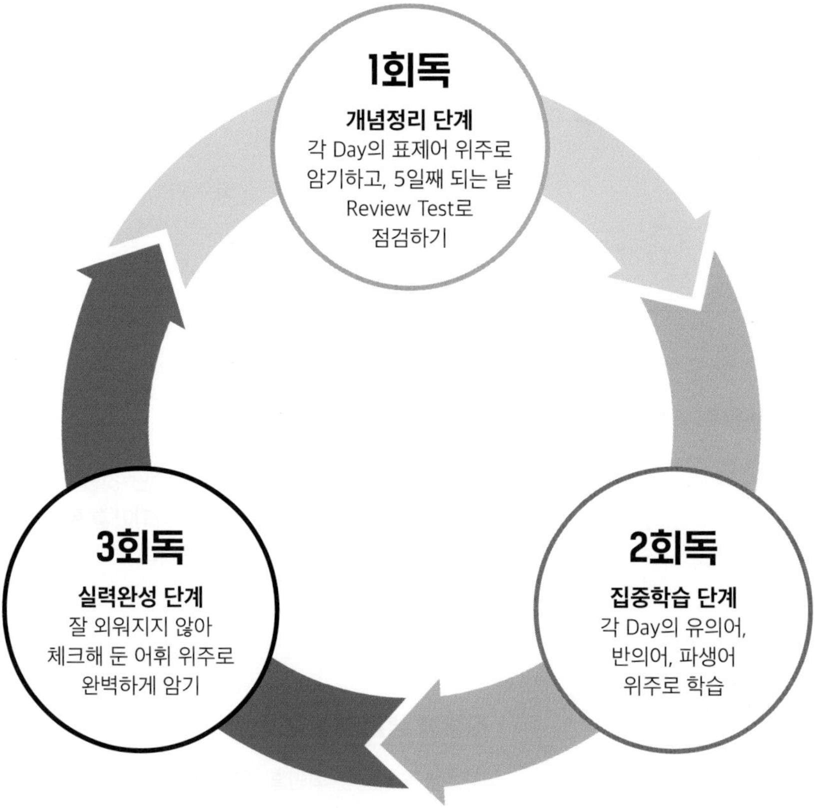

1회독

개념정리 단계
각 Day의 표제어 위주로 암기하고, 5일째 되는 날 Review Test로 점검하기

2회독

집중학습 단계
각 Day의 유의어, 반의어, 파생어 위주로 학습

3회독

실력완성 단계
잘 외워지지 않아 체크해 둔 어휘 위주로 완벽하게 암기

회독 단계별 학습 방법

회독	목표	학습 방법
1회독 (50일 완성)	표제어 암기 및 Review Test 문제 풀이	**표제어(어휘, 예문) + Review Test 문제** · 하루에 Day 한 개씩 표제어를 암기하고, 예문을 통해 어휘의 실제 쓰임을 학습합니다. · 5번째 Day에는 Review Test를 풀고 틀린 내용을 복습합니다.
2회독 (25일 완성)	유의어, 반의어, 파생어까지 암기	**표제어(어휘) + 유의어 + 반의어 + 파생어** · 하루에 Day 두 개씩을 목표로 잡아 1회독 때 외웠던 표제어를 복습합니다. 이때 잘 외워지지 않는 어휘는 따로 체크합니다. · 표제어에 딸린 유의어, 반의어, 파생어까지 학습합니다.
3회독 (시험 막판 15일 완성)	잘 외워지지 않는 어휘까지 완벽하게 확인	**잘 외워지지 않는 어휘 최종 확인 + 부록** · 1~2회독 때 잘 외워지지 않았던 어휘를 복습하며 다시 암기합니다. · 시험을 보러 가기 직전에 마지막으로 표제어와 유의어를 한 쌍으로 묶어 함께 복습합니다. · 부록을 학습하며 기초 어휘 중에서도 놓치는 어휘가 없는지 확인하고, 다의어와 최빈출 생활영어 표현을 학습하여 마무리합니다.

단어 암기 TIP

· 매일 학습을 시작하기 전에 전날 암기했던 단어들을 복습하면 더 효과적입니다.

· 해커스공무원(gosi.Hackers.com)에서 제공하는 단어시험지 제작 프로그램을 활용하여 외운 단어를 점검해 볼 수 있습니다.

공무원시험전문 **해커스공무원**
gosi.Hackers.com

해커스공무원
기출 보카 4000+

DAY 01 — 30

DAY 01

■ 1 회독 ■ 2 회독 ■ 3 회독

DAY01 음성 바로 듣기

최빈출 단어

0001 □□□

maintain

[meintéin]

2020 지방직 9급 외 67회

동 유지하다 = retain

어원 main[손] + tain[잡다] = 손으로 꼭 잡아 상태를 유지하다

It's really hard to **maintain** contact when people move around so much. 기출변형

사람들이 이렇게 자주 이사 다닐 때 연락을 유지하는 것은 정말 어렵다.

↔ **end** 동 끝내다

0002 □□□

yield

[ji:ld]

2024 서울시 9급 외 25회

동 (결과·수익 등을) 내다, 산출하다 = harvest

동 양도하다 = relinquish

명 수확량, 총수익 = profit, gain

Many farmers are involved in food production that **yields** little cash return. 기출변형

많은 농부들은 현금 수익을 거의 내지 않는 식량 생산에 관여한다.

0003 □□□

vast

[væst]

2019 국회직 8급 외 20회

형 방대한, 어마어마한 = huge, massive

Your memory is like a computer storing a **vast** amount of information. 기출변형

당신의 기억은 방대한 양의 정보를 저장하는 컴퓨터와 같다.

0004 □□□

aggressive 

[əgrésiv]

2020 지방직 9급 외 18회

형 공격적인, 난폭한 = offensive

어원 ag(g)[~에] + ress[걸어가다] + ive[형·접] = 상대에게로 걸어가서 먼저 공격하려 하는

The **aggressive** driver committed multiple violations that endangered other drivers. 기출변형

그 공격적인 운전자는 다른 운전자들을 위험에 빠뜨리는 여러 가지의 위반을 저질렀다.

+ **aggressively** 부 공격적으로

0005 □□□

exposure

[ikspóuʒər]

2022 서울시 9급 외 17회

명 노출 = disclosure

명 폭로, 탄로 = revelation

어원 ex[밖으로] + pos(e)[놓다] + ure[명·접] = 밖으로 내놓아 노출됨

Long-term **exposure** to air pollution can lead to negative health consequences. (기출변형)

장기적인 대기오염에 대한 노출은 부정적인 건강 결과에 이르게 할 수 있다.

+ **expose** 동 드러내다

0006 □□□

indifferent

[indífərənt]

2024 서울시 9급 외 16회

형 무관심한, 냉담한 = cavalier

형 공평한, 중립의 = moderate

Some people are **indifferent** to consumer goods or new technology. (기출변형)

몇몇 사람들은 소비재나 새로운 기술에 무관심하다.

↔ **caring** 형 보살피는

+ **indifference** 명 무관심, 냉담, 중립

0007 □□□

temporary

[témpərèri]

2020 국회직 9급 외 12회

형 일시적인 = brief, fleeting

어원 tempor[시간] + ary[형·접] = 잠시의 시간 동안의, 즉 일시적인

Seasickness is due to **temporary** disturbance of the inner ear. (기출변형)

뱃멀미는 내이의 일시적인 이상으로 인한 것이다.

↔ **permanent** 형 영구적인

0008 □□□

suitable

[sú:təbl]

2019 법원직 9급 외 11회

형 적합한 = appropriate

어원 sui(t)[따라가다] + able[형·접] = 상황을 따라가며 변화해 그에 알맞은, 적합한

Despite searching everywhere for a job opening, he could not find a **suitable** job. (기출변형)

모든 곳에서 채용 공고를 찾아보았음에도 불구하고, 그는 적합한 일자리를 찾지 못했다.

↔ **inappropriate** 형 부적합한

= 어휘 영역 출제

0009 □□□

breed

[bri:d]

2020 지방직 9급 외 11회

명 혈통, 종, 유형 = type

동 사육하다 = raise, rear

동 번식하다

Border collies might be the smartest **breed** of dog.

보더콜리는 개들 중 가장 영리한 품종일 것이다.

⊕ **breeding** 명 번식

빈출 단어

0010 □□□

particle

[pá:rtikl]

2018 서울시 9급 외 9회

명 입자, 작은 조각 = piece

명 소량, 미진 = bit

어원 part(i)[부분] + cle[작은 것] = (부분을 이루는 작은) 입자

Rain is formed when water drops in the air collect around **particles** of dust. 기출변형

비는 공기 중의 물방울이 먼지 입자 주위에 모일 때 형성된다.

0011 □□□

unfamiliar

[ə̀nfəmíljər]

2017 지방직 9급 외 9회

형 익숙하지 않은, 낯선 = unknown, unexpected

Children can guess the meaning from the context when they encounter **unfamiliar** words. 기출변형

아이들은 익숙하지 않은 단어들에 맞닥뜨렸을 때 문맥에서 그 의미를 추측할 수 있다.

↔ **familiar** 형 익숙한, 친근한

0012 □□□

contemplate

[ká:ntəmplèit]

2024 서울시 9급 외 8회

동 생각하다, 고려하다 = consider

동 응시하다, 찬찬히 보다

The strength of females can be grasped by **contemplating** ancient and modern images of the Goddess. 기출변형

여성의 힘은 고대와 현대의 여신의 이미지를 생각함으로써 이해될 수 있다.

⊕ **contemplation** 명 사색, 명상, 응시

0013 □□□

barely

[bɛ́ərli]

2016 서울시 7급 외 8회

부 거의 ~할 수 없이, 간신히 ＝ hardly

Some workers **barely** complain about their poor working conditions. (기출변형)

어떤 작업자들은 그들의 형편없는 근무 환경에 대해 거의 불평하지 않는다.

↔ **completely** 부 완전히

0014 □□□

certify

[sə́ːrtəfài]

2017 국회직 8급 외 6회

동 증명하다, 보증하다 ＝ approve, license

어원 cert(i)[확실한] + fy[동·접] = 자격이나 능력을 확실하게 만들어 증명하다

Potatoes are **certified** as a 'heart-healthy food'. (기출변형)

감자는 '심장에 좋은 식품'으로 증명되었다.

⊕ **certification** 명 증명, 증명서

0015 □□□

suburban

[səbə́ːrbən]

2017 사회복지직 9급 외 5회

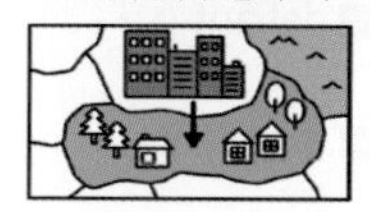

형 교외의 ＝ residential

어원 sub[아래에] + urb[도시] + an[형·접] = 도시 아래쪽의 주택지 등이 있는 교외 지역의

Many middle-class Americans chose to avoid the **suburban** lifestyle and live in the central city instead. (기출변형)

많은 중산층 미국인들이 교외의 생활방식을 피하고 중심 도시에서 사는 것을 선택했다.

⊕ **suburbanization** 명 교외화

0016 □□□

dweller

[dwélər]

2019 지방직 9급 외 5회

명 거주자, 주민, ~에 사는 동물 ＝ inhabitant

The desert **dwellers** admired the green trees and grass while the locals didn't find them interesting. (기출변형)

사막 거주자들은 푸른 나무와 풀에 감탄했던 반면, 그 지역 사람들은 전혀 흥미를 느끼지 못했다.

⊕ **dwell** 동 ~에 살다

0017 □□□

penetrate

[pénətrèit]

2020 법원직 9급 외 4회

동 (뚫고) 들어가다, 관통하다 ＝ enter, pierce

The explorers **penetrated** deep into the jungle and discovered gold.

탐험가들은 정글 안으로 깊이 들어가서 황금을 발견했다.

⊕ **penetrating** 형 마음속을 꿰뚫어 보는 듯한

0018 □□□

masterpiece

명 걸작, 명작 | = masterwork

[mǽstərpìs]

2019 법원직 9급 외 4회

The Taj Mahal is a **masterpiece** in the history of architecture. (기출변형)

타지마할은 건축 역사상에서 걸작이다.

0019 □□□

friction

명 마찰

명 (의견) 충돌, 불화 | = discord, conflict

[fríkʃən]

2022 지방직 9급 외 3회

At the end of a ride, coaster cars are slowed down by brake mechanisms that create **friction** between two surfaces. (기출)

놀이기구가 끝날 때, 롤러코스터 차량은 두 표면 사이에 마찰을 일으키는 제동 장치에 의해 속도가 늦춰진다.

↔ **harmony** 명 조화, 화합

⊕ **frictional** 형 마찰의, 마찰로 움직이는

0020 □□□

rebellious

형 반항적인 | = defiant

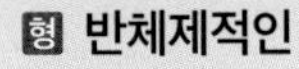

형 반체제적인 | = dissident

[ribéljəs]

2019 서울시 7급 외 3회

Parents must not give up on kids who are **rebellious.** (기출변형)

부모들은 반항적인 아이들을 포기해서는 안 된다.

↔ **obedient** 형 순종적인

⊕ **rebel** 동 반란을 일으키다

0021 □□□

laudable

형 칭찬할 만한 | = praiseworthy

[lɔ́:dəbl]

2020 국회직 8급 외 3회

The medical idea of delaying death is entirely **laudable.** (기출변형)

죽음을 연기한다는 의학적 발상은 전적으로 칭찬할 만한 것이다.

↔ **shameful** 형 수치스러운

0022 □□□

irregular

형 불규칙적인 | = random

[irégjulər]

2020 국회직 9급 외 3회

어원 ir[아닌] + reg(ul)[바르게 이끌다] + ar[형·접] = 바르게 이끌어지지 않아 불규칙적인

He has an **irregular** work schedule, so he rarely has time to meet.

그는 근무 일정이 불규칙적이기 때문에 만날 시간이 거의 없다.

↔ **steady** 형 꾸준한

⊕ **irregularity** 명 변칙

0023 □□□

excel

[iksél]

2019 법원직 9급 외 3회

동 (남을) 능가하다 | = surpass

It is a natural subconscious mind of humans to **excel**. 기출

남을 능가하려고 하는 것은 인간의 자연스러운 잠재의식이다.

+ **excellent** 형 훌륭한, 탁월한

0024 □□□

municipal

[mju:nísəpəl]

2015 법원직 9급 외 2회

형 지방 자치의, 시의 | = civic

어원 mun(i)[의무] + cip[잡다] + al[형·접] = 도시 스스로 행정 의무를 잡고 있는, 즉 지방 자치의

Homeless shelters are usually operated by a **municipal** agency. 기출변형

노숙자 쉼터는 보통 지방 자치 단체에 의해 운영된다.

0025 □□□

meddle

[médl]

2020 국회직 8급 외 2회

동 간섭하다, 참견하다 | = interfere, nose

동 건드리다, 손을 대다

Foreign **meddling** in the conflict in eastern Ukraine worried NATO. 기출변형

동우크라이나 분쟁에 대해 외국이 간섭하는 것은 NATO를 우려하게 했다.

+ **meddler** 명 간섭하려는 사람

0026 □□□

grief

[gri:f]

2023 법원직 9급 외 1회

명 깊은 슬픔, 비탄 | = sorrow, distress

Despite the passage of time, the **grief** of losing a loved one never truly fades away.

시간이 지나도, 사랑하는 사람을 잃은 깊은 슬픔은 절대 사라지지 않는다.

↔ **joy** 명 기쁨, 즐거움

+ **grieve** 동 (특히 누구의 죽음으로 인해) 비통해 하다

0027 □□□

insolent

[ínsələnt]

2016 국회직 8급 외 1회

형 무례한, 버릇없는 | = rude

The teacher punished the student for being **insolent** in class.

선생님은 그 학생이 수업에서 무례했던 것에 대해 벌을 주었다.

0028 □□□

commendation

[kɑ̀:məndéiʃən]

2015 국회직 8급

명 칭찬, 인정 | = praise

The firefighter received a **commendation** for bravery.

그 소방관은 용감함으로 칭찬을 받았다.

↔ **criticism** 명 비난, 비판

(잎 표시) = 어휘 영역 출제

빈출 숙어

0029 □□□

according to
~에 따르면 | ⊟ in accordance with

2020 국가직 9급 외 63회

According to the survey, income levels are correlated with reading habits. (기출변형)

한 조사에 따르면, 소득 수준은 독서 습관과 연관성이 있었다.

0030 □□□

take care of
~을 돌보다, 신경 쓰다 | ⊟ look after

2018 서울시 9급 외 19회

The adults were supposed to **take care of** the young boy. (기출변형)

어른들을 그 어린 소년을 돌봐야 했었다.

0031 □□□

call for

요구하다, ~을 필요로 하다 | ⊟ require, need

2021 지방직 9급 외 17회

Maintaining togetherness **calls for** a good system of communication. (기출변형)

연대감을 유지하는 것은 좋은 의사소통 체계를 요구한다.

⊕ **call on** 청하다, 요청하다

0032 □□□

pick up

~를 (차에) 태우다 | ⊟ collect

2021 지방직 9급 외 12회

(방송·신호 등을) 포착하다

~을 집다, 들어 올리다

We'll **pick up** my friends from the train station, and then we will head to the party together.

우리는 기차역에서 내 친구들을 차에 태우고 나서, 함께 파티에 갈 것이다.

0033 □□□

build up
확립하다, 개발하다 | ⊟ develop

2018 서울시 7급 외 9회

You can **build up** strong social networks by relying on other people. (기출변형)

당신은 다른 사람들에게 의지하며 강한 인간 관계망을 확립할 수 있다.

0034 □□□

take ~ into account
~을 고려하다 | ⊟ consider

2020 지방직 9급 외 3회

My supervisor has **taken into account** my performance and attitude in the evaluation. (기출변형)

나의 상사는 평가에서 나의 성과와 태도를 고려했다.

완성 어휘

0035	homage 🌿	명 경의
0036	defy	동 반항하다, 거역하다
0037	issuance	명 발급, 배급
0038	perspicuous 🌿	형 알기 쉬운, 명쾌한
0039	detached	형 고립된, 무심한
0040	roster	명 명단, 등록부
0041	exquisite 🌿	형 매우 아름다운, 정교한
0042	strenuous	형 몹시 힘든, 격렬한
0043	entrench	동 확고하게 하다
0044	parochial	형 편협한, 좁은
0045	promulgate 🌿	동 널리 알리다
0046	trepidation 🌿	명 두려움
0047	belittle 🌿	동 얕보다, 과소평가하다
0048	crown	명 왕위, 왕권
0049	punitive 🌿	형 징벌적인, 처벌의, 가혹한
0050	hitch	동 얻어 타다, 편승하다
0051	solidarity	명 연대, 결속
0052	counteract	동 대응하다
0053	throng	명 인파, 군중
0054	quarantine	명 격리
0055	arithmetic	명 산수, 연산
0056	astound	동 크게 놀라게 하다
0057	inattentive	형 부주의한, 조심성이 없는
0058	rupture	명 파열; 동 파열되다
0059	repellent	형 역겨운, 혐오감을 주는
0060	flux	명 끊임없는 변화, 유동
0061	savvy	형 요령 있는
0062	tenuous	형 미약한, 보잘것없는
0063	tacit	형 암묵적인, 무언의
0064	cluster	명 무리
0065	negligence	명 부주의, 태만
0066	remorse 🌿	명 회한
0067	malleable	형 영향을 잘 받는
0068	pale	형 창백한, 옅은
0069	mantle	명 (표면을 덮고 있는) 꺼풀
0070	superficially 🌿	부 표면적으로
0071	unprepossessing	형 매력 없는
0072	bring about	일으키다, 야기하다
0073	take apart	~을 분해하다
0074	it follows that	결과적으로 ~이다
0075	get ahead 🌿	출세하다
0076	be off to	~로 떠나다
0077	tell from	~을 구분하다, ~으로 알다
0078	put on hold	~을 보류하다
0079	spread out	퍼지다
0080	go back on one's word	약속을 어기다

🌿 = 어휘 영역 출제

DAY 02

■ 1회독 ■ 2회독 ■ 3회독

DAY02 음성 바로 듣기

최빈출 단어

0081 □□□

face

[feis]

2020 지방직 9급 외 57회

동 직면하다, 마주하다 = confront

Consumers are **facing** a wide range of problems. (기출변형)
소비자들은 광범위한 문제들에 직면하고 있다.

0082 □□□

strategy

[strǽtədʒi]

2020 지방직 9급 외 37회

명 전략, 계획 = plan, scheme

어원 strat[군대] + eg[이끌다] + y[명·접] = (무언가를 이끄는) 전략

Using context clues is a **strategy** that children use to understand unfamiliar words. (기출변형)
문맥의 단서를 이용하는 것은 아이들이 익숙하지 않은 단어들을 볼 때 이용하는 전략이다.

⊕ **strategic** 형 전략상 중요한

0083 □□□

shift

[ʃift]

2020 국가직 9급 외 37회

명 전환, 변화, 이동 = alteration

동 옮기다, 자세를 바꾸다 = move

As consumers develop more advanced tastes for coffee, a **shift** in origin has been observed. (기출변형)
소비자들이 커피에 대해 더 고급스러운 기호를 갖게 되면서, 원산지의 변화가 관찰되고 있다.

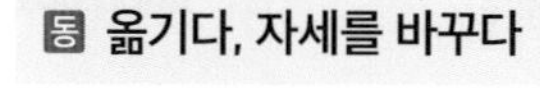

⊕ **shifting** 형 이동하는, 바뀌는

0084 □□□

conceal

[kənsíːl]

2024 국가직 9급 외 12회

동 숨기다, 감추다 = hide, disguise

His statement **conceals** the fact that he failed the quiz. (기출변형)
그의 진술은 그가 퀴즈를 망쳤다는 사실을 숨기고 있다.

↔ **reveal** 동 드러내다

⊕ **concealment** 명 숨김, 은폐

0085 □□□

conversely

[kənvə́ːrsli]

2020 법원직 9급 외 12회

부 반대로, 역으로 ＝ on the contrary

Conversely, people may compensate for their lack of self-esteem by acting arrogant. 기출변형

반대로, 사람들은 거만하게 행동함으로써 부족한 자긍심을 채워보려 할 수 있다.

⊕ **converse** 명 정반대

0086 □□□

commitment

[kəmítmənt]

2019 국회직 9급 외 12회

명 헌신, 전념 ＝ obligation

명 약속 ＝ engagement

어원 com[함께] + mit[보내다] + ment[명·접] = 명령과 함께 보내진 사람들이 일을 이행하여 헌신함

People view marriage as a long-term **commitment**. 기출변형

사람들은 결혼을 장기간의 헌신으로 본다.

⊕ **commit** 동 저지르다, 범하다

0087 □□□

exert

[igzə́ːrt]

2019 지방직 9급 외 11회

동 (영향력을) 행사하다 ＝ wield

동 노력하다, 분투하다

어원 ex[밖으로] + (s)ert[결합하다] = 내부의 힘을 결합하여 밖으로 행사하다

Local identity **exerts** a strong influence on how dialects evolve. 기출변형

지역 정체성은 방언이 진화하는 방식에 강한 영향력을 행사한다.

0088 □□□

superior

[supíəriər]

2020 국회직 8급 외 10회

형 우월한 ＝ better

명 상급자, 선배

어원 super[위에] + ior[더 ~한] = 더 위에 있는, 즉 우월한 또는 우수한

There is no point in making claims that the company's product is **superior** to others'. 기출변형

그 회사의 제품이 다른 회사의 제품보다 우월하다고 주장하는 것은 무의미하다.

↔ **inferior** 형 열등한

⊕ **superiority** 명 우월성, 우세

0089 □□□

respective

[rispéktiv]

2016 국회직 8급 외 10회

형 각각의, 각자의 ＝ separate

The news media explains the issues and characterizes the **respective** positions of candidates. 기출변형

뉴스 매체는 문제들을 설명하고 각각의 후보자들의 입장을 특징짓는다.

⊕ **respectively** 부 각각, 제각기

= 어휘 영역 출제

0090 □□□

profound

[prəfáund]

2019 서울시 7급 외 10회

형 심오한, 깊은, 엄청난 = extreme, intense

어원 pro[앞에] + found[바닥] = 바닥보다도 앞서 쌓여서 깊고, 심오한

Virtual communities affect people's identities in **profound** ways. 기출변형

가상 공동체는 사람들의 정체성에 심오한 방식으로 영향을 끼친다.

↔ **superficial** 형 깊이 없는, 피상적인

⊕ **profoundly** 부 깊이, 완전히

빈출 단어

0091 □□□

ecological

[ikəlɑ́:dʒikəl]

2019 지방직 7급 외 8회

형 생태계의, 환경의 = environmental

어원 eco[환경] + log[말] + ical[형·접] = 환경에 대해 말하는 것의, 즉 생태계의

Decrease in wildlife population is a tragic loss of non-human life and **ecological** heritage. 기출변형

야생동물 개체군의 감소는 인간이 아닌 생명체와 생태계 유산의 비극적인 손실이다.

⊕ **ecologically** 부 생태학적으로

0092 □□□

surge

[sə:rdʒ]

2019 국회직 9급 외 7회

명 급증, 급등, 상승 = rush

명 큰 파도, 파동, (감정의) 동요 = wave

동 쇄도하다, (감정이) 치밀어 오르다 = gush

The Renaissance was characterized by a **surge** of interest in classical learning. 기출변형

"르네상스"는 고전적인 학문에 대한 관심의 급증으로 특징지어졌다.

⊕ **resurgence** 명 재기, 부활

0093 □□□

scarce

[skɛərs]

2016 국가직 7급 외 6회

형 희귀한, 드문, 부족한 = insufficient, rare

Francium is so **scarce** that our planet may contain fewer than twenty francium atoms. 기출변형

프랑슘은 너무 희귀해서 전 지구가 스무 개 미만의 프랑슘 원자만을 포함할지도 모른다.

↔ **plentiful** 형 많은, 풍부한

⊕ **scarcely** 부 거의 ~않다, 겨우

0094 □□□

circulation

[sə̀:rkjuléiʃən]

2020 법원직 9급 외 6회

명 (혈액 등의) 순환

명 유통 | = flow

Circulation problems can appear as a result of a heart condition. (기출변형)

순환 문제는 심장 질환의 결과로 나타날 수 있다.

+ **circulate** 동 순환하다, 순환시키다

0095 □□□

immoral 

[imɔ́:rəl]

2015 지방직 9급 외 5회

형 부도덕한, 품행이 나쁜 | = unethical

어원 im[아닌] + moral[도덕적인] = 도덕적이지 않은

Using a celebrity in commercials can backfire when the person engages in **immoral** behavior. (기출변형)

광고에 유명 인사를 사용하는 것은 그 사람이 부도덕한 행동에 관여한다면 역효과를 낳을 수 있다.

↔ **moral** 형 도덕상의

+ **morality** 명 도덕성

0096 □□□

entrepreneur

[ɑ̀:ntrəprənə́:r]

2018 국가직 9급 외 5회

명 기업가 | = founder

An **entrepreneur** is someone who can combine innovation and ingenuity. (기출변형)

기업가는 혁신과 창의력을 결합할 수 있는 사람이다.

0097 □□□

deplete

[diplí:t]

2020 국회직 8급 외 5회

동 대폭 감소시키다, 고갈시키다 | = drain

어원 de[떨어져] + ple(te)[채우다] = 채웠던 것을 크게 떨어뜨리다, 즉 고갈시키다

The research shows how to utilize the fish population without **depleting** the population. (기출변형)

이 연구는 어떻게 물고기 개체 수를 대폭 감소시키지 않고 수산 자원을 활용하는지를 보여준다.

↔ **increase** 동 늘어나다

+ **depletion** 명 고갈, 소모

0098 □□□

negotiate

[nigóuʃièit]

2020 국회직 8급 외 5회

동 협상하다 | = arrange, mediate

어원 neg[아닌] + oti[쉼, 여가] + ate[동·접] = 쉬지 않고 여럿 사이를 오가며 협상하다

The states **negotiated** several agreements to protect fauna and flora. (기출변형)

주들은 동식물 군을 보호하기 위해 몇 가지 협정을 협상했다.

+ **negotiation** 명 협상, 교섭

0099 □□□

repeal 

동 폐지하다, 철회하다 | = annul, abolish

[ripí:l]

2020 국회직 8급 외 3회

A heavy tax on thread and cloth made in Britain was **repealed.** (기출변형)

영국에서 만들어진 실과 천에 대한 무거운 세금이 폐지되었다.

↔ **pass** 동 통과하다, 가결하다

0100 □□□

redundant 

형 불필요한, 여분의 | = unnecessary

[ridʌ́ndənt]

2019 서울시 9급 외 3회

Technology has made some jobs **redundant.**

기술은 일부 일자리를 불필요하게 만들었다.

0101 □□□

invincible 

형 무적의, 이길 수 없는 | = impregnable

[invínsəbl]

2018 서울시 7급 외 3회

The optimism bias makes us believe we are **invincible,** that nothing bad will ever happen to us. (기출)

낙관주의 편향은 우리가 무적이고, 어떤 나쁜 일도 우리에게 일어나지 않을 것이라고 믿게 만든다.

↔ **vulnerable** 형 연약한

0102 □□□

subconscious

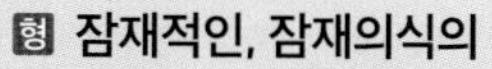

형 잠재적인, 잠재의식의 | = latent

명 잠재의식

[səbkɑ́:nʃəs]

2019 법원직 9급 외 2회

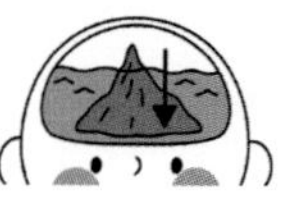

어원 sub[아래에] + conscious[의식 있는] = 의식의 아래에 있는 잠재의식

Some people have **subconscious** fears of crime. (기출변형)

어떤 사람들은 범죄에 대한 잠재적인 두려움을 가지고 있다.

⊕ **subconsciously** 부 잠재의식으로

0103 □□□

indigenous 

형 토착의, 타고난, 고유의 | = native, aboriginal

[indídʒənəs]

2018 국가직 9급 외 2회

The filmmaker tried to show how **indigenous** people gathered food. (기출변형)

그 영화 제작자는 토착 민족이 어떻게 식량을 모았는지를 보여주려고 했다.

↔ **migrant** 형 이주하는

0104 □□□

extrovert 

[ékstrəvə̀:rt]

2019 서울시 9급 외 2회

형 외향적인 — = outgoing

명 외향적인 사람, 외향성

어원 extro[밖으로] + vert[돌리다] = 생각, 감정을 숨기지 않고 밖으로 돌리는, 즉 외향적인

Individuals with **extrovert** characteristics usually feel comfortable in a crowd.

외향적인 성격을 가진 개인들은 대개 군중 속에서 편안함을 느낀다.

0105 □□□

marvelous

[mά:rvələs]

2020 지방직 7급 외 2회

형 놀라운, 믿기 어려운 — = astonishing

Every child has a love for fantastic and **marvelous** stories. (기출변형)

모든 아이는 환상적이고 놀라운 이야기들에 대한 애정을 가지고 있다.

0106 □□□

torture

[tɔ́:rtʃər]

2013 국회직 8급 외 2회

명 고문, 괴로움 — = punishment

동 고문하다 — = torment

어원 tort[비틀다] + ure[명·접] = 비틀어서 주는 고통 또는 고통을 주는 행위 즉, 고문

The prison sentence was introduced as a replacement for death and **torture**. (기출변형)

사형과 고문의 대체로서 징역형이 도입되었다.

0107 □□□

fabricate

[fǽbrikèit]

2017 국회직 9급 외 2회

동 조작하다, 위조하다 — = falsified, forge

동 제작하다, 조립하다

The fossils were **fabricated** by someone in modern times. (기출변형)

그 화석은 누군가에 의해 현대에 조작되었다.

0108 □□□

sway 

[swei]

2019 지방직 7급 외 1회

동 흔들리다, 동요하다 — = shake, influence

The Eiffel Tower can **sway** almost five inches in strong winds. (기출변형)

에펠탑은 강풍에 거의 5인치가 흔들릴 수 있다.

빈출 숙어

0109 □□□

in addition

~뿐만 아니라, 또한

= besides, as well as

2020 국가직 9급 외 80회

More individual exercise is needed **in addition** to team sports. (기출)

팀 운동 뿐만 아니라 더 많은 개인 운동이 필요하다.

0110 □□□

be ready to

~할 준비가 되다

= be willing to

2020 국가직 9급 외 28회

She **was ready to** compete in every chess game. (기출변형)

그녀는 모든 체스 경기에서 경쟁할 준비가 되어 있었다.

0111 □□□

manage to

간신히 ~하다

= be able to

2018 지방직 9급 외 18회

People thought we would go bankrupt, but we **managed to** succeed. (기출변형)

사람들은 우리가 파산할 것으로 생각했지만, 우리는 간신히 성공했다.

0112 □□□

be sure to

반드시 ~하다, 꼭 ~하다

= be certain to

2019 지방직 7급 외 7회

Be sure to wake me up early tomorrow morning. (기출)

반드시 내일 아침 일찍 저를 깨워주세요.

0113 □□□

incapable of

~할 수 없는

= not equipped to

2021 국가직 9급 외 3회

This aspect of the phenomenon refers to workers who see themselves as failures **incapable of** effectively accomplishing job requirements. (기출변형)

그 현상의 이러한 양상은 그들 자신을 효과적으로 임무 요건을 완수할 수 없는 실패자라고 바라보는 근로자들을 나타낸다.

0114 □□□

place an order

주문하다

2017 지방직 7급 외 1회

We will **place an order** at the restaurant downstairs for lunch.

우리는 아래층에 있는 레스토랑에서 점심을 주문할 것이다.

완성 어휘

0115	irrigation	명 관개
0116	jet-lag	명 시차
0117	bent	형 구부러진; 명 소질
0118	inertia	명 관성, 타성
0119	trickle	명 조금씩 이어지는 양
0120	stun	동 기절시키다, 놀라게 하다
0121	proximation	명 근사, 유사, 접근
0122	permeate	동 스며들다, 퍼지다
0123	paucity	명 소량, 부족, 결핍
0124	diminution	명 축소, 감소
0125	bellicose	형 호전적인
0126	atom	명 원자
0127	outflow	명 유출
0128	hypnotic	형 최면을 거는 듯한
0129	traction	명 견인, 호응
0130	crease	명 주름, 구김살
0131	sheepishly	부 소심하게, 순하게
0132	behest	명 명령, 지령
0133	bizarre	형 기이한, 특이한
0134	adaptable	형 적응할 수 있는
0135	posit	동 사실로 상정하다
0136	monstrous	형 엄청난, 터무니없는
0137	smash	동 박살 내다, 박살 나다
0138	ruthless	형 무자비한, 가차 없는
0139	reproach	동 비난하다; 명 비난
0140	inconsistent	형 일치하지 않는, 모순된
0141	sever	동 자르다, 절단하다
0142	unravel	동 흐트러지기 시작하다
0143	plagiarism	명 표절
0144	brevity	명 간결성
0145	resolute	형 단호한, 확고한
0146	potent	형 강한, 강력한
0147	partisan	명 신봉자; 형 편파적인
0148	epigraph	명 (기념비 따위의) 제명, 비문
0149	platitude	명 진부한 말, 평범한 의견
0150	prose	명 산문
0151	beef up	강화하다
0152	hit the ball	수월하게 진행하다
0153	come off	성공하다, 떨어지다
0154	supportive of	~을 지원하는
0155	in season	제철의
0156	in that	~이므로
0157	commit suicide	자살하다
0158	keep pace with	~와 보조를 맞추다
0159	by far	훨씬
0160	take turns	교대로 하다

= 어휘 영역 출제

DAY 03

■ 1회독 ■ 2회독 ■ 3회독

DAY03 음성 바로 듣기

최빈출 단어

0161 ☐☐☐

treatment

[trí:tmənt]

2020 지방직 7급 외 60회

명 치료, 처치 = care, nursing

명 대우, 다룸 = action towards

Improved **treatment** cannot fully explain the decline of major diseases in wealthy countries. (기출변형)

향상된 치료는 부유한 국가들에서 주요 질병들이 줄어드는 것을 완벽히 설명하지는 못한다.

⊕ **treat** 동 다루다, 여기다

0162 ☐☐☐

estimate

명 [éstəmət]
동 [éstəmèit]

2020 국회직 8급 외 55회

명 추정치, 추정 = approximation

동 추정하다, 어림잡다 = approximate, guess

동 평가하다 = evaluate, gauge

어원 estim[평가하다] + ate[동·접] = 가치, 값 등을 추정한 값

Researchers developed a new model that provides **estimates** on the whale population. (기출변형)

연구원들은 고래 개체 수에 대한 추정치를 제공하는 새로운 모델을 개발했다.

0163 ☐☐☐

abuse

동 [əbjú:z]
명 [əbjú:s]

2020 지방직 9급 외 22회

동 남용하다 = misuse

동 학대하다 = harm

명 남용, 학대

어원 ab[떨어져] + us(e)[사용하다 = 정해진 것과 동떨어지게 함부로 사용하다, 즉 남용하다

Some drugs have a higher chance of being **abused** than others. (기출변형)

어떤 약물은 다른 것보다 남용될 가능성이 더 높다.

⊕ **abusive** 형 모욕적인, 욕하는

0164 □□□

attribute

[ətríbjuːt]

2020 법원직 9급 외 20회

동 ~의 책임으로 돌리다 ≡ ascribe

명 특성, 속성, 자질

Ten thousand years ago, abnormal behaviors were **attributed** to evil spirits. (기출변형)

만 년 전에, 비정상적인 행동은 악령의 책임으로 돌려졌다.

⊕ **attribution** 명 속성

0165 □□□

context

[kɑ́ntekst]

2021 국가직 9급 외 20회

명 문맥, 맥락

명 배경, 전후 사정 ≡ circumstances

어원 con[함께(com)] + text[짜다] = 앞뒤에 함께 짜여 있는 문맥 또는 배경

If you keep reading, you will eventually understand the word from the **context**. (기출변형)

당신은 계속 읽다 보면, 결국 문맥으로부터 단어를 이해할 것이다.

0166 □□□

symptom 

[símptəm]

2020 국회직 9급 외 19회

명 증상 ≡ indication

명 (특히 불길한) 징후, 조짐

어원 sym[함께] + ptom[떨어지다] = 병에 걸릴 때 함께 떨어지는 증상

Patients provided regular updates about **symptoms** like coughing. (기출변형)

환자들은 기침과 같은 증상들에 관해 정기적인 업데이트를 제공했다.

0167 □□□

exhaust

[igzɔ́ːst]

2019 서울시 7급 외 16회

동 기진맥진하게 하다 ≡ fatigue, drain

어원 ex[밖으로] + haust[물을 푸다] = 밖으로 물을 다 퍼내 없애다, 물을 퍼내느라 기진맥진하게 하다

I would rather not go out tonight because I am totally **exhausted**. (기출변형)

나는 완전히 기진맥진했기 때문에 오늘 밤에는 나가지 않겠다.

↔ **invigorate** 동 기운 나게 하다

⊕ **exhaustion** 명 탈진, 기진맥진

0168 □□□

beneficial

[bènəfíʃəl]

2018 서울시 7급 외 14회

형 이익이 되는, 유익한 ≡ advantageous

어원 bene[좋은] + fi(t)[행하다] + (c)ial[형·접] = 어떤 대상에게 좋게 행해진 것의, 즉 이익이 되는

Globalization can be **beneficial** regardless of one's economic status. (기출)

세계화는 사람들의 경제적 지위와 상관없이 이익이 될 수 있다.

↔ **detrimental** 형 해로운

⊕ **beneficiary** 명 수혜자, 수익자

= 어휘 영역 출제

0169 □□□

undertake

[əndərtéik]

2019 서울시 9급 외 13회

동 (일·책임을) 떠맡다 ■ tackle, take on

동 착수하다

어원 under[아래에] + take[잡다] = 일을 아래로 잡아 내려 그것을 해야 할 책임을 떠맡다

His sense of responsibility urged him to **undertake** a dangerous task. 기출변형

그의 책임감이 그로 하여금 위험한 일을 떠맡도록 재촉했다.

↔ **neglect** 동 (돌보지 않고) 방치하다

0170 □□□

decay

[dikéi]

2020 국가직 9급 외 13회

동 썩다, 부패하다 ■ degrade

명 부식, 부패 ■ decomposition

Once a leaf falls from the tree, it immediately starts to **decay**. 기출변형

잎사귀는 나무에서 한 번 떨어지면 즉시 썩기 시작한다.

⊕ **decadent** 형 타락한

빈출 단어

0171 □□□

entitle

[intáitl]

2020 국회직 8급 외 9회

동 자격을 주다 ■ qualify

어원 en[하게 만들다] + title[지위, 제목] = 지위를 갖게 만들어 어떤 일을 할 자격 또는 권리를 주다

Top executives are **entitled** to first-class travel. 기출

고위 간부들은 일등석으로 여행할 자격이 주어진다.

0172 □□□

convey

[kənvéi]

2020 국회직 8급 외 9회

동 (정보 등을) 전달하다 ■ pass on

동 실어 나르다, 운반하다 ■ carry, transport

어원 con[함께(com)] + vey[길(via)] = 길을 갈 때 함께 날라 전달하다

You do not have to get certified to **convey** what you know to others. 기출변형

당신은 당신이 아는 것을 다른 이들에게 전달하기 위해 자격증을 취득할 필요는 없다.

0173 □□□

sensory

[sénsəri]

2019 국회직 9급 외 7회

형 감각의

Among the **sensory** elements, using a scent is a recent marketing strategy. 기출변형

감각 요소들 중에서, 향기를 사용하는 것은 최근의 마케팅 전략이다.

⊕ **sensitivity** 명 세심함

0174 □□□

density

명 밀도 | ≡ quantity, consistency

[dénsəti]

2019 지방직 9급 외 7회

As the population **density** decreased, the traffic in the city decreased. (기출변형)

인구 밀도가 낮아짐에 따라, 도시의 교통량이 줄었다.

0175 □□□

suspicious

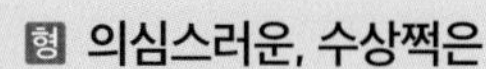

형 의심스러운, 수상쩍은 | ≡ doubtful

[səspíʃəs]

2017 국회직 9급 외 6회

어원 su[아래로(sub)] + spic[보다] + ious[형·접] = 상대를 위에서 아래로 훑어보며 하는 의심의

Skilled communicators maintain normal eye contact so that they don't seem **suspicious**. (기출변형)

능숙한 소통가들은 자신들이 의심스럽게 보이지 않도록 의도적으로 정상적인 눈 맞춤을 유지한다.

⊕ **suspicion** 명 의심, 혐의

0176 □□□

riot

명 폭동 | ≡ disturbance

동 폭동을 일으키다

[ráiət]

2012 법원직 9급 외 5회

The protest turned into a **riot** as the people became violent.

그 시위는 사람들이 난폭해지면서 폭동으로 변했다.

⊕ **rioter** 명 폭도

0177 □□□

explicit

형 명쾌한, 분명한 | ≡ unambiguous

형 솔직한, 노골적인 | ≡ frank

[iksplísit]

2019 국가직 9급 외 5회

We set up **explicit** theories to explain the facts clearly. (기출변형)

우리는 사실을 명확하게 설명하기 위해 명쾌한 이론을 세웠다.

↔ **vague** 형 희미한

⊕ **explicitly** 부 명쾌하게

0178 □□□

endorse

동 (공개적으로) 지지하다 | ≡ support

동 (상품을) 보증하다

[indɔ́:rs]

2017 국회직 8급 외 5회

The mayor **endorsed** the plan to move the city's library.

시장은 시의 도서관의 이전하려는 계획을 공개적으로 지지했다.

↔ **oppose** 동 반대하다

⊕ **endorsement** 명 지지

= 어휘 영역 출제

0179 □□□

increment

명 증가량, 증대 | ≡ increased amount

[ínkrəmənt]

2019 지방직 9급 외 4회

Such a small **increment** in working hours has probably been unnoticeable. 기출변형

이렇게 적은 근로시간의 증가량은 아마 눈에 띄지 않았을 것이다.

⊕ **increase** 동 증가하다

0180 □□□

offense

명 위반, 범행 | ≡ crime

[əféns]

2018 서울시 9급 외 3회

Aggressive driving is a combination of **offenses** such as following too closely and speeding. 기출변형

공격적인 운전은 너무 바짝 따라가는 것이나 과속과 같은 위반들의 결합이다.

⊕ **offend** 동 기분 상하게 하다

0181 □□□

tame

동 다스리다, 길들이다 | ≡ restrain

형 길들여진 | ≡ domesticated

[teim]

2019 법원직 9급 외 3회

Unless greenhouse gas emissions are **tamed**, the sea level will keep rising. 기출변형

온실가스 배출이 다스려지지 않는 한, 해수면은 계속 상승할 것이다.

0182 □□□

metabolic

형 신진대사의

[mètəbɑ́lik]

2014 국가직 7급 외 3회

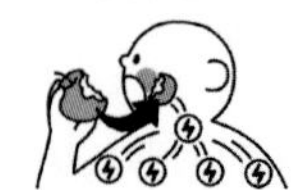

어원 meta[바꾸다] + bol[던지다] + ic[형·접] = 음식을 에너지로 바꿔 신체 곳곳으로 던지는 신진대사 작용의

In human cells, abnormal **metabolic** activities can cause DNA damage. 기출변형

인간 세포에서, 비정상적인 신진대사 활동은 DNA 손상을 유발할 수 있다.

⊕ **metabolism** 명 신진대사

0183 □□□

persevere

동 인내하다 | ≡ persist

[pə̀:rsəvíər]

2018 국회직 8급 외 2회

Those who can **persevere** toward their long-term goals are best positioned for success. 기출변형

장기적인 목표를 향해 인내할 수 있는 사람들은 성공에 대해 가장 좋은 위치에 놓인다.

↔ **quit** 동 그만두다

⊕ **perseverance** 명 인내, 끈기

0184 □□□

mediate 

동 중재하다 | = intervene

[mí:dièit]

2020 국회직 8급 외 2회

어원 medi[중간] + ate[동·접] = 중간에 끼어 들어가서 양쪽을 중재하다

The attorney **mediated** between the business and its workers' union.

그 변호사는 회사와 노동조합 사이를 중재했다.

⊕ **mediation** 명 매개

0185 □□□

spur 

동 박차를 가하다, 자극하다 | = prompt

명 자극, 원동력

[spəːr]

2019 서울시 7급 외 2회

Advertisements can **spur** audience ratings competition and commercialization. (기출변형)

광고는 시청률 경쟁과 상업화에 박차를 가할 수 있다.

0186 □□□

refurbish 

동 재단장하다, 정비하다 | = renovate

[ri:fə́:rbiʃ]

2018 서울시 7급 외 2회

All of the hotel's rooms were **refurbished** within the last year.

그 호텔의 모든 객실은 지난해 안에 재단장되었다.

0187 □□□

irritable

형 짜증을 내는, 민감한 | = irascible

[írətəbl]

2016 국가직 9급 외 2회

He always feels tired and **irritable** after he wakes up.

그는 잠에서 깨면 항상 피곤하고 짜증을 낸다.

↔ **easy-going** 형 느긋한, 태평스러운

⊕ **irritability** 명 화를 잘 냄, 성급함

0188 □□□

ingest 

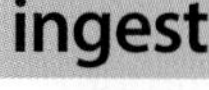

동 섭취하다, 삼키다, 먹다 | = digest

동 (정보를) 수집하다

[indʒést]

2016 국가직 9급 외 2회

BPA is **ingested** when people eat food that comes directly out of a can. (기출변형)

BPA는 사람들이 통조림에서 바로 나온 음식을 먹을 때 섭취된다.

0189 □□□

rotate

[róuteit]

2016 서울시 9급 외 1회

동 회전하다 ≡ revolve, turn

동 교대로 하다 ≡ alternate

어원 rot[돌다] + ate[동·접] = 회전하다 또는 어떤 것을 하는 순서가 돌아가다, 즉 교대로 하다

The moon **rotates** more slowly than the Earth. (기출변형)

달은 지구보다 더 천천히 회전한다.

빈출 숙어

0190 □□□

be likely to

2020 지방직 9급 외 73회

~할 가능성이 있다 ≡ be probable to

Children with strong reading habits **were** more **likely to** be successful. (기출변형)

강력한 독서 습관을 가지고 있던 아이들이 성공할 가능성이 더 있었다.

0191 □□□

catch up

2016 지방직 7급 외 11회

따라잡다 ≡ keep up

I've fallen behind in my classes and I don't know if I can **catch up**. (기출변형)

나는 수업에서 뒤떨어져서 따라잡을 수 있을지 모르겠다.

0192 □□□

get[be] in touch

2019 국회직 8급 외 7회

연락하다, ~와 닿다 ≡ keep in contact

If I don't e-mail you by next week, please call and **get in touch** with me.

만약 제가 다음 주까지 메일을 보내지 않으면, 전화해서 연락해주시길 바랍니다.

⊕ **stay in touch** 연락하다

0193 □□□

compensate for

2020 법원직 9급 외 5회

보충하다, ~에 대해 보상하다 ≡ make up for

Travel agencies use modern technology to **compensate for** the inexperience of many agents. (기출)

여행사들은 많은 직원들의 경험 부족을 보충하기 위해 현대 기술을 사용한다.

0194 □□□

be acquainted with

2019 지방직 9급 외 1회

친분이 있다

The hotel staff **are acquainted with** the regular guests and call them by name.

호텔 직원들은 단골 고객들과 친분이 있어서 그들을 이름으로 부른다.

완성 어휘

0195	dichotomy	명 이분법
0196	textile	명 섬유, 옷감
0197	serviceable	형 쓸모 있는, 잘 돕는
0198	chancellor	명 수상, 총장
0199	onwards	부 계속
0200	circumscribe	동 제한하다
0201	spurn	동 퇴짜 놓다, 일축하다
0202	equilibrium	명 평형
0203	belligerent	형 적대적인
0204	perjury	명 위증
0205	facetious	형 경박한, 까부는
0206	jettison	동 버리다, 폐기하다
0207	traitor	명 배신자, 반역자
0208	creed	명 신념, 신조
0209	indignantly	부 분개하여
0210	rampant	형 걷잡을 수 없는
0211	brink	명 (벼랑 등의) 끝, 직전
0212	blunt	형 무딘, 뭉툭한
0213	peasant	명 소작농
0214	courtesy	명 공손함
0215	temperance	명 절제, 자제
0216	smuggle	동 밀수하다, 밀반입하다
0217	scribe	명 서기관
0218	second-hand	형 중고의
0219	indiscriminate	형 무분별한
0220	sober	형 제정신의, 냉철한
0221	manslaughter	명 살인
0222	intoxicate	동 취하게 하다
0223	exigent	형 위급한, 급박한
0224	incapacitate	동 무능하게 만들다
0225	tedious	형 지루한, 싫증 나는
0226	preeminent	형 탁월한, 발군의
0227	pastoral	형 목축의
0228	thaw	동 녹다
0229	martial	형 싸움의, 전쟁의, 용맹한
0230	slack off	쇠퇴하다, 게으름을 부리다
0231	break a habit	버릇을 고치다
0232	crack down on	단호한 조치를 취하다
0233	cut it close	절약하다
0234	do no harm	해가 되지 않다
0235	under condition	~한 조건하에
0236	pick on	~를 비난하다, 혹평하다
0237	in accordance with	~에 따라서
0238	in line with	~에 따라, ~과 비슷한
0239	burst into	(갑자기) ~하기 시작하다
0240	in the long run	장기적으로

= 어휘 영역 출제

DAY 04

■ 1회독 ■ 2회독 ■ 3회독

DAY04 음성 바로 듣기

최빈출 단어

0241 □□□

material

[mətíəriəl]

2020 국가직, 지방직 9급 외 96회

- 명 물질, 재료 ▣ substance, matter
- 형 물질적인, 물리적인
- 명 자료 ▣ information, data

Sharks are covered in scales made from the same **material** as teeth. 기출

상어는 치아와 동일한 물질로 만들어진 비늘로 덮여있다.

0242 □□□

fix

[fiks]

2020 국회직 9급 외 39회

- 동 고정시키다 ▣ stick, secure
- 동 (날짜, 시간, 양 등을) 정하다 ▣ decide, set

The theory is that your personality is **fixed** by the time you're six. 기출변형

그 이론은 사람의 성격이 여섯 살 때 고정된다는 것이다.

0243 □□□

ban

[bæn]

2020 국가직 9급 외 28회

- 동 금지하다 ▣ prohibit
- 명 규제, 금지 명령 ▣ restriction

Single-person rafting is **banned** in some rivers. 기출

일부 강에서는 1인 래프팅을 금지하고 있다.

↔ **permit** 동 허용하다

0244 □□□

vulnerable

[vʌ́lnərəbl]

2018 국가직 9급 외 18회

- 형 취약한, 공격받기 쉬운 ▣ unsafe
- 형 연약한 ▣ weak

어원 vulner[상처를 입다] + able[~할 수 있는] = (상처 입을 수 있게) 취약한, 연약한

Governments become more **vulnerable** when economies fail. 기출변형

경제가 실패할 때 정부들은 더 취약해진다.

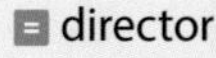

0245 □□□

executive

[igzékjutiv]

2020 법원직 8급 외 18회

명 임원, 경영진, 책임자 ≡ director

형 행정상의 ≡ administrative

어원 ex[밖으로] + (s)ecu[따라가다] + (a)tive[명/형·접] = 계획에 따라 밖으로 나가 어떤 일을 실행하는 사람, 혹은 실행하는

American **executives** showed active reactions to the speakers at the seminar. 기출

미국인 임원들은 세미나에서 발표자들에게 적극적인 반응을 보였다.

0246 □□□

verbal

[vəː́rbəl]

2020 지방직 9급 외 12회

형 언어의, 구두의 ≡ oral, spoken

The doctor still had hope for the development of the child's **verbal** ability. 기출변형

그 의사는 아이의 언어적 능력의 발달에 여전히 희망을 가지고 있었다.

↔ **nonverbal** 형 말로 할 수 없는

+ **verbalize** 동 말로 표현하다

0247 □□□

isolate

[áisəlèit]

2022 서울시 9급 외 11회

동 고립시키다, 격리하다 ≡ sequester

어원 isol[섬] + ate[동·접] = 섬처럼 혼자 있게 고립시키다

It is often too expensive to build traditional energy infrastructures in **isolated** areas. 기출

고립된 지역에 전통적인 에너지 기반 시설을 건설하는 것은 대개 너무 비싸다.

+ **isolation** 명 고립, 분리

0248 □□□

cite

[sait]

2020 국가직 9급 외 11회

동 (예를 들어) 언급하다, 인용하다 ≡ mention, quote

어원 cit(e)[부르다] = 다른 사람의 말이나 글을 불러와서 예를 들어 언급하다, 또는 인용하다

The government stopped work on it, **citing** security concerns. 기출변형

정부는 보안 문제를 언급하며 그것의 작업을 멈췄다.

0249 □□□

district

[dístrikt]

2020 법원직 9급 외 10회

명 구역, 지구 ≡ area, region

어원 di[떨어져(dis)] + strict[묶다] = 넓은 땅을 여럿으로 떨어뜨려 따로 묶은 구역

Police agencies are usually organized into geographic **districts**. 기출변형

경찰청은 보통 지리적 구역으로 조직된다.

= 어휘 영역 출제

0250 □□□

fossil

[fɑ́:səl]

2019 지방직 9급 외 10회

명 화석

형 화석의

Researchers found a **fossil** that belongs to the Jurassic period. (기출변형)

연구원들이 쥐라기 시대에 속하는 화석을 발견했다.

⊕ **fossil fuel** 화석 연료

0251 □□□

formula

[fɔ́:rmjulə]

2017 지방직 9급 외 10회

명 (수학·화학 등의) 공식

명 (어떤 일을 이루기 위한) 방식

어원 form[형태] + ula[명·접] = 어떤 형태를 만드는 공식

Some students think that mathematics only consists of solving problems by **formulas** and rules. (기출변형)

어떤 학생들은 수학이 오로지 공식과 규칙을 사용해서 문제를 푸는 것만으로 구성되어 있다고 생각한다.

⊕ **formulate** 동 만들어 내다

빈출 단어

0252 □□□

equality

[ikwɑ́:ləti]

2020 국회직 9급 외 8회

명 평등, 균등

= justice, fairness

Globalization promotes economic **equality** and benefits. (기출변형)

세계화는 이득과 경제적 평등을 촉진한다.

↔ **inequality** 명 불평등

⊕ **equally** 부 똑같이

0253 □□□

offspring

[ɔ́fspriŋ]

2018 국회직 8급 외 8회

명 자손, 자식

= successor

Farmers recognized that the traits of parents were passed down to their **offspring**. (기출변형)

농부들은 부모의 특성들이 자손에게 전해진다는 것을 인식했다.

0254 □□□

eradicate 

[irǽdəkèit]

2019 국회직 9급 외 7회

동 근절하다, 박멸하다

= eliminate

어원 e[밖으로(ex)] + radic[뿌리] + ate[동·접] = 뿌리를 밖으로 뽑아 없애다, 즉 근절하다

The social activists devoted their lives to **eradicating** slavery. (기출변형)

그 사회 운동가들은 노예 제도를 근절하는 것에 자신들의 삶을 바쳤다.

0255 ☐☐☐

apprehend 

[æprihénd]

2021 지방직 9급 외 6회

동 이해하다, 깨닫다 = fathom

동 검거하다, 체포하다 = arrest, capture

The aesthetic significance of the culture seems to be very difficult to **apprehend.** 기출변형

그 문화의 미적 중요성은 이해하기 매우 어려운 것처럼 보인다.

⊕ **apprehension** 명 체포

0256 ☐☐☐

speculate

[spékjulèit]

2020 국회직 8급 외 5회

동 추측하다 = wonder, theorize

동 투기하다

어원 spec(ul)[보다] + ate[동·접] = 보이지 않는 것을 보고 있는 듯이 미루어 생각하다, 즉 추측하다

People **speculate** about how the animals might have looked when they were alive. 기출변형

사람들은 그 동물들이 살아있었을 때 어떻게 보였을지 추측한다.

⊕ **speculation** 명 추측

0257 ☐☐☐

differentiate

[dìfərénʃièit]

2019 국가직, 지방직 9급 외 5회

동 구별하다 = discern

동 차별하다 = segregate

In the gravity-free environment, the body cannot **differentiate** up from down. 기출

무중력 상태에서, 신체는 올라가는 것을 내려가는 것과 구별할 수 없다.

⊕ **different** 형 다른

0258 ☐☐☐

crude

[kruːd]

2019 서울시 9급 외 5회

형 허술한, 대충의 = rough

명 원유

The surgery of the Middle Ages was **crude.** 기출변형

중세 시대의 수술은 허술했다.

↔ **sophisticated** 형 정교한

0259 □□□

fade

[feid]

2013 법원직 9급 외 5회

동 (색깔이) 바래다, 희미해지다 ≡ dim

동 사라지다 ≡ decline, die out

The attraction of the city for tourists has **faded** over the years due to air pollution. (기출변형)

관광객들을 위한 그 도시의 명소는 대기오염으로 인해 수년에 걸쳐 점점 색깔이 바랬다.

↔ **brighten** 동 밝아지다

⊕ **fade away** 서서히 사라지다

0260 □□□

supervision

[sù:pərvíʒən]

2018 서울시 9급 외 4회

명 관리, 감독 ≡ management

어원 super[위에] + vis(e)[보다] + ion[명·접] = 위에서 내려다보며 관리 또는 감독하는 것

He studied philosophy under Durkheim's **supervision** at Bordeaux. (기출)

그는 뒤르켐의 관리 아래 보르도에서 철학을 공부했다.

⊕ **supervise** 동 감독하다

0261 □□□

reticent

[rétəsənt]

2020 국회직 8급 외 4회

형 과묵한, 말수가 적은 ≡ taciturn

Some celebrities are **reticent** about their private lives.

몇몇 유명인들은 그들의 사생활에 대해 과묵하다.

↔ **garrulous** 형 말이 많은, 수다스러운

⊕ **reticence** 명 과묵

0262 □□□

utter

[ʌ́tər]

2019 지방직 9급 외 4회

A.P.P.L.E

동 (입 밖에) 내다, 말하다 ≡ state, say

형 완전한 ≡ sheer, absolute

When animals suffer, they **utter** cries and make movements. (기출변형)

동물들이 괴로워할 때, 그들은 울음소리를 내고 움직인다.

⊕ **utterly** 부 완전히

0263 □□□

terrain

[təréin]

2019 지방직 9급 외 3회

명 지역, 지형 ≡ land

어원 terra[땅] + (a)in[명·접] = 땅의 형태, 즉 지형

Some plants are rapidly disappearing from the natural **terrain** of hills and fields. (기출변형)

몇몇 식물들이 급속도로 언덕과 들판의 자연 지역으로부터 사라지고 있다.

0264 □□□

abhor 

동 혐오하다 | **=** despise, detest

[æbhɔ́ːr]

2018 서울시 9급 외 3회

My mother did not permit my brothers to slap me, as she **abhorred** violence. (기출변형)

어머니는 폭력을 혐오했기 때문에, 형제들이 나를 손바닥으로 때리는 것을 허락하지 않았다.

0265 □□□

amateur

명 비전문가, 아마추어

[ǽmətʃùər]

2016 서울시 7급 외 3회

Although the photographer is currently an **amateur**, she hopes to become a professional someday.

비록 그 사진가는 현재 비전문가이지만, 언젠가 전문가가 되길 바란다.

↔ **professional** 명 전문가

0266 □□□

insulate 

동 절연하다, 단열 처리를 하다 | **=** cover, wrap

동 보호하다 | **=** protect, safeguard

[ínsəlèit]

2020 지방직 9급 외 2회

어원 insula[섬] + (a)te[동·접] = 땅과 떨어져 있어 못 가는 섬처럼 열과 소리가 못 들어가게 하다

The issue with plastic bottles is that they're not **insulated.** (기출변형)

플라스틱병의 문제는 그것들이 절연되지 않는다는 것이다.

⊕ **insulation** 명 절연 처리

0267 □□□

terminate 

동 끝내다, 종료하다 | **=** wind up, finish

[tə́ːrmənèit]

2017 지방직 9급 외 1회

어원 termin[끝, 경계] + ate[동·접] = 경계를 지어 끝내다

Euthanasia **terminates** a very sick person's life to relieve them of their suffering. (기출변형)

안락사는 매우 아픈 사람의 고통을 덜어주기 위해 그들의 삶을 끝낸다.

↔ **commence** 동 시작하다

0268 □□□

pernicious 

형 해로운, 유독한 | **=** detrimental

[pərníʃəs]

2016 서울시 9급

The Internet can be informative, but it can also be **pernicious.**

인터넷은 유익할 수 있지만, 또한 해로울 수도 있다.

↔ **beneficial** 형 유익한

0269 □□□

decompose

[dìːkəmpóuz]

2013 국회직 9급

동 부패하다, 분해되다 = decay

Bacteria cause food products to **decompose**.
박테리아는 음식물이 부패되게 한다.

⊕ **decomposable** 형 분해할 수 있는

0270 □□□

latent

[léitnt]

2013 국회직 9급

형 잠재된, (질병이) 잠복해 있는 = hidden, potential

형 휴면의 = dormant

A good education will help you develop your **latent** talents. 기출
좋은 교육은 당신이 잠재된 재능을 계발하는 것을 도울 것이다.

빈출 숙어

0271 □□□

be responsible for

2020 국가직 9급 외 34회

~에 책임이 있다 = be accountable for

Parents **are responsible for** providing the right environment for their children. 기출변형
부모는 그들의 자녀에게 알맞은 환경을 제공할 책임이 있다.

0272 □□□

be forced to

2019 법원직 9급 외 17회

~할 수밖에 없다, 마지못해 ~하다 = be compelled to

Banks had no money and **were forced to** close. 기출
은행들은 돈이 없었고 문을 닫을 수밖에 없었다.

0273 □□□

a handful of

2019 서울시 9급 외 12회

소수의 = a few of

Only **a handful of** climbers reach the top each year. 기출변형
매년 소수의 등산객만이 정상에 오른다.

↔ **a lot of** 다수의

0274 □□□

blot out

2015 국가직 7급

~을 완전히 덮다, 가리다 = conceal, eclipse

(추억·생각 등을) 잊다, 지우다

He was unhappy with his painting, so he **blotted** it **out** with black paint.
그는 자신의 그림에 불만이 있었고, 그래서 그는 검은 물감으로 그것을 완전히 덮었다.

완성 어휘

0275 □□□	waive 🌿	동 (권리 등을) 포기하다
0276 □□□	clarity	명 명료성
0277 □□□	eternal	형 영원한
0278 □□□	sullen 🌿	형 침울한, 시무룩한
0279 □□□	contaminate	동 오염시키다
0280 □□□	disillusion 🌿	동 환멸을 느끼게 하다
0281 □□□	meticulously 🌿	부 조심스럽게, 세심하게
0282 □□□	kinetic	형 운동의
0283 □□□	purify	동 정화하다
0284 □□□	unfalteringly	부 망설임 없이
0285 □□□	bondage	명 구속, 결박
0286 □□□	brittle 🌿	형 불안정한, 잘 부러지는
0287 □□□	wastage	명 낭비
0288 □□□	cozen 🌿	동 속이다, 기만하다
0289 □□□	discursion 🌿	명 (산만한) 논의, 논증, 분석
0290 □□□	unseat	동 자리에서 몰아내다
0291 □□□	vibe	명 분위기, 느낌
0292 □□□	proximity	명 근접, 가까움
0293 □□□	penniless	형 몹시 가난한
0294 □□□	defiant	형 반항하는
0295 □□□	allegation	명 혐의, 주장
0296 □□□	ordeal 🌿	명 시련
0297 □□□	alchemy	명 연금술
0298 □□□	close-knit	형 긴밀히 맺어진
0299 □□□	inimical 🌿	형 해로운
0300 □□□	convolve 🌿	동 휘감다, 감기다
0301 □□□	veracity	명 진실성
0302 □□□	posthumous	형 사후의
0303 □□□	sympathetic 🌿	형 동정 어린
0304 □□□	liberate	동 해방시키다
0305 □□□	regime	명 정권
0306 □□□	tarnish 🌿	동 흐려지다, 변색시키다
0307 □□□	elope	동 달아나다, 도망가다
0308 □□□	eminent	형 저명한, 뛰어난
0309 □□□	tipping point	정점
0310 □□□	brush aside	무시하다
0311 □□□	lay claim to	~에 대한 권리를 주장하다
0312 □□□	eat into	~을 부식하다
0313 □□□	drift apart	사이가 멀어지다
0314 □□□	to the detriment of	~을 해치며
0315 □□□	pay dividends	큰 이익을 주다
0316 □□□	make good	성공하다
0317 □□□	in return	답례로
0318 □□□	on the rise	상승 중인, 오름세인
0319 □□□	caught up in	~에 휩쓸린
0320 □□□	get round	(잘해 주어서) ~를 설득하다

🌿 = 어휘 영역 출제

DAY 05

■ 1회독 ■ 2회독 ■ 3회독

DAY05 음성 바로 듣기

최빈출 단어

0321 □□□

consequently

[kɑ́:nsəkwèntli]

2020 국회직 9급 외 34회

부 결과적으로, 따라서 = thus

어원 con[함께(com)] + sequ[따라가다] + ent[형·접] + ly[부·접] = 어떤 행위를 따라서 함께 나타나는 결과로서, 따라서

Consequently, the traditional role of daughter as caregiver has become outdated. 기출변형

결과적으로, 보살피는 사람으로서의 전통적인 딸의 역할은 이제 시대에 뒤떨어지게 되었다.

0322 □□□

closely

[klóusli]

2020 국회직 8급 외 33회

부 밀접하게 = intimately

부 엄중히, 면밀하게 = carefully

Feelings are **closely** associated with music. 기출

감정은 음악과 밀접하게 연관되어 있다.

0323 □□□

identify

[aidéntəfài]

2020 국회직 9급 외 32회

동 확인하다, 식별하다 = recognize, spot

어원 ident[같은] + ify[동·접] = 신분증과 주인이 같은지 확인하다, 식별하다

The virus that causes SARS was **identified** in 2003. 기출변형

사스를 유발하는 바이러스는 2003년에 확인되었다.

0324 □□□

pursue

[pərsú:]

2020 법원직 9급 외 24회

동 추구하다, 얻으려고 애쓰다 = strive for, seek

동 (어떤 일을) 계속해 나가다 = continue

동 (붙잡기 위해) 뒤쫓다, 추적하다 = follow

어원 pur[앞으로(pro)] + su(e)[따라가다] = 목표 등을 잡기 위해 앞으로 따라가다, 즉 추구하다

You don't have to have a degree to **pursue** your dreams. 기출

네 꿈을 추구하기 위해 학위를 갖고 있을 필요는 없다.

+ pursuit 명 추구, 추격

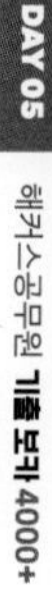

0325 □□□

colleague

명 (특히 직장) 동료 | **=** co-worker

[kɑ́:li:g]

2021 국가직 9급 외 23회

어원 col[함께(com)] + leag(ue)[위임하다(leg)] = 일을 함께 위임받아 같이 하는 동료

You may be afraid of losing the trust of your **colleagues.** (기출변형)

당신은 당신 동료들의 신뢰를 잃는 것을 두려워할지도 모른다.

0326 □□□

trait

명 특성, 특징 | **=** attribute

[treit]

2021 국가직 9급 외 20회

어원 trai(t)[끌다] = 행동을 특정 방향으로 끌고 가는 특성, 특징

The researchers studied how different **traits** are passed on from one generation to the next. (기출변형)

연구자들은 여러 특성들이 어떻게 한 세대에서 다음 세대로 유전되는지에 대해 연구했다.

0327 □□□

tremendous

형 엄청난, 거대한 | **=** huge, immense

[triméndəs]

2019 서울시 9급 외 16회

어원 trem(endous)[떨다] = 떨게 만들 정도로 엄청난

The growth of foreign markets in China is having a **tremendous** impact on the business. (기출변형)

중국 내의 외국 시장의 성장은 사업에 엄청난 영향을 미치고 있다.

↔ **tiny** 형 아주 작은

+ **tremendously** 부 엄청나게

0328 □□□

controversy

명 논란 | **=** dispute

[kɑ́:ntrəvə̀:rsi]

2018 서울시 7급 외 13회

There was a **controversy** over the baseball star's use of drugs. (기출변형)

야구 스타의 약물 사용에 대한 논란이 있었다.

↔ **agreement** 명 합의, 동의

+ **controversial** 형 논란이 많은

0329 □□□

reinforce

동 강화하다, 보강하다 | **=** strengthen, fortify

[rì:infɔ́:rs]

2019 지방직 7급 외 10회

어원 re[다시] + in[하게 만들다(en)] + force[강한] = 힘을 다시 한번 더 강하게 만들다, 즉 강화하다

Good behavior must be **reinforced** with incentives. (기출변형)

선행은 보상으로 강화되어야 한다.

+ **reinforcement** 명 (군사·감정 등의) 강화, 증강

= 어휘 영역 출제

0330 □□□

extinction

[ikstíŋkʃən]

2020 국회직 9급 외 9회

명 멸종, 소멸 ≡ die out

명 소화[불을 끄기], 소등

어원 ex[밖으로] + (s)tinct[찌르다] + ion[명·접] = 찔러서 밖으로 쫓아내어 없어져 버림, 즉 멸종

Turtles may help us understand the **extinction** of dinosaurs. 기출

거북은 우리가 공룡의 멸종을 이해하는 데 도움을 줄 수도 있다.

⊕ **extinct** 형 멸종된

빈출 단어

0331 □□□

dignity

[dígnəti]

2017 국가직 9급 외 8회

명 존엄성, 품위 ≡ majesty, nobility

Any person has freedom, equal **dignity**, and right since they were born. 기출

어떠한 사람도 태어날 때부터 자유, 평등한 존엄성과 권리를 가진다.

0332 □□□

resume 

동 [rizú:m]
명 [rézumèi]

2017 지방직 9급 외 6회

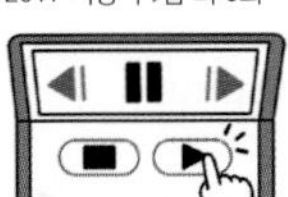

동 재개하다, 다시 시작하다 ≡ continue

명 이력서

어원 re[다시] + sum(e)[취하다] = 멈췄던 일을 취하여 다시 시작하다

There was no indication to **resume** the war. 기출변형

전쟁을 재개하려는 징조는 없었다.

↔ **suspend** 동 유예하다, 매달다, 걸다

0333 □□□

inspiration

[ìnspəréiʃən]

2020 지방직 9급 외 6회

명 영감, 자극 ≡ stimulation

어원 in[안에] + spir(e)[숨 쉬다] + ation[명·접] = 누군가의 안에 숨 쉬듯 영감을 불어 넣어 주는 것

The great philosophers often drew **inspiration** from other fields, such as anthropology. 기출변형

훌륭한 철학자들은 종종 인류학과 같은 다른 분야에서 영감을 얻었다.

⊕ **inspire** 동 고무하다, 격려하다

0334 □□□

premature

[prì:mətʃúər]

2019 지방직 7급 외 6회

형 조기의, 시기상조의 ≡ early

People's risk of **premature** death rises if they do not exercise enough. 기출변형

사람들이 충분히 운동을 하지 않으면 그들의 조기 사망 위험은 높아진다.

⊕ **prematurely** 부 조급하게, 너무 이르게

0335 □□□

depict

[dipíkt]

2019 국회직 8급 외 5회

동 묘사하다, 그리다 | = portray, represent

어원 de[아래로] + pict[그리다] = 고개를 아래로 숙여 대상을 그리다, 묘사하다

Abstract paintings **depict** forms not seen in the real world. (기출변형)

추상화는 실제 세계에서 볼 수 없는 형태를 묘사한다.

⊕ **depiction** 명 묘사, 서술

0336 □□□

clarify

[klǽrəfài]

2017 지방직 9급 외 5회

동 명확하게 하다, 규명하다 | = shed light on, clear up

어원 clar[명백한] + ify[동·접] = 명확하게 하다

The use of questions can uncover issues and **clarify** misunderstandings. (기출변형)

질문의 사용은 문제를 드러내고 오해를 명확하게 하는 것을 돕는다.

↔ **confuse** 동 혼란스럽게 하다

0337 □□□

juvenile

[dʒú:vənl]

2019 서울시 7급 외 4회

형 청소년의, 나이 어린 | = child, youth

Juvenile crime decreased after the school introduced new sports programs for kids.

청소년 범죄는 학교가 아이들을 위한 새로운 스포츠 프로그램을 도입한 후 감소했다.

↔ **adult** 형 성인의, 다 자란

0338 □□□

intriguing

[intrí:giŋ]

2019 서울시 9급 외 3회

형 아주 흥미로운 | = gripping

Leonardo da Vinci's drawings are **intriguing** in themselves. (기출변형)

레오나르도 다빈치의 그림들은 그 자체로서 아주 흥미롭다.

⊕ **intrigue** 동 (강한) 호기심을 불러일으키다

0339 □□□

outbreak

[áutbrèik]

2016 사회복지직 9급 외 3회

명 (전쟁·질병 등의) 발생, 발발 | = breakout

명 (해충 따위의) 급격한 증가 | = outburst

어원 out[밖으로] + break[깨뜨리다] = 어떤 사건이 밖으로 깨뜨리고 나감, 즉 발생

The buildup of waste caused **outbreaks** of disease. (기출)

폐기물의 축적은 질병의 발생을 유발했다.

0340 □□□

meteor

명 유성, 별똥별

[míːtiər]

2021 국가직 9급 외 3회

We saw several **meteors** fly quickly across the night sky.

우리는 몇 개의 유성이 밤하늘을 가로질러 빠르게 날아가는 것을 보았다.

0341 □□□

extract

동 추출하다, (문구를) 발췌하다 ≡ take out, withdraw

명 추출물

동 [ikstrǽkt]
명 [ékstrækt]

2018 국회직 8급 외 3회

어원 ex[밖으로] + tract[끌다] = 안에 있던 것을 밖으로 끌어내 추출하다

Scientists **extracted** antibodies for the virus from plant cells. (기출변형)

과학자들은 식물 세포들에서 바이러스의 항체를 추출했다.

↔ **insert** 동 주입하다, 삽입하다

0342 □□□

coincide

동 동시에 일어나다 ≡ synchronize

동 일치하다, 아주 비슷하다

[kòuinsáid]

2019 국회직 9급 외 2회

The new trade measures **coincided** with a slowdown in global trade. (기출변형)

새로운 무역 조치는 국제 무역의 둔화와 동시에 일어났다.

⊕ **coincident** 형 일치하는

0343 □□□

landlord

명 집주인, 건물 소유주 ≡ owner, proprietor

[lǽndlɔ̀rd]

2017 국회직 9급 외 2회

The **landlord** wants to increase the rental rates for his apartments.

집주인은 자신의 아파트 임대료를 인상하고 싶어 한다.

↔ **tenant** 명 세입자

0344 □□□

revoke

동 취소하다, 철회하다 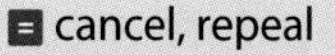 ≡ cancel, repeal

[rivóuk]

2015 사회복지직 9급 외 2회

The judge **revoked** her driver's license after a hit-and-run accident.

판사는 뺑소니 사고 이후에 그녀의 운전면허증을 취소했다.

↔ **introduce** 동 도입하다, 소개하다

0345 □□□

bleak

형 암울한, 절망적인 | ▣ stark, dismal

[bli:k]

2015 지방직 7급 외 2회

The future of the middle class became **bleak** as they were unable to manage their expenses. 기출변형

그들의 소비에 대처할 수 없게 됨에 따라, 중산층의 미래는 암울해졌다.

0346 □□□

mimic

동 흉내 내다, 모방하다 | ▣ imitate

[mímik]

2020 지방직 7급 외 2회

Plants that **mimic** food can attract a wide variety of food-seeking insects. 기출변형

먹이를 흉내 내는 식물들은 먹이를 찾는 다양한 종류의 곤충들을 유인할 수 있다.

⊕ **mimicry** 명 흉내

0347 □□□

redeem

동 상환하다, 되찾다, 회수하다 | ▣ retrieve, regain

동 만회하다

[ridí:m]

2017 서울시 9급 외 2회

The receipt stated that the gold could be **redeemed** later. 기출변형

그 영수증은 금이 나중에 상환될 수 있다는 것을 명시했다.

0348 □□□

feasible

형 실현 가능한, 그럴싸한 | ▣ practical, likely

[fí:zəbl]

2017 서울시 7급 외 1회

어원 feas[행하다(fac)] + ible[할 수 있는] = 어떤 일을 행할 수 있는, 즉 실현 가능한

The investor wants to know if the project is **feasible**.

그 투자가는 프로젝트가 실현 가능한지 알고 싶어 한다.

⇔ **impractical** 형 터무니 없는

빈출 숙어

0349 □□□

by the time

~할 즈음에 | ▣ at the time of

2017 지방직 9급 외 11회

By the time babies are one year old, they begin to form friendships. 기출변형

아기들이 한 살이 될 즈음에, 그들은 우정을 형성하기 시작한다.

0350 □□□

lay off

해고하다 | ▣ dismiss

2019 국가직 9급 외 4회

The corporation **laid off** thousands of workers to become more competitive. 기출변형

그 기업은 더 경쟁력 있어지기 위해 수천 명의 직원을 해고했다.

= 어휘 영역 출제

0351 □□□

bring up

2023 지방직 9급 외 3회

(화제를) 꺼내다 ▣ mention

기르다, 양육하다 ▣ raise, nurture

My mother walks out of the room whenever my father **brings up** sports. (기출변형)

나의 어머니는 아버지가 스포츠 화제를 꺼낼 때마다 방에서 나간다.

0352 □□□

be accompanied by

2019 국회직 9급 외 1회

~을 수반하다, 동반하다 ▣ occur with

The cleaner air **is accompanied by** a decrease in lung problems. (기출변형)

더 깨끗한 공기는 폐 질병의 감소를 수반한다.

⊕ **be accompanied with** ~을 수반하다

0353 □□□

correspond to

2020 국회직 8급 외 1회

~과 일치하다, 대응하다 ▣ match with

The colors on the map **correspond to** the altitude of the land.

지도의 색깔들은 그 지역의 고도와 일치한다.

⇔ **differ from** ~과 다르다

0354 □□□

in conjunction with

2021 국가직 9급

~와 함께 ▣ in combination with

Privacy as a social practice shapes individual behavior **in conjunction with** other social practices. (기출변형)

사회 관행으로서의 사생활은 다른 사회적 관행들과 함께 개인의 행동 방식을 형성한다.

완성 어휘

0355	supremacy	명 패권, 우위
0356	cosmos	명 우주
0357	dislocate	동 탈구시키다, 위치를 바꾸다
0358	malefactor	명 범죄자, 악인
0359	budding	형 신예의, 싹트기 시작하는
0360	fervent	형 열렬한, 강렬한
0361	perspiration	명 땀
0362	sorrow	명 슬픔, 비애
0363	rag	명 누더기, 넝마
0364	vista	명 풍경
0365	apathy	명 무관심, 냉담
0366	languishing	형 차츰 쇠약해지는
0367	tumult	명 소란, 소동
0368	deceptive	형 속이는, 기만하는
0369	reminiscent	형 ~을 연상시키는
0370	capitalize	동 자본화하다
0371	climatological	형 기후학적인
0372	practitioner	명 (전문직) 현직자
0373	deform	동 변형시키다
0374	mural	명 벽화
0375	sought-after	형 수요가 많은
0376	serene	형 조용한, 고요한
0377	suffocate	동 숨이 막히게 하다
0378	injunction	명 명령, 지시
0379	stylistic	형 양식의, 문체의
0380	abridge	동 단축하다, 생략하다
0381	demise	명 종말, 죽음
0382	agile	형 민첩한, 기민한
0383	liquidate	동 청산하다, 정리하다
0384	tiresome	형 지루한, 성가신
0385	transcendental	형 초월적인
0386	prophecy	명 예언
0387	empowerment	명 권한 부여
0388	plead	동 애원하다, 간청하다
0389	staggering	형 충격적인, 믿기 어려운
0390	bombast	명 과장, 호언장담
0391	bypass	명 우회 도로
0392	tribute	명 경의, 찬사, 공물
0393	hammer out	(문제를) 타결하다
0394	start over	다시 시작하다
0395	weasel out of	~에서 손을 떼다
0396	with interest	이자를 붙여서
0397	trace out	(윤곽을) 그리다
0398	in the event of	만약 ~인 경우에
0399	from now on	이제부터, 향후
0400	do well to	~하는 것이 낫다

= 어휘 영역 출제

Review Test DAY 01-05

1. 각 어휘의 알맞은 뜻을 찾아 연결하세요.

01. defy •	• ⓐ 흔들리다, 동요하다
02. insolent •	• ⓑ 절연하다; 보호하다
03. mediate •	• ⓒ ~의 책임으로 돌리다; 특성
04. sway •	• ⓓ 반항하다, 거역하다
05. attribute •	• ⓔ 일으키다, 야기하다
06. endorse •	• ⓕ 중재하다
07. verbal •	• ⓖ 언어의, 구두의
08. insulate •	• ⓗ 경의, 찬사, 공물
09. bring about •	• ⓘ (공개적으로) 지지하다; (상품을) 보증하다
10. tribute •	• ⓙ 무례한, 버릇없는

2. 다음 영단어의 뜻을 우리말로 쓰세요.

01. laudable ____________

02. invincible ____________

03. indigenous ____________

04. trait ____________

05. vulnerable ____________

06. serene ____________

07. tremendous ____________

08. refurbish ____________

09. cut it close ____________

10. slack off ____________

11. beef up ____________

12. elope ____________

13. apathy ____________

14. feasible ____________

15. apprehend ____________

16. reinforce ____________

17. sullen ____________

18. intriguing ____________

19. revoke ____________

20. creed ____________

3. 다음 빈칸에 들어갈 말로 가장 적절한 것은?

> There was little opportunity to escape from the sun in the ________ desert landscape.

① crude ② fervent ③ bleak ④ staggering

4. 다음 밑줄 친 부분과 의미가 가장 가까운 것은?

> His <u>reticent</u> nature made him unpopular with his coworkers.

① superior ② respective ③ rebellious ④ taciturn

5. 다음 밑줄 친 단어의 의미와 가장 가까운 것은?

> The prime minister received <u>commendations</u> for his work to end the war.

① praise ② controversy ③ flux ④ demise

정답

1. 01. ⓓ 02. ⓙ 03. ⓕ 04. ⓐ 05. ⓒ 06. ⓘ 07. ⓖ 08. ⓑ 09. ⓔ 10. ⓗ

2. 01. 칭찬할 만한 02. 무적의, 이길 수 없는 03. 토착의, 타고난 04. 특성, 특징
05. 취약한; 연약한 06. 조용한, 고요한 07. 엄청난, 거대한 08. 재단장하다, 정비하다
09. 절약하다 10. 쇠퇴하다, 게으름을 부리다 11. 강화하다
12. 달아나다, 도망가다 13. 무관심, 냉담 14. 실현 가능한, 그럴싸한 15. 이해하다; 검거하다
16. 강화하다, 보강하다 17. 침울한, 시무룩한 18. 아주 흥미로운 19. 취소하다, 철회하다
20. 신념, 신조

3. ③ 암울한 **[해석]** <u>암울한</u> 사막 지역에서 태양에서 벗어나는 것은 거의 불가능하다. **[오답]** ① 허술한 ② 열렬한 ④ 충격적인

4. ④ 과묵한 **[해석]** 그의 <u>과묵한</u> 성격이 그를 직장 동료들에게 인기가 없도록 만들었다. **[오답]** ① 우월한 ② 각각의 ③ 반항적인

5. ① 칭찬 **[해석]** 그 수상은 전쟁을 종식시키기 위한 그의 업적으로 <u>칭찬</u>을 받았다. **[오답]** ② 논란 ③ 끊임없는 변화 ④ 종말

DAY 06

■ 1회독 ■ 2회독 ■ 3회독

DAY06 음성 바로 듣기

최빈출 단어

0401 □□□

subject

[sʌ́bdʒikt]

2020 법원직 9급 외 60회

명 주제, 과목 = topic

형 ~의 영향을 받는, 종속하는 = subordinate

She studies biological sciences and related **subjects** at the University of Oxford. 기출변형

그녀는 옥스퍼드 대학에서 생명과학과 관련된 주제들을 연구한다.

0402 □□□

contract

[kɑ́ntrækt]

2019 법원직 9급 외 38회

명 계약 = agreement

동 (병에) 걸리다 = become afflicted with

The judge decided not to allow the **contract** between the two companies. 기출변형

그 판사는 두 회사 사이의 계약을 허용하지 않기로 결정했다.

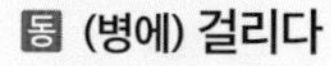

⊕ **contractor** 명 계약자, 도급업자

0403 □□□

federal

[fédərəl]

2017 지방직 7급 외 23회

형 연방의, 연방 정부의

어원 fed(er)[믿다] + al[형·접] = 믿음을 바탕으로 연합한 연방제의, 연방 정부의

The white-tailed deer is protected by **federal** legislation. 기출변형

흰꼬리사슴은 연방법에 의해 보호받는다.

⊕ **federally** 부 연합으로, 연방제로

0404 □□□

molecule

[mɑ́ləkjù:l]

2018 국가직 9급 외 18회

명 분자 = particle

어원 mole[덩어리] + cule[작은 것] = (물질을 이루는 작은 덩어리인) 분자

Microwaves work by shaking the **molecules** of water within the food. 기출변형

전자레인지는 음식 안에 들어있는 물의 분자를 흔듦으로써 작동한다.

⊕ **molecular** 형 분자의, 분자로 된

0405 □□□

adolescent

[ædəlésnt]

2019 서울시 9급 외 16회

명 청소년 = teenager

형 청소년기의, 사춘기의 = juvenile

어원 ad[향하여] + ol(escent)[자라다(al)] = 성인을 향해 자라가는 중에 거치는 청소년 시기

Adolescents who read regularly are more likely to be successful as adults. (기출변형)

주기적으로 독서를 한 청소년들이 어른이 되어서 더 성공적일 가능성이 있다.

↔ **adult** 명 어른

0406 □□□

minority

[minɔ́:rəti]

2020 국회직 9급 외 15회

명 소수, 소수 집단

명 미성년

어원 min(or)[작은] + ity[명·접] = 수나 비중 등이 작음

The **minority** of Native Americans have been fighting for their right to vote. (기출변형)

소수 아메리카 원주민들은 그들의 투표권을 위해 싸워 왔다.

↔ **majority** 명 다수

⊕ **small minority** 극소수

0407 □□□

invisible

[invízəbl]

2019 지방직 9급 외 14회

형 보이지 않는 = imperceptible

There were **invisible** things called microbes, which caused the disease. (기출변형)

질병을 유발했던 미생물이라고 불리는 보이지 않는 것들이 있었다.

⊕ **visible** 형 눈에 보이는

0408 □□□

prejudice 

[prédʒudis]

2022 법원직 9급 외 12회

명 편견, 선입견 = bias, inequity

어원 pre[앞서] + jud[올바른] + ice[명·접] = 무엇이 올바른지 미리 앞서 가지고 있는 생각, 즉 편견

It is a common **prejudice** that whales live only in deep oceans. (기출변형)

고래들이 깊은 바다에서만 산다는 것은 흔한 편견이다.

⊕ **prejudge** 동 미리 판단하다, 속단하다

0409 □□□

virtually

[və́:rtʃuəli]

2019 법원직 9급 외 11회

부 사실상, 거의 ≡ in effect, nearly

부 가상으로

Steroid testing is **virtually** useless if doping athletes stop using them before the game. 기출변형

약물을 사용하는 선수들이 시합 전에 사용을 멈추면, 약물 검사는 사실상 무용지물이다.

⊕ **virtual** 형 사실상의

0410 □□□

license

[láisəns]

2020 국회직 9급 외 10회

명 허가증, 허가 ≡ authorization

동 허가하다 ≡ permit, authorize

Taxi drivers must complete the required training to obtain an operating **license**. 기출변형

택시 기사들은 운영 허가증을 얻기 위해서 필요한 훈련을 받아야 한다.

빈출 단어

0411 □□□

definitely

[défənitli]

2017 서울시 7급 외 7회

부 분명히, 틀림없이 ≡ certainly

어원 de[떨어져] + fin(e)[경계] + ly[부·접] = 다른 것과 떨어진 의미상의 경계를 지어서, 즉 분명히

It seems ants can **definitely** count their steps. 기출

개미들은 분명히 자신들의 발걸음을 셀 수 있는 것으로 보인다.

⊕ **definition** 명 정의, 의미

0412 □□□

altitude

[ǽltətjù:d]

2015 국가직 9급 외 7회

명 고도 ≡ height, elevation

어원 al(ti)[자라다] + tude[명·접] = 자라서 도달한 높이, 고도

The atmosphere gets thinner as the **altitude** gets higher. 기출변형

대기는 고도가 더 높아질수록 더 희박해진다.

↔ **depth** 명 깊이

0413 □□□

foster

[fɔ́:stər]

2020 국회직 8급 외 6회

동 위탁 양육하다, 육성하다 ≡ raise, nurture

동 조성하다, 발전시키다 ≡ encourage

Fostering children is possible through public agencies. 기출변형

위탁 양육은 공공 기관들을 통해 가능하다.

0414 □□□

intake

명 섭취량, 섭취 　 ⊜ ingestion

[ínteìk]

2019 국회직 9급 외 6회

어원 in[안에] + take[취하다] = 어떤 것을 취해서 몸 안에 받아들임, 즉 섭취량, 섭취

Snacks account for 30% of daily energy **intake** among children. (기출변형)

과자는 아이들 사이에서 하루 에너지 섭취량의 30퍼센트를 차지한다.

0415 □□□

succumb

동 굴복하다 　 ⊜ yield, give in

[səkʌ́m]

2019 국회직 9급 외 5회

The city quickly **succumbed** to the enemy invasion.

그 도시는 적군의 침략에 빠르게 굴복했다.

↔ **conquer** 동 정복하다

0416 □□□

bolster 

동 뒷받침하다, 지지하다 　 ⊜ shore up, support

[bóulstər]

2020 국회직 8급 외 5회

Curators used a variety of tools to **bolster** the case that it was the work of Rembrandt. (기출변형)

큐레이터들은 그것이 렘브란트의 작품이라는 것을 뒷받침하기 위해 여러 가지 장비를 사용했다.

0417 □□□

publicize

동 선전하다, 알리다 　 ⊜ promote

[pʌ́bləsàiz]

2022 국가직 9급 외 4회

Negative stories are often **publicized** by the mass media to draw public attention. (기출변형)

부정적인 이야기들은 사람들의 이목을 끌기 위해 종종 대중 매체에 의해 선전된다.

0418 □□□

stigma

명 낙인, 오명 　 ⊜ shame

[stígmə]

2019 서울시 7급 외 4회

Social **stigmas** may cause people to doubt their own self-worth in society. (기출변형)

사회적 낙인은 사람들이 사회에서 스스로의 자아 존중감을 의심하도록 할 수 있다.

↔ **honor** 명 명예

⊕ **stigmatize** 동 오명을 씌우다, 낙인찍다

0419 □□□

discredit

명 불명예 　 ⊜ disgrace

동 (신용·평판을) 떨어뜨리다 　 ⊜ dishonor

[diskrédit]

2019 서울시 7급 외 4회

The celebrity's crime brought **discredit** to the product he advertised. (기출변형)

그 유명인의 범죄는 그가 광고한 상품에 불명예를 가져왔다.

↔ **honor** 명 명예

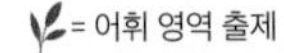

0420 □□□

mislead

[mislíd]

2016 국가직 7급 외 4회

동 오해하게 하다, 잘못 인도하다 ＝ delude, fool

An institute **misled** the public into believing that its research was accurate.

한 연구소가 대중을 오해하게 하여 그들의 연구가 정확하다고 믿게 했다.

0421 □□□

enigma

[əníɡmə]

2015 국회직 9급 외 4회

명 수수께끼 ＝ mystery, puzzle

My coworker is an **enigma** as I cannot figure out anything about him.

내 직장 동료는 수수께끼 같아서 나는 그에 대한 어떤 것도 알아낼 수 없다.

＋ **enigmatic** 형 수수께끼 같은

0422 □□□

wicked

[wíkid]

2020 국회직 8급 외 3회

형 못된, 사악한 ＝ bad, evil

Police resources should not be used for any **wicked** or dishonest reason. (기출변형)

경찰 자원은 그 어떤 사악하거나 부정직한 이유를 위해서도 사용되어선 안 된다.

↔ **virtuous** 형 도덕적인, 고결한

0423 □□□

descent

[disént]

2017 법원직 9급 외 3회

명 혈통, 가문 ＝ lineage

명 하강, 내려감

어원 de[아래로] + scent[오르다(scend)] = 혈통이 아래로 흘러 2, 3세 등의 자손

Common characteristics in some living things show their **descent** from shared ancestors. (기출변형)

몇몇 생물들의 공통적인 특징은 공통 조상의 혈통을 보여준다.

＋ **descendant** 명 자손, 후손

0424 □□□

partial

[pάːrʃəl]

2019 국가직 9급 외 3회

형 부분적인 ＝ incomplete

형 편향된 ＝ biased

어원 part[부분] + ial[형·접] = 부분적인, 한 부분만을 편드는

The teacher gave me **partial** credit for my incomplete answer.

선생님은 나의 불완전한 대답에 부분적인 점수를 주었다.

↔ **complete** 형 완전한

＋ **partially** 부 불공평하게, 부분적으로

0425 ☐☐☐

latter

형 후자의 | ■ second, last

[lǽtər]

2018 서울시 7급 외 3회

I prefer his paintings to his sculptures, although he prefers the **latter.** 기출변형

나는 그의 조각보다 그림을 더 좋아하는 반면, 그는 후자를 더 좋아한다.

↔ **former** 형 전자의

0426 ☐☐☐

incidental

형 부수적인, 중요하지 않은 | ■ subsidiary

[ìnsədéntl]

2018 서울시 9급 외 2회

Employees should include **incidental** charges on their travel expense reports.

직원들은 출장 경비 보고서에 부수적인 비용들도 포함해야 한다.

↔ **crucial** 형 중요한, 필수적인

⊕ **incidentally** 부 부수적으로, 우연히

0427 ☐☐☐

scrupulous

형 꼼꼼한, 세심한 | ■ sedulous

형 양심적인 | ■ honest, upright

[skrú:pjuləs]

2018 국회직 8급 외 1회

The university is **scrupulous** in selecting only the best students for admission.

그 대학교는 입학을 위한 오직 최고의 학생들을 선정하는 데 꼼꼼하다.

↔ **unscrupulous** 형 부도덕한, 무원칙한

0428 ☐☐☐

momentary

형 잠깐의, 순간적인 | ■ transient

[móumәntèri]

2017 서울시 9급 외 1회

어원 mom[움직이다] + (m)ent[명·접] + ary[형·접] = 움직인 바로 그 순간의

There was a **momentary** pause before the parachutist jumped out of the plane.

그 낙하산병이 비행기에서 뛰어 내리기 전에, 잠깐의 멈춤이 있었다.

빈출 숙어

0429 ☐☐☐

be associated with

~과 관련되다, 연관되다 | ■ be linked to

2020 국가직 9급 외 41회

The complexity of thought is believed to **be associated with** the number of neurons. 기출변형

사고의 복잡성은 뉴런의 수와 관련되어 있다고 생각된다.

= 어휘 영역 출제

0430 □□□

apart from

~을 제외하고 | = aside from

2017 지방직 7급 외 10회

Apart from a few exceptions, trees grow relatively slowly. 기출변형

몇 가지 예외를 제외하고, 나무는 상대적으로 느리게 자란다.

0431 □□□

have nothing to do with

~과 관계가 없다 | = be unrelated to

2016 사회복지직 9급 외 8회

The suspect insisted that he **had nothing to do with** the crime. 기출변형

그 용의자는 범죄와 아무 관계가 없다고 계속 주장했다.

↔ **have something to do with** ~와 관계가 있다

0432 □□□

cut down

~을 줄이다, 삭감하다 | = reduce, lessen

2018 서울시 9급 외 5회

Most of the executives agreed with the proposal to **cut down** on the use of fuels. 기출변형

대부분의 임원이 연료의 사용을 줄이자는 그 제안에 동의했다.

0433 □□□

at any rate

어쨌든 | = in any case

2019 국가직 9급 외 4회

I have never been to the city; **at any rate**, I am going there tomorrow.

나는 그 도시에 가본 적은 없다. 어쨌든, 나는 내일 거기에 갈 것이다.

0434 □□□

make a living

생계를 꾸리다

2019 서울시 9급 외 4회

Farming cattle is one way to **make a living**. 기출변형

소를 기르는 것은 생계를 꾸리는 한 가지 방법이다.

완성 어휘

0435	transmission	명 전염
0436	surgical	형 수술의, 외과의
0437	monarchy	명 왕정, 군주제
0438	clutter	명 혼란
0439	expenditure	명 비용, 지출
0440	unequivocal 🌱	형 명백한, 분명한
0441	broker 🌱	동 중개하다; 명 중개인
0442	labyrinth 🌱	명 미로, 복잡하게 뒤얽힌 것
0443	revamp	동 개조하다
0444	scholarly	형 학문적인
0445	oxidize	동 녹슬게 하다
0446	devoid	형 ~이 전혀 없는
0447	peculate 🌱	동 횡령하다, 유용하다
0448	laudation 🌱	명 칭찬, 찬미
0449	ungrudging 🌱	형 아끼지 않는, 진심의
0450	acidify	동 산성화하다
0451	flustered 🌱	형 허둥대는, 갈팡질팡하는
0452	unaccompanied	형 ~이 동반되지 않는
0453	decondition	동 (건강을) 손상시키다
0454	inexhaustible	형 무궁무진한
0455	repel	동 격퇴하다
0456	denigration 🌱	명 모욕, 명예 훼손
0457	precipitation	명 강수, 강수량
0458	deject	동 낙담시키다, 기를 꺾다
0459	myriad	명 무수히 많음
0460	microbial	형 미생물의, 세균의
0461	unaware	형 ~을 알지 못하는
0462	jubilant 🌱	형 의기양양한
0463	taper	동 (폭이) 점점 가늘어지다
0464	candor	명 허심탄회, 솔직
0465	relentless	형 끈질긴
0466	bustling	형 북적거리는, 부산한
0467	unabashed 🌱	형 부끄러워하지 않는
0468	synthesis	명 종합, 합성
0469	quotation	명 인용, 견적
0470	enthralling	형 마음을 사로잡는
0471	in the words of	~의 말에 따르면
0472	hand down	물려주다
0473	in a big way	대규모로
0474	enrich oneself	부자가 되다
0475	wrap oneself in	~을 몸에 걸치다
0476	put down 🌱	~을 진압하다
0477	interest rate	금리, 이율
0478	in danger of 🌱	~의 위험에 처한
0479	beyond control	통제가 불가능하다
0480	on one's own	혼자서, 자력으로

🌱 = 어휘 영역 출제

DAY 07

■ 1회독 ■ 2회독 ■ 3회독

DAY07 음성 바로 듣기

최빈출 단어

0481 □□□

frequently

[fríːkwəntli]

2021 국가직 9급 외 32회

부 자주, 빈번히 ≡ often

The ferries were **frequently** stopped due to bad weather. (기출변형)

그 연락선들은 나쁜 날씨로 인해 자주 운항이 중단되었다.

⊕ **infrequent** 형 드문

0482 □□□

corporation

[kɔ̀ːrpəréiʃən]

2018 지방직 9급 외 31회

명 회사, 기업 ≡ company, firm

명 법인, 조합

어원 corpor[몸] + ation[명·접] = 여럿이 한 몸을 이뤄 일하는 곳, 즉 기업

The electronic **corporation** is looking for highly experienced individuals. (기출변형)

그 전자 회사는 많은 경력을 가진 사람을 찾고 있다.

⊕ **incorporation** 명 법인 단체, 결합, 혼합

0483 □□□

phenomenon

[finάmənὰn]

2021 국가직 9급 외 30회

명 현상 ≡ occurrence

Atavism is a **phenomenon** in which ancestral traits reappear after thousands of years. (기출변형)

격세유전은 조상의 특징들이 수천 년 이후에 갑자기 다시 나타나는 현상이다.

0484 □□□

notion

[nóuʃən]

2020 국회직 8급 외 28회

명 개념, 생각, 관념 ≡ idea, belief

어원 not[알다] + ion[명·접] = 사물이나 현상에 대해 알려진 일반적인 지식, 즉 개념

The **notion** of civilization is connected with the idea of social progress. (기출변형)

문명이라는 개념은 사회적 진보에 대한 생각과 관련되어 있다.

⊕ **notional** 형 관념적인, 추상적인

0485 □□□

rapid

형 빠른, 급속한 ≡ swift, speedy

[rǽpid]

2023 국가직 9급 외 24회

Getting enough protein is required to build muscles at a **rapid** pace. (기출변형)

빠른 속도로 근육을 키우기 위해서는 충분한 단백질을 섭취하는 것이 필요하다.

⊕ **rapidly** 부 빨리, 급속히

0486 □□□

accelerate 

동 촉진하다, 가속하다 ≡ expedite

[æksélərèit]

2020 지방직 9급 외 13회

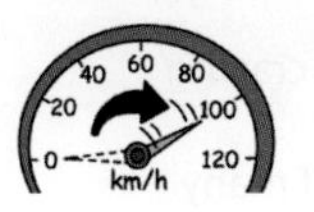

어원 ac[~쪽으로] + celer[빠른] + ate[동·접] = 빨라지는 쪽으로 가속하다

Technology **accelerated** economic progress. (기출변형)

기술은 경제적 진보를 촉진했다.

↔ **decelerate** 동 감속하다

⊕ **acceleration** 명 가속도

0487 □□□

assemble 

동 모으다, 집합시키다 ≡ congregate

동 조립하다 ≡ construct, build

[əsémbl]

2020 국가직 9급 외 13회

어원 as[~에(ad)] + sembl(e)[같이] = 한곳에 여럿을 같이 모으다

The CEO **assembled** a large staff and went around the country in a private plane. (기출변형)

그 최고경영자는 많은 직원들을 모아 개인 소유의 비행기를 타고 전국을 돌아 다녔다.

⊕ **assembly** 명 의회, 집회

0488 □□□

enforcement

명 (법 등의) 집행, 시행 ≡ implementation

[infɔ́:rsmənt]

2020 국회직 8급 외 12회

어원 en[하게 만들다] + force[힘] + ment[명·접] = 법 등의 힘을 써서 어떤 일을 하게 만드는 강요, 또는 집행

Solving crimes is one of the most important jobs of law **enforcement**. (기출)

범죄를 해결하는 것은 법 집행의 가장 중요한 업무 중 하나이다.

⊕ **enforcer** 명 집행자

0489 □□□

surrounding

형 주변의, 인근의 ≡ adjacent

[səráundiŋ]

2017 서울시 9급 외 12회

어원 sur[위에] + round[둥글게 돌다] + ing[형·접] = 어떤 것 위에 둥글게 돌아 에워싸인 인근의

Some people work to reduce pollution in **surrounding** communities. (기출변형)

몇몇 사람들은 주변 지역사회의 공해를 줄이기 위해 노력한다.

⊕ **surroundings** 명 환경

0490 □□□

dialect

명 방언, 사투리 　 = local language

[dáiəlèkt]

2019 국가직 9급 외 9회

어원 dia[가로질러] + lect[읽다] = 먼 거리를 가로질러 가면 다르게 읽는 것, 즉 사투리

Local identity has a strong influence on how **dialects** evolve. (기출변형)

지역 정체성은 방언이 진화하는 방식에 강한 영향력을 가진다.

⊕ **genderlect** 명 성별 언어, 성별 방언

빈출 단어

0491 □□□

greed

명 탐욕, 식탐 　 = craving

[gri:d]

2016 지방직 9급 외 8회

The president openly blamed the **greed** of many politicians. (기출변형)

대통령은 많은 정치인들의 탐욕을 공개적으로 비난했다.

↔ **generosity** 명 관대함

⊕ **greedy** 형 탐욕스러운, 욕심 많은

0492 □□□

devastate 

동 완전히 파괴하다 　 = destroy

동 엄청난 충격을 주다

[dévəstèit]

2020 국회직 9급 외 8회

The war **devastated** the lives of people. (기출변형)

그 전쟁은 사람들의 삶을 완전히 파괴했다.

⊕ **devastating** 형 (대단히) 파괴적인

0493 □□□

worship

동 숭배하다, 예배드리다 　 = revere

명 숭배, 예배 　 = reverence, praise

[wə́:rʃip]

2010 국가직 7급 외 6회

Both Christianity and Islam **worship** one god and believe Jerusalem to be a holy city. (기출변형)

기독교와 이슬람교 모두 한 명의 신을 숭배하고 예루살렘을 성스러운 도시로 생각한다.

⊕ **worshipper** 명 숭배자, 예배를 보는 사람

0494 □□□

cheerful 

형 쾌활한, 발랄한 　 = merry

[tʃíərfəl]

2021 국회직 9급 외 5회

She practiced presenting a **cheerful** face. (기출변형)

그녀는 쾌활한 표정을 보이는 것을 연습했다.

⊕ **cheerfully** 부 기분 좋게, 기꺼이

0495 □□□

monetary

형 통화의, 금전적인 | = financial

[mɑ́:nətèri]

2020 지방직 9급 외 5회

The government limited the role of silver in the **monetary** system to prevent its price decline. (기출변형)

정부는 은의 가격 하락을 막기 위해 통화 시스템에서 은의 역할을 제한했다.

0496 □□□

compassion

명 연민, 동정심 | = sympathy, pity

[kəmpǽʃən]

2018 국회직 8급 외 5회

어원 com[함께] + pass[느끼다] + ion[명·접] = 다른 사람의 고통을 함께 느끼며 가엾게 여기는 연민

Some studies show that **compassion** helps people succeed in life. (기출변형)

어떤 연구들은 연민이 사람들이 인생에서 성공하도록 돕는다는 것을 보여준다.

↔ **indifference** 명 무관심함

0497 □□□

instrumental

형 기악의, 악기의 | = acoustic, auditory

형 (어떤 일을 하는데) 중요한, 도움이 되는 | = influential

[ìnstrəméntl]

2017 서울시 7급 외 5회

어원 instru(ct)[가르치다] + ment[명·접] + al[형·접] = 가르치기 위해 쓰는 도구의, 음악의 도구인 악기의

In ancient Greece, the goddesses called Muses were in charge of vocal and **instrumental** art. (기출변형)

고대 그리스에서, 뮤즈라고 불리는 여신들은 성악과 기악 예술을 관장했다.

↔ **obstructive** 형 방해가 되는

⊕ **instrument** 명 기구

0498 □□□

nasty 

형 불쾌한, 더러운 | = unpleasant

[nǽsti]

2017 지방직 9급 외 4회

The weather has been **nasty** for half a month. (기출)

보름 동안 불쾌한 날씨가 이어졌다.

↔ **pleasant** 형 상냥한, 즐거운

0499 □□□

surpass

동 넘어서다, 능가하다 | = be superior to

[sərpǽs]

2014 국가직 7급 외 4회

어원 sur[위로(super)] + pass[통과하다] = 다른 것의 위로 통과하다, 즉 넘어서다

It took me years to **surpass** my competitor's record. (기출변형)

내가 나의 경쟁자의 기록을 넘어서는 데 수년이 걸렸다.

= 어휘 영역 출제

0500 □□□

displace

[displéis]

2018 서울시 9급 외 4회

동 (살던 곳에서) 쫓아내다, 추방하다 ≡ expel

동 대신하다, 대체하다 ≡ replace

The residents were **displaced** because of the war. (기출변형)

주민들은 전쟁으로 인해 살던 곳에서 쫓겨났다.

⊕ **displacement** 명 (제자리를 벗어난) 이동

0501 □□□

affirmative

[əfə́:rmətiv]

2018 지방직 9급 외 3회

형 긍정적인, 적극적인 ≡ supportive

Affirmative Action is designed to correct past discrimination. (기출)

긍정적 차별 철폐 조치는 과거의 차별을 바로잡기 위해 고안되었다.

⊕ **affirmative action** 긍정적 차별 철폐 조치[사회적 약자 우대 정책]

0502 □□□

tentative

[téntətiv]

2018 서울시 9급 외 3회

형 잠정적인, 일시적인 ≡ provisional

The company and the union reached a **tentative** agreement in this year's wage deal. (기출변형)

회사와 노동조합은 올해 임금 계약에 대한 잠정적인 합의에 도달했다.

↔ **definite** 형 확고한, 분명한

⊕ **tentatively** 부 잠정적으로, 시험적으로

0503 □□□

diabetes

[dàiəbí:tis]

2019 국회직 8급 외 3회

명 당뇨병

어원 dia[가로질러] + betes[가다] = 당이 몸을 가로질러 가서 소변으로 배출되는 당뇨병

Diabetes is a critical threat to our health. (기출변형)

당뇨병은 우리 건강에 심각한 위협이다.

0504 □□□

treasure

[trézər]

2021 국가직 9급 외 3회

명 보물, 재보 ≡ valuables, fortune

동 소중히 하다, 귀중히 여기다

Many people enjoy using metal detectors to find buried **treasure**.

많은 사람들은 금속 탐지기를 사용하여 매장된 보물을 찾는 것을 즐긴다.

0505 □□□

congruent 

[kάŋgruənt]

2016 지방직 7급 외 2회

형 일치하는 | ≡ identical

형 적절한, 알맞은

The company works with other businesses that have **congruent** goals.

그 회사는 일치하는 목표를 가진 다른 사업체들과 함께 일한다.

⊕ **congruent with** ~과 일치한, 합동의

0506 □□□

traverse

[trǽvəːrs]

2015 국가직 9급 외 2회

동 가로지르다 | ≡ pass through

명 횡단

The plain is **traversed** by many rivers that flow toward the sea. (기출변형)

그 평원은 바다를 향해 흐르는 많은 강들에 의해 가로질러진다.

0507 □□□

lavish 

[lǽviʃ]

2016 서울시 9급 외 2회

형 호화로운, 사치스러운 | ≡ luxurious, opulent

She built a **lavish** house in the center of the city. (기출변형)

그녀는 도시의 중앙부에 호화로운 저택을 지었다.

↔ **thrifty** 형 절약하는

⊕ **lavishness** 명 낭비

0508 □□□

mundane 

[mʌndéin]

2013 서울시 9급

형 일상적인, 재미없는 | ≡ everyday, ordinary

I didn't want to be bothered with **mundane** concerns like doing the dishes. (기출변형)

나는 설거지하는 것과 같은 일상적인 일들을 신경 쓰고 싶지 않았다.

↔ **extraordinary** 형 놀라운, 비범한

빈출 숙어

0509 □□□

be aware of

2020 지방직 9급 외 31회

~에 대해 알다, ~을 의식하다 | ≡ be conscious of

We need to **be aware of** the potential risks in future years. (기출변형)

우리는 미래의 잠재적 위험들에 대해 알고 있어야 한다.

↔ **be unaware of** ~를 알지 못하는

= 어휘 영역 출제

0510 □□□

in search of

~을 찾아서, 추구하여 ■ looking for

2017 지방직 9급 외 7회

Deer travel through the forest at night **in search of** food. 기출변형

사슴들은 먹이를 찾아서 밤에 숲을 돌아다닌다.

0511 □□□

have no idea

전혀 모르다 ■ do not know

2020 지방직 7급 외 6회

I **have no idea** where the nearest bank is around here. 기출변형

나는 이 근처에 가장 가까운 은행이 어디에 있는지 전혀 모르겠다.

0512 □□□

carry on

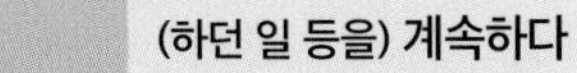

(하던 일 등을) 계속하다 ■ continue, keep on

2016 지방직 9급 외 5회

The company **carried on** building its internal brand. 기출변형

그 회사는 내부 브랜드를 구축하는 것을 계속했다.

0513 □□□

head off

~을 막다, 저지하다 ■ intercept, block

2017 사회복지직 9급 외 3회

The government tried to find a way to **head off** environmental pollution. 기출변형

정부는 환경 오염을 막기 위한 방법을 찾으려 노력했다.

0514 □□□

in place of

~ 대신에 ■ instead of

2021 국가직 9급 외 2회

Doctors recommend that hand sanitizers not be used **in place of** soap and water but only as an adjunct. 기출변형

의사들은 손 세정제가 비누와 물 대신에 쓰여지지 않아야 하며 오로지 부가물로서만 사용되어야 한다고 권고한다.

완성 어휘

0515	legion	명 많은 사람들, 군단
0516	poisonous	형 독이 있는
0517	descendant	명 후손, 후예
0518	fraud 🌿	명 사기, 사기꾼
0519	servile 🌿	형 굽실거리는, 비굴한
0520	sheer 🌿	형 순전한, 완전한; 부 완전히
0521	perverse 🌿	형 삐딱한, 심술궂은
0522	inverse	형 반대의
0523	recite 🌿	동 낭송하다, 낭독하다
0524	urchin 🌿	명 부랑아
0525	furnace	명 용광로, 화로, 난방기
0526	ingrained	형 몸에 밴, 찌든
0527	uncompromising	형 타협하지 않는, 단호한
0528	boldness 🌿	명 대담함, 무모함
0529	deregulate	동 규제를 철폐하다
0530	colossal 🌿	형 거대한, 엄청난
0531	presumably	부 아마, 짐작건대
0532	demolition	명 철거, 파괴
0533	particulate	형 미립자의; 명 미립자
0534	succession 🌿	명 연속, 계승
0535	backlash	명 반발
0536	commentator	명 해설자
0537	indiscernibly 🌿	부 식별할 수 없게

0538	toxin	명 독소
0539	derision 🌿	명 조롱, 조소
0540	supplant	동 대신하다, 대체하다
0541	comparable	형 비교할 만한, 비슷한
0542	merchandise	명 광고, 상품
0543	resilient	형 회복력 있는, 탄력 있는
0544	embellish	동 꾸미다, 장식하다
0545	reactive	형 반응을 보이는
0546	euphoria	명 (극도의) 행복감, 희열
0547	unstained 🌿	형 깨끗한, 오점 없는
0548	cutting edge	최첨단
0549	meet the demand	수요를 충족시키다
0550	along the way	그 과정에서
0551	in a sense	어떤 면에서는
0552	get wrong	오해하다
0553	be flattered 🌿	(어깨가) 으쓱해지다
0554	advance to	~에 진출하다
0555	all through	줄곧, 내내
0556	hang up	(전화를) 끊다
0557	work up	~을 불러일으키다, 북돋우다
0558	irrespective of	~과 상관없이
0559	correspond with	~과 일치하다, 서신을 주고받다
0560	at once	바로

🌿 = 어휘 영역 출제

DAY 08

■ 1회독 ■ 2회독 ■ 3회독

DAY08 음성 바로 듣기

최빈출 단어

0561 □□□

decade

[dékeid]

2020 국가직 9급 외 61회

명 10년

어원 deca[십] + (a)de[명·접] = 십의 단위로 묶은 것, 10년

Gun crimes in the U.S. have increased over the last three **decades.** 기출

미국에서의 총기 범죄는 지난 30년간 증가해왔다.

0562 □□□

capacity

[kəpǽsəti]

2020 지방직 9급 외 32회

명 능력 = ability

명 용량, 수용력 = volume, size

어원 cap(a)[취하다] + city[명·접] = 어떤 것을 취할 수 있는 능력, 그것을 가질 만큼 유능함

The human brain's **capacity** to store knowledge is limitless. 기출변형

인간 두뇌가 지식을 저장하는 능력은 무한하다.

⊕ **capacitive** 형 전기 용량의

0563 □□□

invention

[invénʃən]

2020 지방직 7급 외 30회

명 발명품, 발명 = creation

어원 in[안에] + vent[오다] + ion[명·접] = 머리 안에 어떤 것에 대한 아이디어가 와서 그것을 발명함

The computer is an **invention** that improved many aspects of people's lives. 기출변형

컴퓨터는 사람들 삶의 많은 측면을 개선시킨 발명품이다.

⊕ **inventor** 명 발명가, 창안자

0564 □□□

concrete

[kɑ́nkri:t]

2020 지방직 9급 외 16회

형 구체적인, 사실에 의거한 = definite, specific

There are **concrete** patterns of human behavior in history. 기출변형

역사에는 인간 행동이 구체적인 패턴이 있다.

↔ **vague** 형 막연한

⊕ **concretize** 동 구체화하다, 응결시키다

0565 □□□

assert
[əsə́ːrt]
2020 국회직 8급 외 14회

동 주장하다 = stand up for

동 (권리 등을) 발휘하다, 행하다

어원 as[~에(ad)] + sert[결합하다] = 어떤 의견에 강하게 결합하여 그것을 주장하다

The FBI director **asserted** that the law hasn't kept pace with technology. 기출변형

미국 연방 수사국(FBI) 국장은 법이 기술과 보조를 맞추지 못한다고 주장했다.

⊕ **assertive** 형 단정적인, 자기주장이 강한

0566 □□□

grasp
[græsp]
2021 지방직 9급 외 13회

동 파악하다, 이해하다 = understand

동 꽉 쥐다, 움켜잡다 = grip

I read the paper and **grasped** the main idea of the text. 기출변형

나는 그 논문을 읽고 글의 요지를 파악했다.

0567 □□□

expertise
[èkspərtíːz]
2019 서울시 7급 외 12회

명 전문 기술, 전문 지식 = skill

어원 ex[밖으로] + per(t)[시도하다] + ise[명·접] = 어떤 일을 시도한 결과 밖으로 보여줄 만큼의 전문 기술

Manufacturing tea needs considerable **expertise**. 기출

차를 제조하는 것은 상당한 전문 기술을 필요로 한다.

0568 □□□

impose
[impóuz]
2019 지방직 7급 외 12회

동 (새로운 법·제도 등을) 도입하다, 시행하다 = enforce

동 강요하다 = force

동 (세금·형벌·의무 등을) 부과하다 = levy

The railroad was the first institution to **impose** regularity on society. 기출변형

철도는 사회에 규칙성을 도입한 최초의 시설이었다.

0569 □□□

distribute
[distríbjuːt]
2017 지방직 9급 외 10회

동 나누어 주다, 분배하다 = allocate

어원 dis[떨어져] + tribute[나눠주다] = 따로 떨어진 여럿에게 나누어 주다, 즉 분배하다

The speaker **distributed** copies of his paper to each member of the audience. 기출변형

그 발표자는 자신의 논문 복사본을 각 청중에게 나누어 주었다.

↔ **collect** 동 모으다, 수집하다

⊕ **distribution** 명 분배, 배급

= 어휘 영역 출제

0570 □□□

striking [stráikiŋ] 2019 국가직 9급 외 9회

형 눈에 띄는, 현저한 = noticeable

형 놀라운, 빼어난 = outstanding

Today's meeting was a **striking** contrast to the previous one in terms of its scale. 기출변형

오늘 회의는 규모 면에서 이전 회의와 눈에 띄는 대조를 이루었다.

↔ **unimpressive** 형 인상적이지 않은, 평범한

빈출 단어

0571 □□□

ingenious [indʒíːnjəs] 2015 지방직 7급 외 8회

형 독창적인, 기발한 = inventive

형 영리한 = clever

The **ingenious** worker found a way to speed up factory production.

그 독창적인 직원은 공장 생산 속도를 높일 방법을 찾아냈다.

+ **ingenuity** 명 재간, 독창성

0572 □□□

investigation [invèstəgéiʃən] 2019 지방직 9급 외 7회

명 조사, 수사 = examination

어원 in[안에] + vestig[흔적을 쫓다] + ation[명·접] = 흔적을 쫓아 어떤 곳 안에 들어가서 조사함

The **investigation** had to be handled carefully. 기출변형

그 조사는 조심스럽게 다루어져야 했다.

+ **investigator** 명 수사관

0573 □□□

servant [sə́ːrvənt] 2014 지방직 9급 외 7회

명 하인, 종업원 = attendant

어원 serv(e)[섬기다] + ant[명·접] = 상대를 섬기기 위해 음식을 차리거나 시중을 들며 봉사하는 사람

The wealthy family preferred to serve themselves than to have **servants** do it. 기출변형

그 부유한 가족은 하인들이 시중을 들게 하는 것보다 스스로 차려 먹는 것을 선호했다.

0574 □□□

disruption [disrʌ́pʃən] 2019 서울시 7급 외 6회

명 붕괴, 분열 = disorder

어원 dis[떨어져] + rupt[깨다] + ion[명·접] = 서로 떨어지도록 사이를 깨뜨림, 붕괴 또는 분열

Conserving habitats prevents environment issues that arise from ecosystem **disruption**. 기출

서식지를 보존하는 것은 생태계 붕괴로부터 생겨나는 환경 문제들을 예방한다.

0575 □□□

tyranny

명 전제 정치, 폭정 | = totalitarianism

[tírəni]

2018 국회직 8급 외 5회

Tyranny is when power is held by only one member of society. (기출변형)

전제 정치는 권력이 사회의 오직 한 사람에게만 주어졌을 때이다.

↔ **democracy** 명 민주주의

⊕ **tyrannize** 동 압제하다, 폭군같이 굴다

0576 □□□

stray

형 길 잃은, 주인이 없는 | = lost

[strei]

2014 서울시 7급 외 5회

My son always takes pity on **stray** cats and dogs. (기출)

내 아들은 항상 길 잃은 고양이와 개를 측은히 여긴다.

0577 □□□

factual

형 사실적인, 사실에 입각한 | = accurate

[fǽktʃuəl]

2018 법원직 9급 5회

A nonfiction novel is a recently popular type of writing based on **factual** events. (기출변형)

논픽션 소설은 사실적인 일들을 바탕으로 한 최근 인기 있는 유형의 글이다.

0578 □□□

anthropology

명 인류학

[ænθrəpɑ́:lədʒi]

2020 지방직 9급 외 4회

In her **anthropology** class, she studied the development of human civilizations.

인류학 수업에서 그녀는 인류 문명의 발전에 대해 공부했다.

⊕ **anthropologist** 명 인류학자

0579 □□□

interrogate

동 심문하다 | = question, probe

[intérəgèit]

2019 지방직 7급 외 4회

The detective **interrogated** me about the incident. (기출변형)

형사가 그 사건에 대해 나를 심문했다.

0580 □□□

fluctuation

명 변동, 등락 | = variation, shift, change

명 (감정의) 동요

[flʌ̀ktʃuéiʃən]

2018 국가직 9급 외 4회

The **fluctuations** in the fish population would be due to natural environmental factors. (기출변형)

어류 개체 수의 변동은 자연 환경적인 요인들 때문일 것이다.

= 어휘 영역 출제

0581 □□□

rage

[reidʒ]

2019 서울시 9급 외 4회

명 분노, 격노 ＝ fury, rampage

동 (격렬하게) 화를 내다

동 급속히 번지다

The child was full of **rage** when he didn't get his way.

그 아이는 뜻대로 되지 않자 분노로 가득 찼다.

0582 □□□

disregard

[dìsrigáːrd]

2018 서울시 9급 외 3회

동 무시하다, 묵살하다 ＝ ignore, discount

명 무시, 묵살

어원 dis[반대의] + re[다시] + gard[지켜보다] = 반복해서 다시 지켜보지 않고 상대를 무시하다

Drivers should not **disregard** safety regulations on the road.

운전자들은 도로에서 안전 수칙을 무시해선 안 된다.

↔ **pay attention to** ~에 주의를 기울이다

0583 □□□

relocate

[rilóukeit]

2017 국가직 9급 외 3회

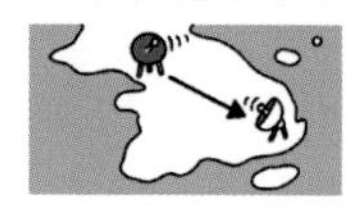

동 이동시키다, 재배치하다

동 이전하다 ＝ move to

Aggression among animal populations can be decreased only by **relocating** the competitive species. (기출)

동물 개체군의 공격성은 경쟁 종들을 이동시키는 것만으로도 감소할 수 있다.

⊕ **relocation** 명 재배치

0584 □□□

pathway

[pǽθwèi]

2020 국회직 8급 외 2회

명 경로, 진로 ＝ route

The neural **pathways** of the brain are formed during childhood. (기출변형)

뇌의 신경 경로는 어린 시절에 형성된다.

0585 □□□

condense

[kəndéns]

2015 국가직 9급 외 2회

동 응결되다 ＝ precipitate

When the air cools, the water vapor **condenses** into liquid. (기출변형)

공기가 차가워지며, 수증기는 액체로 응축된다.

0586 □□□

corporal

[kɔ́:rpərəl]

2019 서울시 7급 외 1회

형 신체의, 육체적인 　 = bodily, physical

The school banned **corporal** punishment to avoid injuring children.

학교는 아이들이 다치는 것을 막기 위해 신체 체벌을 금지했다.

↔ **spiritual** 형 정신의, 종교적인

0587 □□□

latitude

[lǽtətjù:d]

2019 국회직 9급 외 1회

명 위도 　 = scope

명 지역, 지방

The research suggests that the reaches of bumblebees' home would shift to higher **latitudes.** (기출변형)

그 연구는 호박벌의 서식지 범위가 더 높은 위도로 이동할 것임을 시사했다.

0588 □□□

inject

[indʒékt]

2018 국회직 8급 외 1회

동 주입하다, 투입하다 　 = insert

어원 in[안으로] + ject[던지다] = 약물 등을 몸 안으로 던져 넣다, 즉 주입하다

ZMapp is created by **injecting** plants with a genetically modified virus. (기출)

ZMapp은 식물에 유전자 변형 바이러스를 주입함으로써 만들어진다.

빈출 숙어

0589 □□□

be based on

2020 국회직 8급 외 71회

~에 기반하다, ~을 토대로 하다 　 = rest on

The country's economic development **was based on** manufacturing. (기출변형)

그 나라의 경제 개발은 제조업에 기반했다.

0590 □□□

a number of

2020 국가직 9급 외 55회

많은, 다수의 　 = several, various

A number of gun advocates consider gun ownership an essential part of the nation's heritage. (기출변형)

많은 총기 지지자들은 총기 소유권이 국가 유산의 필수적인 부분이라고 생각한다.

= 어휘 영역 출제

0591 □□□

run out of 

~이 바닥나다, 다 써버리다

= be out of

2022 지방직 9급 외 12회

I couldn't finish the exam because I **ran out of** time. 기출

나는 시간이 바닥나서 시험을 다 보지 못했다.

0592 □□□

in charge (of)

(~을) 담당한, 맡은

2023 지방직 9급 외 10회

The butler was **in charge of** setting the silverware and serving the dishes. 기출변형

그 집사는 은 식기류를 놓고 음식을 상에 차리는 것을 담당했다.

0593 □□□

go about 

~을 시작하다

= set about

2016 지방직 7급 외 4회

Despite the rainy weather, people **went about** their day like normal.

비가 오는 날씨에도 불구하고, 사람들은 평상시처럼 하루를 시작했다.

0594 □□□

count on

~에 의지하다, ~를 믿다

= rely on, trust

2017 지방직 9급 외 2회

Single mothers can **count on** state support to help them. 기출변형

미혼모들은 그들을 돕는 정부의 보조에 의지할 수 있다.

↔ **distrust** 동 불신하다

완성 어휘

0595 □□□	limitedly	부 제한적으로
0596 □□□	unbearable ✔	형 참을 수 없는
0597 □□□	tribal	형 부족의
0598 □□□	surplus	형 잉여의; 명 흑자
0599 □□□	diameter	명 지름, 직경
0600 □□□	callous ✔	형 냉담한
0601 □□□	fraudulent ✔	형 사기의, 부정한
0602 □□□	lethargy ✔	명 무기력
0603 □□□	oriental	형 동양의
0604 □□□	politeness ✔	명 공손함, 정중함
0605 □□□	unforeseen	형 예측하지 못한, 뜻밖의
0606 □□□	passable	형 그런대로 괜찮은
0607 □□□	deflating	형 수축하는, 오그라드는
0608 □□□	inquisitive	형 호기심이 많은
0609 □□□	muzzle ✔	동 억압하다, 입막음하다
0610 □□□	interlink	동 연결하다
0611 □□□	despondence ✔	명 절망
0612 □□□	psyche	명 마음, 정신, 영혼
0613 □□□	desolate	형 황량한, 외로운
0614 □□□	unsurpassed ✔	형 타의 추종을 불허하는, 탁월한
0615 □□□	squash	동 짓누르다, 으깨다
0616 □□□	divisible ✔	형 나눌 수 있는
0617 □□□	lifespan	명 수명
0618 □□□	venomous	형 유독한, 원한을 품은
0619 □□□	blemish	명 (피부 등의) 티, 흠
0620 □□□	simulate	동 모의 실험하다
0621 □□□	fury	명 분노, 격분
0622 □□□	oblivious	형 의식하지 못하는
0623 □□□	remonstrance	명 항의, 불평
0624 □□□	summarize	동 요약하다
0625 □□□	minuscule	형 극소의
0626 □□□	primordial	형 태고의, 원시적인
0627 □□□	let off ✔	~의 책임에서 해방하다
0628 □□□	fall under	~의 영향을 받다
0629 □□□	die down	약해지다
0630 □□□	a step ahead of	(~보다) 한발 앞선
0631 □□□	hang on	꽉 붙잡다, 기다리다
0632 □□□	vice versa	거꾸로, 반대로
0633 □□□	knock out	깜짝 놀라게 하다
0634 □□□	down to	~에 이르기까지
0635 □□□	get back to	~으로 돌아가다
0636 □□□	in effect	실제로는
0637 □□□	give a speech	연설을 하다
0638 □□□	level off ✔	안정되다
0639 □□□	on a regular basis	정기적으로
0640 □□□	hit upon	(우연히) ~을 생각해내다

✔ = 어휘 영역 출제

DAY 09

■ 1 회독 ■ 2 회독 ■ 3 회독

DAY09 음성 바로 듣기

최빈출 단어

0641 □□□

affect

[əfékt]

2020 국가직 9급 외 63회

동 영향을 끼치다 ≡ influence

Stress can **affect** all aspects of our daily existence. (기출변형)

스트레스는 우리 일상생활의 모든 면에 영향을 미칠 수 있다.

0642 □□□

observation

[àbzərvéiʃən]

2020 법원직 9급 외 28회

명 관찰, 관측 ≡ scrutiny

명 (관찰로 얻은) 지식, 의견

어원 ob[향하여] + serv(e)[지키다] + ation[명·접] = 어떤 것을 향하여 서서 그것을 지킴, 지키고 서서 관찰함

Parents are interested in research based on **observations** of babies. (기출변형)

부모들은 아기들에 대한 관찰에 근거한 연구 결과에 흥미가 있다.

0643 □□□

predator

[prédətər]

2019 서울시 9급 외 24회

명 포식자, 포식 동물 ≡ hunter

어원 predat[먹이] + or[사람] = (먹이를 잡아먹는) 포식자

The ants are secretive **predators**, as they prefer to hunt under the leaf. (기출변형)

그 개미들은 낙엽 아래에서 사냥하는 것을 선호하기 때문에, 비밀스러운 포식자들이다.

⊕ **predatory** 형 포식성의

0644 □□□

stimulate

[stímjulèit]

2019 국가직 9급 외 19회

동 자극하다, (관심을) 불러일으키다 ≡ motivate

어원 stim(ul)[찌르다] + ate[동·접] = 움직이도록 찔러서 자극하다

The exhibitors passed out free samples to **stimulate** interest. (기출변형)

출품자들은 관심을 자극하기 위해 무료 샘플들을 배부했다.

↔ **discourage** 동 좌절시키다

⊕ **overstimulate** 동 과한 자극을 받다

0645 □□□

proposal

[prəpóuzəl]

2018 서울시 9급 외 17회

명 제안 ≡ suggestion

어원 pro[앞에] + pos(e)[놓다] + al[명·접] = 상대 앞에 의견을 놓아 제시하는 것

Her team didn't have any objections to the **proposal** she made. (기출변형)

그녀의 팀은 그녀가 한 제안에 대해 아무런 반대도 하지 않았다.

0646 □□□

unprecedented

[ənpréisidèntid]

2019 국회직 8급 외 16회

형 전례 없는, 미증유의, 새로운 ≡ unsurpassed

Newton made **unprecedented** contributions to mathematics. (기출변형)

뉴턴은 수학에 전례 없는 기여를 했다.

⊕ **precedent** 명 전례

0647 □□□

distress 

[distrés]

2020 국회직 8급 외 14회

명 고통, 괴로움 ≡ torment

동 고통스럽게 하다, 괴롭히다

어원 di[떨어져] + stress[팽팽히 당기다] = 팽팽히 당긴 것이 떨어지면서 생기는 고통

A person with aviophobia avoids flying because of the significant **distress** it causes. (기출변형)

비행공포증을 가진 사람은 비행이 유발하는 심각한 고통 때문에 그것을 피한다.

↔ **comfort** 명 편안

⊕ **distressing** 형 비참한

0648 □□□

identical

[aidéntikəl]

2018 국가직 9급 외 13회

형 동일한, 일치하는 ≡ alike

어원 ident[같은] + ical[형·접] = 신분증과 같은 사람의, 즉 동일한

A mako shark has scales of **identical** size all over its body. (기출)

청상아리는 몸 전체에 동일한 크기의 비늘을 가지고 있다.

↔ **different** 형 다른

⊕ **identify** 동 확인하다, 알아보다

0649 □□□

external

[ikstə́:rnəl]

2019 서울시 7급 외 12회

형 외부의 ≡ outward

어원 exter(n)[밖에] + al[형·접] = 밖에 있는, 즉 외부의

Hiring should not be based on **external** factors such as race or height. (기출변형)

채용은 인종이나 키와 같은 외부 요인들에 근거해서는 안 된다.

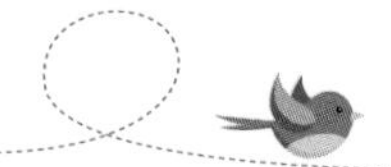

0650 □□□

handicap

[hǽndikæp]

2019 법원직 9급 외 12회

명 불리한 조건

동 불리하게 만들다 = hinder

어원 hand[손] + i[안에] + cap[머리] = 손을 머리에 대고 시합하는 불리한 조건

Lacking an online presence is a **handicap** for print media.

온라인상의 존재감 부족은 인쇄 매체에 불리한 조건이다.

빈출 단어

0651 □□□

ubiquitous

[juːbíkwətəs]

2021 국가직 9급 외 7회

형 어디에나 존재하는 = omnipresent, pervasive

Across the city, the sounds of traffic are **ubiquitous**.

도시 전역에서는, 차량의 소리가 어디에나 존재한다.

↔ **rare** 형 드문

0652 □□□

explosive

[iksplóusiv]

2014 국가직 7급 외 6회

명 폭발물 = bomb

형 폭발하는, 폭발성의

The clock ticked so loudly that it sounded like a timer on an **explosive**. 기출변형

시계가 폭발물의 타이머처럼 들릴 정도로 크게 똑딱거렸다.

0653 □□□

troop

[truːp]

2017 지방직 7급 외 6회

명 군대, 병력 = company, brigade

He is responsible for the killing of a **troop** of 80 men. 기출변형

그는 80명의 군대에 대한 학살에 책임이 있다.

0654 □□□

drastic

[drǽstik]

2015 지방직 7급 외 6회

형 극단적인, 급격한 = extreme, radical

어원 drast[행동하다] + ic[형·접] = 크게 행동해서 그 효과가 강렬한, 즉 극단적인

Warm-blooded creatures proved to be adjustable to the **drastic** changes in temperature. 기출변형

온혈 생물들은 온도의 극단적인 변화에 적응할 수 있는 것으로 드러났다.

↔ **moderate** 형 보통의

0655 □□□

culprit

명 주범, 범인 ｜ = malefactor

[kʌ́lprit]

2018 국가직 9급 외 5회

Smoking is a **culprit** in the increase of lung cancer rates.
흡연은 폐암 발병률 증가의 주범이다.

0656 □□□

dump

동 버리다 ｜ = get rid of

[dʌmp]

2020 국회직 9급 외 5회

The city **dumped** its waste directly into the harbor. (기출변형)
그 도시는 쓰레기를 직접적으로 항구에 버렸다.

0657 □□□

stability

명 안정성 ｜ = firmness, solidity

[stəbíləti]

2020 국회직 9급 외 5회

어원 sta[서다] + (a)bil[할 수 있는(able)] + ity[명·접] = 있을 수 있게 상태가 안정적임, 즉 안정성

Failure to carry out the court's decisions puts the **stability** of the justice system at risk. (기출변형)
사법적 결정 이행의 실패는 사법제도의 안정성을 위험에 처하게 한다.

⊕ **stable** 형 안정적인

0658 □□□

intercultural

형 (다른) 문화 간의

[ìntərkʌ́ltʃərəl]

2016 지방직 7급 외 5회

어원 inter[사이에] + cultur(e)[문화] + al[형·접] = 문화들 사이에, 즉 문화 간의

There are many **intercultural** differences between the native people and the immigrants.
토착민들과 이민자들 사이에는 문화 간의 많은 차이가 있다.

⊕ **agricultural** 형 농업의

0659 □□□

subordinate

명 하급자, 부하 ｜ = junior, underling

형 종속된, 부수적인 ｜ = subject

[səbɔ́ːrdənət]

2019 지방직 9급 외 5회

The common view of leadership was that leaders actively led and **subordinates** passively followed. (기출변형)
리더십에 대한 보편적인 관점은 지도자들이 적극적으로 이끌고 하급자들은 수동적으로 따르는 것이었다.

⊕ **superordinate** 형 상위의

0660 □□□

nullify

동 무효로 하다, 파기하다 ｜ = annul, revoke

[nʌ́ləfài]

2018 서울시 7급 외 3회

The judge **nullified** the results of a criminal trial.
그 판사는 형사 재판의 결과를 무효로 했다.

↔ **ratify** 동 비준하다

0661 □□□

changeable

형 바뀔 수 있는, 변덕이 심한 | **=** flexible

[tʃéindʒəbl]

2020 지방직 7급 외 3회

Travel plans should be **changeable** because unexpected things happen.

예상치 못한 일이 생기기 때문에, 여행 계획은 바뀔 수 있어야 한다.

0662 □□□

tenant

명 세입자, 소작인 | **=** resident, holder

[ténənt]

2019 서울시 7급 외 2회

어원 ten[잡다] + ant[명·접(사람)] = 땅, 건물 등을 잡고 대신 돈을 내는 세입자 또는 소작인

Tenants had to make high mortgage payments for condominiums. (기출변형)

세입자들은 아파트를 위해 높은 주택담보 대출금을 지불해야 했다.

↔ **owner** 명 소유주

0663 □□□

divine

형 신성한, 신의 | **=** celestial

[diváin]

2019 서울시 9급 외 2회

Fate is a **divine** principle that determines the course of history. (기출변형)

운명은 역사의 흐름을 결정 짓는 신성한 원칙이다.

0664 □□□

ascend

동 오르다, 올라가다 | **=** climb, go up

[əsénd]

2015 법원직 9급 외 2회

Many climbers don't make it to the top because they **ascend** too quickly. (기출변형)

많은 등반가들이 너무 빨리 오르기 때문에 정상에 오르는 데 성공하지 못한다.

↔ **descend** 동 내려가다

0665 □□□

falsify

동 반증하다 | **=** disprove, refute

동 위조하다 | **=** forge, fake

[fɔ́:lsəfài]

2017 국회직 9급 외 2회

Scientific research makes hypotheses that can be **falsified** by tests. (기출변형)

과학적 연구는 실험에 의해서 반증될 수 있는 가설들을 만들어낸다.

+ **falsifiable** 형 속일 수 있는, 위조할 수 있는

0666 □□□

levy

[lévi]

2018 국회직 8급 외 1회

동 (세금 등을) 징수하다, 부과하다 ■ impose, charge

명 (징수한) 세금, 징수 ■ tax

A recent law **levies** a significant fee per full-time employee. (기출변형)

최근의 법은 상근직원마다 상당한 요금을 징수한다.

0667 □□□

pedestrian

[pədéstriən]

2019 지방직 9급 외 1회

명 보행자 ■ walker

어원 ped(estr)[발] + ian[명·접(사람)] = 발로 걷는 사람, 즉 보행자

Each year, more than 270,000 **pedestrians** lose their lives on the world's roads. (기출)

매년, 270,000명 이상의 보행자들이 세계의 도로에서 목숨을 잃는다.

↔ **driver** 명 운전자

0668 □□□

nimble

[nímbl]

2013 지방직 9급 외 1회

형 날쌘, 재빠른 ■ agile, speedy

The young children in the playground are **nimble**.

놀이터의 어린아이들은 날쌔다.

빈출 숙어

0669 □□□

tend to

2020 지방직 7급 외 103회

~하는 경향이 있다

Foreign names **tend to** be harder to pronounce. (기출변형)

외국 이름은 발음하기 더 어려운 경향이 있다.

0670 □□□

be involved in

2019 지방직 7회 외 30회

~에 연루되다, 개입되다

He **is involved in** various adventures. (기출변형)

그는 다양한 모험들에 연루되었다.

0671 □□□

be attributed to

2020 국회직 8급 외 6회

~에서 기인하다 ■ be ascribed to

These paintings are believed to **be attributed to** the Bushman people. (기출)

그 그림들은 부시맨 사람들에게서 기인한 것으로 여겨진다.

= 어휘 영역 출제

0672 □□□

in the midst of

~ 도중에

2017 국가직 9급 외 4회

A clash occurred **in the midst of** the political leaders' election campaigns. (기출변형)

정치 지도자들의 선거 운동 도중에 충돌이 발생했다.

0673 □□□

put aside

저축하다

제쳐두다, 무시하다

2017 국회직 9급 외 4회

I have money **put aside** for potential emergencies. (기출변형)

나는 잠재적인 비상 상황을 위해 저축해둔 돈이 있다.

0674 □□□

take time

시간을 가지다, 시간이 걸리다

동 pause

천천히 하다

2020 법원직 9급 외 3회

When you're feeling overwhelmed, you should **take time** to appreciate everything that's going well. (기출변형)

당신이 어쩔 줄 모르겠다고 느낄 때, 당신은 잘 진행되고 있는 모든 것들에 감사하는 시간을 가져야 한다.

완성 어휘

0675 □□□	farewell	명 이별
0676 □□□	canny	형 약삭빠른, 노련한
0677 □□□	furtive	형 은밀한, 엉큼한
0678 □□□	evasion	명 회피
0679 □□□	condone	동 용납하다
0680 □□□	falter	동 흔들리다, 뒷걸음치다
0681 □□□	cliché	명 진부한 표현
0682 □□□	powerhouse	명 발전소
0683 □□□	paralysis	명 마비
0684 □□□	docility	명 온순, 유순
0685 □□□	loath	형 ~하기를 꺼리는
0686 □□□	clique	명 파벌, 패거리
0687 □□□	suffocating	형 숨이 막히는, 숨쉬기가 힘든
0688 □□□	aliment	명 자양분, 영양분
0689 □□□	deity	명 신
0690 □□□	intercede	동 탄원하다
0691 □□□	vent	명 통풍구, 배출구
0692 □□□	concomitant	형 수반되는
0693 □□□	precocious	형 조숙한, 아이 같지 않은
0694 □□□	puzzlement	명 어리둥절함, 얼떨떨함
0695 □□□	adduce	동 (증거·이유 등을) 제시하다
0696 □□□	unwieldy	형 다루기 어려운, 거추장스러운
0697 □□□	maternal	형 모성의
0698 □□□	vicinity	명 부근
0699 □□□	ablaze	형 불길에 휩싸인
0700 □□□	tattered	형 다 망가진
0701 □□□	facet	명 측면
0702 □□□	conjecture	명 추측
0703 □□□	squeamish	형 지나치게 예민한
0704 □□□	triumphantly	부 의기양양하여
0705 □□□	distraught	형 완전히 제정신이 아닌
0706 □□□	misconduct	명 비행
0707 □□□	convulsion	명 발작, 경련
0708 □□□	concur with	~에 동의하다
0709 □□□	let up	약해지다
0710 □□□	in hand	현재 하고 있는
0711 □□□	break a bill	지폐를 바꾸다
0712 □□□	be fined for	~으로 벌금을 물다
0713 □□□	hand out	나누어 주다
0714 □□□	an eye for	~에 대한 안목
0715 □□□	set out	착수하다
0716 □□□	rife with	~으로 가득 찬
0717 □□□	lash out	강타하다
0718 □□□	on the strength of	~에 힘입어
0719 □□□	at large	전체적인, 대체적인
0720 □□□	die of	~으로 죽다, 사망하다

= 어휘 영역 출제

DAY 10

■ 1회독 ■ 2회독 ■ 3회독

DAY10 음성 바로 듣기

최빈출 단어

0721 □□□

define

[difáin]

2020 지방직 7급 외 32회

동 정의하다, 정의를 내리다 = characterize

동 분명히 나타내다, 명시하다

어원 de[떨어져] + fin(e)[경계] = 다른 것과 떨어진 의미상의 경계를 짓다, 즉 정의 내리다

Sugary drinks are **defined** as beverages with added sweeteners. (기출변형)

설탕이 든 음료는 감미료가 첨가된 음료로 정의된다.

⊕ **definition** 명 정의

0722 □□□

fascinate

[fǽsənèit]

2020 국회직 9급 외 20회

동 매료시키다, 마음을 사로잡다 = captivate

We are **fascinated** by thinking of the wonderful things the future will bring. (기출)

우리는 미래가 가져올 경이로운 것들을 생각하는 것에 매료된다.

↔ **bore** 동 지루하게 만들다

⊕ **fascinating** 형 매력적인, 흥미로운

0723 □□□

distant

[dístənt]

2020 법원직 9급 외 19회

형 거리가 먼 = remote

The rings of Saturn are too **distant** to be seen from Earth without a telescope. (기출)

토성의 고리는 망원경 없이 지구에서 보기에는 거리가 너무 멀다.

0724 □□□

tough

[tʌf]

2018 지방직 9급 외 18회

형 어려운, 힘든 = troublesome

The math question was too **tough** for the student to answer. (기출변형)

그 수학 문제는 너무 어려워서 학생이 대답할 수 없었다.

0725 □□□

extraordinary

[ikstrɔ́:rdənèri]

2020 법원직 9급 외 17회

형 비범한, 특별한 = remarkable

형 이례적인

어원 extra[밖에] + ordinary[평범한] = 평범한 범위 밖에 있어 특별한

Some cats seem to have **extraordinary** memories for finding places. (기출)

어떤 고양이들은 장소를 찾는 데에 비범한 기억력을 가진 것으로 보인다.

↔ **ordinary** 형 보통의, 일상적인

0726 □□□

conceive 

[kənsí:v]

2019 국회직 8급 외 15회

동 구상하다, 생각하다 = think (of)

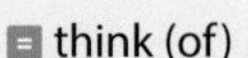

동 아이를 가지다 = get pregnant

Alan Turing **conceived** a perfect initial model of computers. (기출변형)

앨런 튜링은 컴퓨터의 완벽한 초기 모델을 구상했다.

⊕ **conceivably** 부 상상컨대

0727 □□□

implement

[ímpləmənt]

2020 국회직 8급 외 14회

동 시행하다, 실시하다 = execute, carry out

명 도구, 기구 = tool, device

어원 im[안에(in)] + ple[채우다] + ment[명·접] = 계획대로 안을 채우는 일을 시행하다

The new policy will be **implemented** for all workers. (기출변형)

새로운 정책이 모든 직원에게 시행될 것이다.

⊕ **implementation** 명 실행, 이행

0728 □□□

acute

[əkjú:t]

2019 서울시 9급 외 13회

형 급성의

형 극심한, 심각한 = severe, drastic

형 예민한, 잘 발달된 = sensitive

Acute stress reactions begin at the scene of a traumatic event. (기출변형)

급성 스트레스 반응은 정신적 충격이 큰 사건의 현장에서 시작된다.

↔ **negligible** 형 무시해도 될 정도의

0729 □□□

discard

[동] 버리다, 폐기하다 | [=] dispose of

[diskɑ́:rd]

2019 국회직 8급 외 12회

어원 dis[떨어져] + card[카드] = 들고 있던 카드를 떨어뜨려서 버리다

Tens of millions of old TVs and cell phones are **discarded** each year. (기출변형)

수천만 대의 오래된 TV와 핸드폰이 매년 버려진다.

[↔] **keep** [동] 가지고 있다, 남겨 두다

빈출 단어

0730 □□□

mature

[형] 성숙한, 다 자란 | [=] grown-up

[동] 다 자라다, 발달하다

[mətjúər]

2019 법원직 9급 외 9회

Taking on increased responsibility can make you a more **mature** person. (기출변형)

더 큰 책임을 지는 것은 당신을 더 성숙한 사람으로 만들 수 있다.

[+] **maturity** [명] 성숙함

0731 □□□

disposal

[명] 처리, 처분 | [=] removal

[명] 배치 | [=] arrangement

[dispóuzəl]

2020 국회직 9급 외 9회

Space in landfills is running out, so the **disposal** of waste has become difficult. (기출변형)

매립지의 공간이 부족해지고 있어서, 쓰레기의 처리가 어려워졌다.

[+] **disposable** [형] 일회용의

0732 □□□

inhibit

[동] 억제하다, 저해하다, 금지하다 | [=] impede, hinder

[inhíbit]

2017 서울시 7급 외 7회

어원 in[안에] + hib(it)[잡다(hab)] = 안에 잡아두고 행동을 저해하다

Some proteins **inhibit** the transmission of the AIDS virus. (기출변형)

어떤 단백질은 에이즈 바이러스의 전염을 억제한다.

[↔] **allow** [동] 허락하다

[+] **inhibition** [명] 억제, 어색함

0733 □□□

renowned 

[형] 유명한 | [=] famous

[rináund]

2022 서울시 9급 외 5회

Our university is **renowned** for its Law School. (기출)

우리 대학은 로스쿨로 유명하다.

0734 □□□

erupt

[irʌ́pt]

2022 국회직 9급 외 5회

동 분출하다 = explode

어원 e[밖으로(ex)] + rupt[깨다]막았던 것을 깨고 밖으로 쏟아져 나오다, 즉 분출하다

The world of the dinosaurs may have ended when volcanoes **erupted**. 기출변형

공룡의 세계는 화산이 분출했을 때 끝났을지도 모른다.

0735 □□□

despise

[dispáiz]

2017 법원직 9급 외 5회

동 경멸하다, 혐오하다 = detest, abhor

The politician **despised** his political opponents, but he still represented them. 기출변형

그 정치인은 정치적 적들을 경멸했지만, 여전히 그들을 대표했다.

↔ **like** 동 좋아하다

0736 □□□

elusive

[ilú:siv]

2018 법원직 9급 외 5회

형 규정하기 힘든, 파악하기 어려운 = indefinite, ambiguous

형 교묘하게 피하는

Scientists suggested a way of explaining Mona Lisa's **elusive** smile. 기출변형

과학자들은 모나리자의 규정하기 힘든 미소를 설명하는 방법을 제시했다.

↔ **clear** 형 분명한

⊕ **elude** 동 피하다, 빠져나가다

0737 □□□

lament

[ləmént]

2015 지방직 9급 외 5회

동 안타까워하다, 비통해하다 = regret

명 비탄, 애도

A reporter was **lamenting** Edison's experimental failures. 기출변형

한 기자는 에디슨의 실험 실패를 안타까워했다.

↔ **rejoice** 동 크게 기뻐하다

0738 □□□

exterior

[ikstíəriər]

2020 법원직 9급 외 4회

형 외부의, 바깥의 = external

명 외부, 겉모습 = outside

I liked the car because of its **exterior** design. 기출변형

나는 외부 디자인 때문에 그 차가 좋았다.

↔ **interior** 명 내부, 안쪽

= 어휘 영역 출제

0739 □□□

overlap

[òuvərlǽp]

2019 지방직 9급 외 4회

통 겹치다 ≡ converge

어원 over[위에] + lap[겹치다] = 위에 겹치다

The scientist discovered taste buds made up of cells that **overlap** like petals. (기출변형)

그 과학자는 꽃잎처럼 겹쳐진 세포들로 구성된 맛봉오리를 발견하였다.

+ **overlapping** 형 중복된

0740 □□□

halt

[hɔ:lt]

2019 법원직 9급 외 4회

통 멈추다 ≡ stop, wait

명 멈춤, 중단

The joggers **halted** as they came to the crosswalk, waiting for cars to pass.

조깅하던 사람들은 횡단보도에 오면서 차가 지나가기를 기다리며 멈춰 섰다.

0741 □□□

breakthrough

[bréikθrù]

2017 사회복지직 9급 외 3회

명 획기적 발전 ≡ development

명 돌파구

Scientific **breakthroughs** successfully managed hunger by increasing food production. (기출변형)

과학의 획기적 발전은 식량 생산을 증가시킴으로써 성공적으로 굶주림에 대처했다.

0742 □□□

exasperate

[igzǽspərèit]

2016 서울시 7급 외 3회

통 몹시 화나게 하다 ≡ infuriate, irritate

통 (병·고통·감정 등을) 악화시키다 ≡ aggravate

He **exasperated** her by repeating a question she had already answered.

그는 그녀가 이미 대답한 질문을 반복함으로써 그녀를 몹시 화나게 했다.

↔ **please** 통 기쁨을 주다

+ **exasperation** 명 격분, 분노

0743 □□□

affectionate

[əfékʃənət]

2018 국회직 8급 외 2회

형 다정한, 애정 어린 ≡ caring

People are more **affectionate** toward those whom they know.

사람들은 자신이 아는 사람에게 더 다정하다.

+ **affection** 명 애정

0744 □□□

liable

[láiəbl]

2018 법원직 9급 외 2회

형 ~할 책임이 있는 | = responsible

형 ~하기 쉬운, ~ 할 것 같은

The judge found the company **liable** for the injuries of its workers.

판사는 직원들의 부상이 회사에 책임이 있다고 여겼다.

↔ **unlikely** 형 ~할 것 같지 않은

⊕ **liability** 명 법적 책임

0745 □□□

spiral

[spáiərəl]

2017 국가직 9급 외 2회

형 나선형의 | = circling, curling

동 (나선형으로) 상승하다, 급증하다 | = soaring

The antelope has long and thin **spiral** horns with two or three twists. (기출변형)

그 영양은 두 번 혹은 세 번 비틀어진, 긴 나선형의 뿔을 갖고 있다.

0746 □□□

peripheral

[pərífərəl]

2018 법원직 9급 외 1회

형 주변의, 주위의, 지엽적인 | = subsidiary

Polonius is a **peripheral** character in Hamlet, while the prince is the main character.

왕자가 주인공인 반면에, 폴로니우스는 햄릿에서 주변 인물이다.

0747 □□□

capitulate

[kəpítʃulèit]

2015 국회직 9급 외 1회

동 굴복하다 | = surrender, yield

The prison guards use threats to make the prisoners **capitulate.**

감옥의 간수들은 죄수들이 굴복하도록 하기 위해 위협을 사용한다.

↔ **resist** 동 저항하다

0748 □□□

petition

[pətíʃən]

2011 서울시 9급 외 1회

Please...

명 청원, 탄원 | = appeal

동 청원하다, 탄원서를 내다 | = implore

어원 pet(it)[추구하다] + ion[명·접] = 추구하는 것을 얻기 위해 간절히 비는 행위, 즉 탄원

Millions of people signed a **petition** asking for a second public vote. (기출변형)

수백만 명이 두 번째 국민 투표를 요청하는 청원에 서명했다.

빈출 숙어

0749 □□□

depend on ~에 달려 있다, ~을 신뢰하다 ⊜ rely on, count on

2020 법원직 9급 외 70회

The bath's frequency **depends on** the reason behind the bath. (기출변형)

목욕 빈도는 목욕의 이유에 달려 있다.

0750 □□□

make sense 이해가 되다, 타당하다

2019 지방직 9급 외 13회

Myths try to **make sense** of happenings in the natural world. (기출변형)

신화는 자연 세계에서 발생하는 것들을 이해가 되도록 하려고 노력한다.

0751 □□□

as far as ~하는 한, ~에 관한 한

2018 지방직 9급 외 9회

We resolve our differences through discussion **as far as** possible. (기출변형)

우리는 가능한 한 서로 간 차이를 논의를 통해 해결한다.

0752 □□□

cover up ~을 가리다, 감추다 ⊜ hide, conceal

2020 법원직 9급 외 6회

The restaurant used expensive tablecloths to **cover up** its cheap tables.

그 식당은 그곳의 값싼 테이블들을 가리기 위해 비싼 식탁보를 사용했다.

⊖ **reveal** 동 드러내다

0753 □□□

keep away from 멀리하다

2019 지방직 9급 외 2회

Doctors recommend **keeping away from** any kind of alcoholic beverages. (기출변형)

의사들은 어떤 종류의 알코올음료도 멀리할 것을 권장한다.

0754 □□□

let on (비밀을) 털어놓다, 폭로하다 ⊜ confide

2024 지방직 9급 외 1회

She never **let on** to anyone that she was unhappy. (기출변형)

그녀는 결코 누구에게도 그녀가 불행했다고 털어놓지 않았다.

완성 어휘

0755	prelude	명 서두, 전조
0756	diaphanous	형 매우 얇은, 거의 투명한
0757	console	동 위로하다
0758	litigation	명 소송
0759	preliminary	형 예비적인, 시초의
0760	swift	형 신속한
0761	resonate	동 울려 퍼지다
0762	long-established	형 오래 전부터 내려온
0763	outlaw	동 불법화하다
0764	vaporous	형 수증기가 가득한
0765	amass	동 모으다
0766	irritability	명 (자극에 대한) 감수성
0767	forthright	형 솔직한, 숨김없는
0768	pertinent	형 적절한, 관련된
0769	interconnect	동 서로 연결하다
0770	resultant	형 그 결과로 생긴
0771	deficiency	명 결핍, 부족, 결점, 결함
0772	intercept	동 가로막다
0773	didactic	형 교훈적인
0774	nominal	형 명목상의
0775	downsize	동 줄이다, 축소하다
0776	mistreat	동 학대하다
0777	vie	동 경쟁하다

0778	deluge	명 폭우
0779	deviate	동 벗어나다
0780	complicity	명 공모
0781	unconditional	형 무조건적인
0782	fathomable	형 추측할 수 있는
0783	conceptualize	동 개념화하다
0784	entwine	동 얽히다
0785	dexterity	명 기민함, 영리함
0786	unfettered	형 제한받지 않는
0787	snoop	동 염탐하다
0788	go around	(몫이) 돌아가다
0789	leave no stone unturned	온갖 수를 다 쓰다
0790	call it a day	(일 등을) 그만 끝내다
0791	loom on	나타나다
0792	grab a bite	간단하게 먹다
0793	check with	~와 의논하다
0794	fresh from	~을 갓 나온
0795	come to light	알려지다, 밝혀지다
0796	look down on	~을 경시하다
0797	out of order	고장 난
0798	differ from	~와 다르다
0799	give over	그만두다
0800	crop up	불쑥 나타나다

= 어휘 영역 출제

Review Test DAY 06-10

1. 각 어휘의 알맞은 뜻을 찾아 연결하세요.

01. wicked •	• ⓐ 무기력
02. denigration •	• ⓑ (증거·이유 등을) 제시하다
03. affirmative •	• ⓒ 날쌘, 재빠른
04. adduce •	• ⓓ 긍정적인, 적극적인
05. impose •	• ⓔ 주범, 범인
06. lethargy •	• ⓕ 서두, 전조
07. culprit •	• ⓖ (새로운 법·제도 등을) 도입하다; 강요하다
08. nimble •	• ⓗ 경멸하다, 혐오하다
09. despise •	• ⓘ 못된, 사악한
10. prelude •	• ⓙ 모욕, 명예 훼손

2. 다음 영단어의 뜻을 우리말로 쓰세요.

01. succumb ____________

02. bolster ____________

03. labyrinth ____________

04. scrupulous ____________

05. momentary ____________

06. congruent ____________

07. carry on ____________

08. in place of ____________

09. assert ____________

10. tyranny ____________

11. corporal ____________

12. interrogate ____________

13. go about ____________

14. deluge ____________

15. liable ____________

16. lament ____________

17. affectionate ____________

18. entwine ____________

19. capitulate ____________

20. call it a day ____________

3. 다음 빈칸에 들어갈 말로 가장 적절한 것은?

> The increased crime rate in the community caused great ________ for local residents.

① stability ② distress ③ laudation ④ docility

4. 다음 밑줄 친 부분과 의미가 가장 가까운 것은?

> The mayor released a plan to <u>levy</u> a one percent tax on hotels to boost the city's budget.

① console ② discard ③ charge ④ falter

5. 다음 밑줄 친 단어의 의미와 가장 가까운 것은?

> He hated washing dishes and doing other <u>mundane</u> household tasks.

① ordinary ② tentative ③ lavish ④ ingenious

정답

1. 01. ⓘ 02. ⓙ 03. ⓓ 04. ⓑ 05. ⓖ 06. ⓐ 07. ⓔ 08. ⓒ 09. ⓗ 10. ⓕ

2. 01. 굴복하다 02. 뒷받침하다, 지지하다 03. 미로, 복잡하게 뒤얽힌 것
04. 꼼꼼한; 양심적인 05. 잠깐의, 순간적인 06. 일치하는; 적절한 07. (하던 일 등을) 계속하다
08. ~ 대신에 09. 주장하다; (권리 등을) 발휘하다 10. 전제 정치, 폭정
11. 신체의, 육체적인 12. 심문하다 13. ~을 시작하다 14. 폭우
15. ~할 책임이 있는; ~하기 쉬운 16. 안타까워하다; 비탄 17. 다정한, 애정 어린
18. 얽히다 19. 굴복하다 20. (일 등을) 그만 끝내다

3. ② 괴로움 **[해석]** 지역 사회에서의 증가한 범죄율은 지역 주민들에게 상당한 <u>괴로움</u>을 유발했다. **[오답]** ① 안정성 ③ 칭찬 ④ 온순

4. ③ (세금 등을) 징수하다, 부과하다 **[해석]** 그 시장은 도시의 예산을 증가시키기 위해 호텔들에게 1퍼센트의 세금을 <u>부과하는</u> 계획을 발표했다. **[오답]** ① 위로하다 ② 버리다 ④ 흔들리다

5. ① 일상적인 **[해석]** 그는 설거지와 다른 <u>일상적인</u> 집안일을 하는 것을 싫어했다. **[오답]** ② 잠정적인 ③ 호화로운 ④ 기발한

DAY 11

■ 1회독 ■ 2회독 ■ 3회독

DAY11 음성 바로 듣기

최빈출 단어

0801 □□□

impact

명 [ímpækt]
동 [impǽkt]

2020 국가직, 지방직 9급 외 54회

명 영향 = influence

명 충돌, 충격

동 영향을 주다 = affect

Stress can have a negative **impact** on one's mental health. 기출변형

스트레스는 사람의 정신건강에 부정적인 영향을 미칠 수 있다.

0802 □□□

appropriate

[əpróupriət]

2020 지방직 9급 외 42회

형 적절한, 적합한 = suitable, apt

동 도용하다, 전용하다 = pilfer, embezzle

어원 ap[~쪽으로(ad)] + propri[자기 자신의] + ate[형·접] = 자기 자신의 쪽으로 맞춰 놓아 적절한

Any music fan knows what is **appropriate** at a particular kind of concert. 기출

음악을 좋아하는 사람이라면 누구나 콘서트의 성격에 적절한 관람 예절을 안다.

↔ **inappropriate** 형 부적절한

0803 □□□

domestic

[dəméstik]

2020 국회직 8급 외 25회

형 국내의 = national

형 가정의, 집안의

어원 dom(est)[다스리다, 집] + ic[형·접] = 다스리는 영역 안의, 즉 국내 또는 집 안의

It was obvious interference in the **domestic** affairs of independent nations. 기출변형

이것은 독립 국가의 국내 사건들에 대한 명백한 간섭이었다.

↔ **foreign** 형 외국의

⊕ **domesticate** 동 길들이다

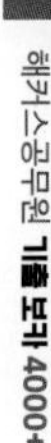

0804 □□□

exception

명 예외 | = anomaly

[iksépʃən]

2020 국회직 8급 외 22회

어원 ex[밖으로] + cep(t)[접다] + ion[명·접] = 어떤 것을 밖으로 잡아 빼내어, 즉 그것을 제외한 예외

Apart from a few **exceptions**, trees grow relatively slowly. 기출

몇 가지 예외를 제외하면, 나무는 상대적으로 느리게 자란다.

⊕ **exceptional** 형 특출한

0805 □□□

housing

명 주택, 주택 공급 | = accommodation

[háuziŋ]

2020 국회직 9급 외 20회

Many retired people still rent their **housing**. 기출변형

많은 은퇴한 사람들은 여전히 그들의 주택을 임대한다.

0806 □□□

astronomer

명 천문학자

[əstrɑ́:nəmər]

2019 국가직 9급 외 17회

어원 astro[별] + nom[학문] + er[명·접] = 별을 연구하는 학문을 연구하는 천문학자

Astronomers have found many planets orbiting the sun. 기출변형

천문학자들은 태양 주위를 도는 많은 행성을 발견했다.

0807 □□□

initially

부 처음에, 시초에 | = at first, originally

[iníʃəli]

2019 법원직 9급 외 16회

어원 in[안에] + it[가다] + ial[형·접] + ly[부·접] = 어떤 것 안에 들어가서, 가장 먼저, 즉 처음에

The government **initially** offered no funding or technical support. 기출변형

정부는 처음에 자금이나 기술적 지원을 제공하지 않았다.

↔ **finally** 부 마침내

⊕ **initiate** 동 개시되게 하다

0808 □□□

dominant

형 지배적인, 우세한 | = ruling, superior

형 우뚝 솟은

[dɑ́:mənənt]

2018 서울시 9급 외 12회

어원 dom(in)[다스리다] + ant[형·접] = 어떤 곳을 다스릴 힘이 있는, 그 힘이 지배적인

The advertising strategies turned a little sports brand into the **dominant** sports giant Nike. 기출변형

광고 전략이 작은 스포츠 브랜드를 지배적인 스포츠 거대 기업 나이키로 바꿔 놓았다.

↔ **subservient** 형 굴종하는

⊕ **predominantly** 부 대개, 대부분

= 어휘 영역 출제

0809 □□□

emit | 동 배출하다, 발산하다 | ⊜ discharge, release

[imít]

2019 서울시 9급 외 11회

어원 e[밖으로(ex)] + mit[보내다] = 안에서 밖으로 내보내다, 즉 배출하다

Biofuels **emit** fewer greenhouse gases, but they can cause the destruction of farmland. (기출변형)

생물연료는 온실가스를 적게 배출하지만, 농지 파괴를 일으킬 수 있다.

↔ **absorb** 동 흡수하다

⊕ **emission** 명 배출

빈출 단어

0810 □□□

innate | 형 내재적인, 타고난 | ⊜ inherent, hereditary

[inéit]

2019 법원직 9급 외 9회

어원 in[안에] + nat(e)[태어난] = 안에 가지고 태어난, 즉 타고난

There are no significant differences in specific **innate** abilities among populations. (기출변형)

인구 집단 내에서 특정한 내재적 능력상의 큰 차이는 존재하지 않는다.

↔ **acquired** 형 습득한, 후천적인

⊕ **innately** 부 선천적으로

0811 □□□

flaw | 명 결함, 흠 | ⊜ defect

[flɔː]

2016 서울시 9급 외 9회

The image is not false, but it leaves out the **flaws**. (기출변형)

그 이미지는 거짓은 아니지만, 결함을 생략한다.

⊕ **flawed** 형 결함이 있는

0812 □□□

thoroughly  | 부 철저히, 완전히 | ⊜ meticulously

[θə́ːrouli]

2020 국가직 9급 외 8회

If you don't want to get food poisoning, you should cook your food **thoroughly**. (기출변형)

만약 당신이 식중독에 걸리고 싶지 않다면, 당신은 음식을 철저히 조리해야 한다.

⊕ **thoroughness** 명 완전, 철저함

0813 □□□

filter | 명 필터, 여과 장치 | ⊜ screening

동 여과하다

[fíltər]

2020 지방직 9급 외 7회

The **filter** can delete some of the spam emails. (기출변형)

그 필터는 스팸 메일들 중 일부를 삭제할 수 있다.

0814 □□□

compulsory 

[kəmpʌ́lsəri]

2019 국가직 9급 외 7회

형 의무적인, 필수의 ＝ mandatory

Schooling is **compulsory** for all children in the United States. (기출변형)

미국의 모든 어린이들에게 학교 교육은 의무적이다.

⊕ **compulsion** 명 강요

0815 □□□

machinery

[məʃí:nəri]

2017 법원직 9급 외 6회

명 기계 ＝ equipment

명 조직, 기구 ＝ apparatus

The maintenance staff repaired the **machinery** in the factory.

그 관리 직원은 공장의 기계를 수리했다.

⊕ **machine** 명 기계

0816 □□□

temper

[témpər]

2012 국가직 9급 외 6회

명 화, 성질, 성미 ＝ nature, disposition

동 완화시키다 ＝ moderate

어원 temper[섞다] = 여러 생각이 섞여서 나는 화

The boy pulled out one nail each day to hold his **temper**. (기출변형)

그 소년은 그의 화를 억누르기 위해서 매일 하나의 못을 뽑았다.

⊕ **temperament** 명 기질

0817 □□□

improvisation

[imprɑ̀vəzéiʃən]

2019 지방직 9급 외 5회

명 즉흥 공연, 즉석에서 하는 것

He relied heavily on theatrical techniques including role-playing and **improvisation**. (기출변형)

그는 역할극과 즉흥 공연을 포함한 연극적 기법들에 크게 의존했다.

0818 □□□

alienate

[éiliənèit]

2020 국회직 8급 외 5회

동 소외하다, 소원하게 하다 ＝ separate

동 (재산 등을) 양도하다

어원 al(i)[다른] + en[형·접] + ate[동·접] = 혼자 다른 곳에 있기, 즉 소외하다

The present EU system is relatively **alienated** from the ordinary European people. (기출변형)

현재 EU 시스템은 보통의 유럽 사람들로부터 비교적 소외되어있다.

= 어휘 영역 출제

0819 □□□

draft

[dræft]

2015 국가직 9급 외 4회

동 초안을 작성하다 ≡ outline, plan

명 초안, 원고 ≡ sketch

We did almost all the work, including the **drafting** of questionnaires. (기출변형)

우리는 질문서의 초안을 작성하는 것을 포함하여, 거의 모든 작업을 했다.

0820 □□□

emulate

[émjulèit]

2015 국가직 7급 외 4회

동 모방하다, 따라가다 ≡ imitate, mimic

동 ~와 우열을 겨루다

In the past, a son **emulated** his father's job and wisdom. (기출)

과거에 아들은 그의 아버지의 직업과 지혜를 모방했다.

0821 □□□

revenue

[révənjù:]

2013 국회직 8급 외 4회

명 수익, 소득 ≡ income, earnings

One trillion won has been set aside to fill the government's expected **revenue** shortfalls. (기출변형)

정부의 예상 수익 부족량을 충당하기 위해 1조 원이 확보되었다.

↔ **expenditure** 명 지출, 비용

0822 □□□

transaction

[trænsǽkʃən]

2010 서울시 9급 외 4회

명 거래, 매매 ≡ deal, business

어원 trans[가로질러] + act[행동하다] + ion[명·접] = 사람 사이를 가로질러 일어나는 행동, 즉 거래

He was such a keen businessman that he never lost money in any **transaction**. (기출변형)

그는 예리한 사업가이기 때문에 어떠한 거래에서도 손해를 본 적이 없다.

⊕ **transactional** 형 거래의

0823 □□□

paramount

[pǽrəmàunt]

2018 지방직 7급 외 2회

형 가장 중요한, 최고의 ≡ chief, cardinal

형 탁월한, ~보다 앞선

The **paramount** duty of the physician is to do no harm. (기출)

의사의 가장 중요한 의무는 해를 끼치지 않는 것이다.

0824 □□□

consolidate

[kənsɑ́:lədèit]

2020 국회직 8급 외 2회

동 통합하다 = put together

동 강화하다 = reinforce

The brain **consolidates** memories of things it faces regularly. 기출변형

뇌는 규칙적으로 마주치는 사물에 대한 기억을 통합한다.

0825 □□□

implicate

[ímplikèit]

2018 국회직 8급 외 2회

동 연루시키다, 관련되다 = involve, embroil

동 포함하다

The fingerprints found on the door **implicated** the man in the crime.

문에서 발견된 지문이 그 남자를 범행에 연루시켰다.

+ **implication** 명 영향, 암시

0826 □□□

localize

[lóukəlàiz]

2013 지방직 7급 외 1회

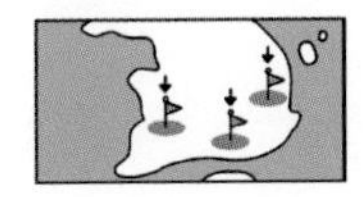

동 지역화하다, 국지화하다

The president **localized** his campaign speech by including information about each city he visited.

대통령은 그가 방문한 각각의 도시에 대한 정보를 포함함으로써 그의 캠페인 연설을 지역화했다.

↔ **generalize** 동 일반화하다

+ **localization** 명 지방화

0827 □□□

prestigious

[prestídʒəs]

2015 지방직 7급

형 명망 있는, 일류의 = prominent

The actor won a **prestigious** acting award for his performance in the film.

그 배우는 그 영화에서 그의 연기로 명망 있는 연기 상을 받았다.

0828 □□□

captivate

[kǽptəvèit]

2014 지방직 7급

동 ~의 마음을 사로잡다, 매혹하다 = enchant, allure

The singer **captivated** fans with his singing skills.

그 가수는 그의 노래 실력으로 팬들을 사로잡았다.

↔ **repel** 동 혐오감을 느끼게 하다

빈출 숙어

0829 ☐☐☐

end up

결국 ~하게 되다 | ▣ result, culminate

2017 지방직 9급 외 22회

The mistletoe can get so large that it **ends up** killing its host. (기출변형)

겨우살이는 너무 커져서 결국 숙주를 죽이게 될 수도 있다.

0830 ☐☐☐

take up

차지하다 | ▣ occupy, account for

(어떤 활동을) 시작하다

2018 법원직 9급 외 15회

Computers in the '60s were so huge that they **took up** a lot of space. (기출변형)

60년대의 컴퓨터는 너무 커서 많은 공간을 차지했다.

0831 ☐☐☐

be bound to

~할 의무가 있다

2020 국회직 8급 외 10회

Organizations **are bound to** respect the decisions of the court. (기출변형)

단체들은 법원의 결정을 존중할 의무가 있다.

0832 ☐☐☐

be up to

~에 달려 있다

2020 국회직 9급 외 6회

It will **be up to** us to choose whether to take the risk or not. (기출변형)

위험을 감수할지 아닐지는 우리에게 달려 있다.

0833 ☐☐☐

turn in

제출하다

반환하다

2016 국회직 8급 외 3회

You have to **turn in** your résumé and cover letter by mail. (기출)

너는 이력서와 자기소개를 우편으로 제출해야 한다.

0834 ☐☐☐

make over

양도하다 | ▣ cede

고쳐 만들다

2011 국가직 9급 외 1회

The man **made over** the greater part of his property to his only son. (기출변형)

그 남자는 그의 재산 대부분을 그의 외아들에게 양도했다.

완성 어휘

0835	witticism ✓	명 재치 있는 말, 재담	
0836	denote ✓	동 의미하다, 조짐을 보여주다	
0837	synonym	명 동의어, 유의어	
0838	fatigue	명 피로	
0839	giggle ✓	동 낄낄 웃다; 명 낄낄거림	
0840	discursive ✓	형 두서없는, 산만한	
0841	longitude	명 경도	
0842	reconcilable ✓	형 조정할 수 있는	
0843	mill	명 공장	
0844	cemetery	명 묘지	
0845	anomie	명 사회적 무질서	
0846	orator ✓	명 연설자, 웅변가	
0847	residual	형 남은, 잔여의	
0848	adjourn	동 중단하다	
0849	interdependent	형 상호의존적인	
0850	vitiate ✓	동 손상시키다	
0851	fiery	형 불같은, 맹렬한	
0852	interchangeable	형 교환할 수 있는	
0853	strife	명 갈등, 다툼	
0854	compartment	명 객실, 칸	
0855	awe	명 경외감	
0856	nourish	동 영양분을 공급하다	
0857	viability	명 생존력	
0858	encumber	동 지장을 주다	
0859	predicament ✓	명 곤경	
0860	composure	명 평정	
0861	indignation ✓	명 분개	
0862	absorbed	형 ~에 몰두한	
0863	cram	동 밀어 넣다	
0864	repressive	형 억압적인	
0865	idealize ✓	동 이상화하다	
0866	planetary	형 행성의	
0867	encroach	동 침해하다, 침범하다	
0868	semblance	명 외관, 겉모습	
0869	superfluous	형 필요치 않은	
0870	cost an arm and a leg	큰돈이 들다	
0871	make off ✓	급히 떠나다, 달아나다	
0872	brush up on	~을 복습하다	
0873	come by	얻다	
0874	look upon ~ as ~	~을 ~으로 간주하다	
0875	in person	직접	
0876	arise from	~에서 발생하다	
0877	fall victim to	~의 희생자가 되다	
0878	turn a blind eye to	~을 못 본 체하다	
0879	stand a chance	가능성이 있다	
0880	break up with ✓	~와 결별하다	

✓ = 어휘 영역 출제

DAY 12

■ 1회독 ■ 2회독 ■ 3회독

DAY12 음성 바로 듣기

최빈출 단어

0881 □□□

pressure

[préʃər]

2021 국가직 9급 외 94회

명 압력, 압박 = stress, strain

동 압박을 가하다 = force

Resistive touchscreens react to **pressure** from the finger. (기출변형)

저항식 터치스크린은 손가락의 압력에 반응한다.

0882 □□□

consume

[kənsúːm]

2020 지방직 9급 외 33회

동 소비하다, 소모하다 = use up

동 (감정에) 사로잡히다 = obsess

어원 con[모두] + sum(e)[취하다] = 어떤 것을 취해서 모두 소비하다

Dark bread is traditionally **consumed** by the poor. (기출변형)

거무스름한 빵은 전통적으로 가난한 사람들에 의해 소비된다.

0883 □□□

boost

[buːst]

2019 법원직 9급 외 29회

동 활성화하다, 신장시키다 = increase, raise

명 후원, 지지, 격려 = encouragement

The increase of working women **boosted** the expansion of food service programs. (기출)

근로 여성들의 증가는 급식 프로그램의 확대를 활성화했다.

⊕ consumer 명 소비자

0884 □□□

likewise

[láikwàiz]

2020 법원직 9급 외 26회

부 마찬가지로, 똑같이, 비슷하게 = similarly

부 또한

Many people were hurt by the economic slump, and companies were **likewise** affected.

많은 사람들이 경기 침체로 인해 피해를 봤고, 회사들도 마찬가지로 영향을 받았다.

0885 □□□

hazard

[hǽzərd]

2020 법원직 9급 외 22회

명 위험, 위험 요소 = peril, threat

동 위태롭게 하다, ~의 위험을 무릅쓰다

Many governments educate young people of the health **hazards** of smoking. 기출변형

많은 정부들이 젊은 사람들에게 흡연의 건강상의 위험을 교육한다.

⊕ **hazardous** 형 위험한

0886 □□□

meditation

[mèdətéiʃən]

2020 국가직 9급 외 17회

명 명상 = contemplation

명 심사숙고

어원 medi[중간] + (i)t[가다] + ation[명·접] = 깊은 생각의 중간으로 들어가는 것, 즉 명상

Clearing your mind through **meditation** can boost your spirits. 기출변형

명상을 통해 정신을 맑게 하는 것은 당신의 정신을 북돋을 수 있다.

⊕ **premeditation** 명 미리 생각함

0887 □□□

adequate

[ǽdikwət]

2019 국가직 9급 외 17회

형 충분한, 적절한 = sufficient, enough

Injuries sometimes occur when people do not take **adequate** carefulness with everyday activities. 기출

부상은 사람들이 일상적인 활동에서 충분한 조심성을 가지지 않을 때 종종 발생한다.

↔ **inappropriate** 형 부적절한

0888 □□□

unemployment

[ənimplɔ́imənt]

2019 지방직 7급 외 15회

명 실업, 실업률

어원 un[아닌] + em[안에] + ploy[접다] + ment[명·접] = 접어서 안에 들어오게 하다, 즉 고용 또는 이용하는 것이 아닌 실업

Rising real wages led to **unemployment** during the Depression. 기출변형

실질 임금의 상승은 대공황기에 실업으로 이어졌다.

↔ **employment** 명 직장, 고용

0889 □□□

mold

[mould]

2020 법원직 9급 외 14회

동 만들다, 주조하다 = shape

명 거푸집, 틀

명 곰팡이 = fungus

어원 mold[mod][기준] = 어떤 것을 만들 때 기준이 되는 틀을 만들다

Every human being is born into a society and is **molded** by that society. 기출변형

모든 인간은 사회에서 태어나고 그 사회에 의해 만들어진다.

빈출 단어

0890 □□□

impair

[impέər]

2020 지방직 7급 외 9회

동 손상시키다, 악화시키다 = damage, harm

명 손상

Alcohol **impairs** judgment and can lead to impulsive behaviors. 기출변형

술은 판단력을 손상시키며 충동적인 행동으로 이어질 수 있다.

↔ **improve** 동 개선되다

+ **impaired** 형 손상된

0891 □□□

tolerate

[tά:lərèit]

2018 국가직 9급 외 8회

동 용인하다, 참다 = endure, stand

I will not **tolerate** the continued misuse of valuable office resources. 기출변형

나는 이 계속되는 귀중한 사무 자원의 남용을 용인하지 않을 것이다.

+ **tolerance** 명 인내, 관용

0892 □□□

odor

[óudər]

2020 국회직 9급 외 8회

명 냄새 = smell

Several complaints have been made concerning the **odor** the restaurant has been emitting. 기출변형

그 식당이 내뿜어온 냄새에 관한 불만이 여러 차례 제기되어 왔다.

0893 □□□

consult

[kənsʌ́lt]

2020 국회직 9급 외 8회

동 상의하다, 상담하다 = confer, talk to

동 고려하다, 참고하다 = consider

Investors need to **consult** an expert before making a major investment. 기출변형

투자자들은 큰 투자를 하기 전에 전문가와 상의할 필요가 있다.

+ **consultant** 명 상담가, 자문 위원

0894 □□□

underlying

[ʌ́ndərlàiiŋ]

2020 국회직 8급 외 7회

형 기초를 이루는, 잠재적인 = fundamental

The author describes the **underlying** forces and emotions that lead to actual events. 기출변형

저자는 실제 사건으로 이끌어가는 기초를 이루는 힘과 감정을 묘사한다.

↔ **subordinate** 형 부차적인

0895 □□□

connotation

[kɑ̀:nətéiʃən]

2016 지방직 9급 외 7회

명 함축, 내포 = implication

Some words may have a negative **connotation**, so people avoid using them when they speak.

어떤 단어들은 부정적인 함축을 가질 수 있어서, 사람들은 말할 때 그것들을 사용하는 것을 피한다.

0896 □□□

indispensable

[ìndispénsəbl]

2021 국가직 9급 외 6회

형 필수적인, 없어서는 안 될 = essential, crucial

Indispensable elements must be protected to ensure human survival. 기출변형

필수적인 요소들은 인간의 생존을 보장하기 위해 보호되어야 한다.

↔ **superfluous** 형 (더 이상) 필요하지 않은

+ **indispensability** 명 긴요성, 필요

0897 □□□

tense

[tens]

2020 국가직 9급 외 5회

형 긴장한, 신경이 날카로운 = fraught

동 (근육을) 긴장시키다 = tighten

어원 tens(e)[뻗다] = 쭉 뻗어 팽팽하고 긴장한

Unlucky people tend to be **tenser** on certain tasks. 기출변형

불운한 사람들은 어떤 일에 더 긴장하는 경향이 있다.

+ **tension** 명 긴장 상태

= 어휘 영역 출제

0898 □□□

perpetuate

동 영속시키다, 영구화하다 ≡ preserve

[pərpétʃuèit]

2018 서울시 9급 외 5회

Constant negative feedback might **perpetuate** depression. (기출변형)

지속적인 부정적 피드백은 우울증을 영속시킬 수 있다.

⊕ **perpetually** 부 영구히

0899 □□□

economical

형 경제적인, 절약하는 ≡ thrifty, frugal

[èkənɑ́:mikəl]

2020 국회직 8급 외 4회

Some people purchase products according to how **economical** they are. (기출변형)

어떤 사람들은 제품이 얼마나 경제적인지에 따라 그 제품을 구매한다.

↔ **expensive** 형 비싼

⊕ **economic** 형 경제의

0900 □□□

expedite

동 추진하다, 촉진하다 ≡ facilitate, quicken

[ékspədàit]

2014 서울시 9급 외 3회

어원 ex[밖으로] + pedite[발] = 발을 밖으로 내디뎌 미지의 장소로 가다, 즉 추진하다

The Arkansas governor tried to **expedite** the enrollment of nine black students. (기출변형)

아칸소의 주지사는 아홉 명의 흑인 학생들의 입학을 추진하기 위해 노력했다.

↔ **delay** 동 미루다

⊕ **expedition** 명 탐험

0901 □□□

triumph

명 대성공, 승리 ≡ success, victory

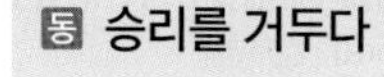

동 승리를 거두다 ≡ vanquish

[tráiəmf]

2019 서울시 7급 외 3회

She worked briefly in the field of advertising, and had great **triumph**. (기출변형)

그녀는 광고 업계에서 짧게 일했으며, 엄청난 대성공을 이루었다.

0902 □□□

aloof

형 냉담한, 무관심한 ≡ detached, unfriendly

[əlú:f]

2016 지방직 9급 외 2회

He remained **aloof**, refusing to allow himself to get close to anyone.

그는 그 누구와도 가까이 지내는 것을 거부하며, 냉담한 태도를 유지했다.

↔ **friendly** 형 친절한

0903 □□□

ameliorate

동 개선하다, 개량하다 ≡ improve

[əmí:ljərèit]

2018 서울시 9급 외 2회

Doctors often recommend compression to **ameliorate** symptoms.

의사들은 종종 증상을 개선하기 위해 압박을 권장한다.

0904 □□□

cater

[kéitər]

2015 국가직 7급 외 2회

동 음식을 공급하다 | ▣ serve, provision

동 (요구 등에) 부응하다

The restaurant **caters** special occasions like weddings.
그 식당은 결혼식과 같은 특별한 행사에 음식을 공급한다.

0905 □□□

empower

[impáuər]

2019 법원직 9급 외 1회

동 할 수 있게 하다, 능력을 주다 | ▣ enable

동 권한을 부여하다 | ▣ authorize, qualify

어원 em[하게 만들다] + power[권력] = 권력 또는 권한을 갖게 만들다, 즉 할 수 있는 능력을 주다

Creating a culture that inspires creative thinking is about **empowering** people to drive change. (기출변형)
창의적인 생각에 영감을 주는 문화를 만드는 것은 사람들이 변화를 추진할 수 있게끔 하는 것이다.

⊕ **empowerment** 명 (능력 및 권한의) 부여

0906 □□□

presume

[prizú:m]

2019 국회직 8급 외 1회

동 추정하다, ~라고 생각하다 | ▣ assume, suppose

동 대담하게 ~하다

어원 pre[앞서] + sum(e)[취하다] = 미리 앞서 어떤 생각을 취하다, 즉 추정하다

We **presumed** that she was still asleep since she didn't answer her phone.
우리는 그녀가 전화를 받지 않았기 때문에 그녀가 아직 자고 있는 것으로 추정했다.

⊕ **presumption** 명 추정

0907 □□□

allude

[əlú:d]

2014 서울시 7급 외 1회

동 암시하다 | ▣ refer to, suggest

The article **alluded** to a problem but did not provide details.
그 기사가 어떤 문제를 암시했지만, 그 세부사항은 제공하지 않았다.

⊕ **allusion** 명 암시

0908 □□□

ostentatious 

[ɑ̀:stəntéiʃəs]

2011 국가직 7급

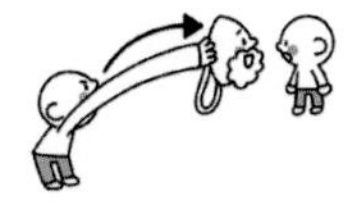

형 호화로운, 과시적인 | ▣ flamboyant

He's rich enough to afford an **ostentatious** home on the beach.
그는 해변에서 호화로운 집을 살 만큼 충분히 부자다.

↔ **modest** 형 소박한

⊕ **ostentatiously** 부 허세를 부리면서, 과시적으로

빈출 숙어

0909 □□□

deal with ~을 다루다 ■ treat, handle

2020 지방직 7급 외 57회

Two major techniques for **dealing with** environmental problems are conservation and restoration. 기출

환경 문제를 다루는 두 가지 중요한 기법은 보존과 복구이다.

0910 □□□

be willing to 기꺼이 ~하다

2021 국가직 9급 외 21회

They **were** more **willing to** believe superstitions relating to good luck. 기출변형

그들은 행운과 관련된 미신을 기꺼이 더 믿고자 한다.

0911 □□□

above all 무엇보다도, 특히 ■ especially

2018 서울시 9급 외 12회

Above all, Paganini left many beautiful scores for the violin concerto. 기출변형

무엇보다도, 파가니니는 바이올린 협주곡을 위한 많은 훌륭한 악보들을 남겼다.

0912 □□□

when it comes to ~에 관한 한

2020 국회직 8급 외 11회

Law enforcement is especially important **when it comes to** maintaining public trust. 기출변형

대중의 신뢰를 유지하는 것에 관한 한, 법률 집행은 특히 중요하다.

0913 □□□

keep up with 따라잡다 ■ stay competitive with

2020 법원직 9급 외 7회

To **keep up with** increasing demand, farmers produced more cotton throughout Britain. 기출변형

늘어나는 수요를 따라잡기 위해, 영국 전역에서 농부들이 더 많은 면을 생산했다.

0914 □□□

lapse into  ~에 빠지다

2015 국가직 7급

Bilingual children often **lapse into** their second language without noticing.

두 개 언어를 할 줄 아는 아이들은 종종 알아차리지 못한 채로 그들의 제2 언어에 빠진다.

완성 어휘

0915	epidemic	명 전염병; 형 전염성의
0916	overhaul	동 철저하게 조사하다
0917	negligible	형 무시해도 될 정도의, 하찮은
0918	norms	명 규준, 규범
0919	rejuvenate	동 활기를 되찾게 하다
0920	venturesome	형 모험적인
0921	synthetic	형 합성한, 종합적인
0922	disparaging	형 헐뜯는, 폄하하는
0923	lessen	동 줄다, 줄이다
0924	alibi	명 변명, 구실
0925	stride	동 성큼성큼 걷다
0926	intervene	동 개입하다
0927	rouse	동 깨우다
0928	deport	동 강제 추방하다
0929	penal	형 형벌의
0930	wordy	형 장황한
0931	sprawl	명 무분별한 확장; 동 뻗다
0932	swoop	명 급강하
0933	confer	동 수여하다
0934	defraud	동 횡령하다, 속여서 빼앗다
0935	oppress	동 탄압하다, 억압하다
0936	boisterous	형 활기가 넘치는
0937	distill	동 증류하다
0938	compulsive	형 강박적인
0939	indisposed	형 ~할 수 없는
0940	catastrophe	명 재앙
0941	alias	명 가명, 별명
0942	plantation	명 대규모 농원, 대농장
0943	fractious	형 괴팍한
0944	apace	부 빠른 속도로
0945	avidity	명 욕망, 갈망
0946	perilous	형 아주 위험한
0947	texture	명 질감
0948	creaky	형 삐걱거리는
0949	take the lead	지도적 위치를 차지하다
0950	do justice to	~을 공정하게 대하다
0951	take effect	발효되다, 시행되다
0952	on the go	끊임없이 일하는
0953	go south	나빠지다, 악화되다
0954	stem from	~에서 생겨나다
0955	pass out	의식을 잃다, 나눠주다
0956	make up to	~에게 아첨하다
0957	on account of	~때문에
0958	call on	~에게 청하다
0959	go nowhere	아무런 진전이 없다
0960	generally speaking	일반적으로 말하면

= 어휘 영역 출제

DAY 13

■ 1회독 ■ 2회독 ■ 3회독

최빈출 단어

0961 □□□

response

명 반응, 응답 ▤ reaction, reply

[rispɑ́:ns]

2020 국가직 9급 외 72회

When students make mistakes, overly strict **responses** may discourage them. (기출변형)

학생들이 실수를 했을 때, 과도하게 엄격한 반응은 그들을 낙담시킬 수도 있다.

0962 □□□

component

명 구성 요소 ▤ part, element

[kəmpóunənt]

2019 지방직 9급 외 25회

어원 com[함께] + pon[놓다] + ent[명·접] = 어떤 것을 이루기 위해 함께 놓인 구성 요소

Scientists have noted many **components** of saliva. (기출변형)

과학자들은 타액의 많은 구성 요소들을 기록했다.

0963 □□□

afford

동 ~할 여유가 되다 ▤ manage

[əfɔ́:rd]

2020 법원직 9급 외 25회

The poor woman couldn't **afford** to get a smartphone. (기출)

그 가난한 여자는 스마트폰을 살 여유가 되지 않았다.

⊕ **affordability** 명 감당할 수 있는 비용

0964 □□□

reliable

형 의지할 수 있는, 신뢰할 만한 ▤ dependable

[riláiəbl]

2020 지방직 7급 외 19회

어원 re[세게] + li[묶다] + able[~할 수 있는] = 상대에게 몸을 세게 묶어 의지할 수 있는

Dictionaries are your most **reliable** resources for the study of words. (기출)

사전은 당신의 가장 의지할 수 있는 단어 공부 자료이다.

↔ **unreliable** 형 의지할 수 없는

⊕ **reliance** 명 의존, 의지

0965 □□□

proportion

[prəpɔ́ːrʃən]

2019 지방직 9급 외 16회

명 비율, 부분 ＝ ratio

어원 pro[앞에] + port[나누다] + ion[명·접] = 나눈 수치를 앞에서 대표하는 수, 즉 비율

In Athens, only a small **proportion** of the community could vote. (기출변형)

아테네에서는 공동체 중에서 적은 비율만이 투표할 수 있었다.

⊕ **proportional** 형 비례하는

0966 □□□

physics

[fíziks]

2019 국가직 9급 외 15회

명 물리학

어원 phys[자연] + ics[명·접] = 자연 물질에 대한 학문인 물리학

A Nobel Prize winner in **physics** emphasized the importance of guessing in science. (기출변형)

한 노벨 물리학상 수상자는 과학에서의 추측의 중요성을 강조했다.

⊕ **physicist** 명 물리학자

0967 □□□

facilitate

[fəsílitèit]

2024 지방직 9급 외 12회

동 촉진하다, 활성화하다 ＝ expedite

동 가능하게 하다 ＝ make possible

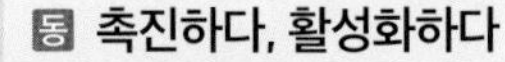

Listening to others' problems carefully is a way of **facilitating** social interaction. (기출변형)

다른 이들의 문제점을 주의 깊게 들어주는 것은 사회적 상호 작용을 촉진하는 한 방법이다.

↔ **hinder** 동 저해하다

⊕ **facility** 명 시설, 기능

0968 □□□

indication

[ìndikéiʃən]

2018 국회직 8급 외 11회

명 조짐, 징후, 표시 ＝ omen, sign

어원 in[안에] + dic[말하다] + ation[명·접] = 안에 가진 생각을 말로 하여 보여주는 조짐

There were **indications** of domestic unhappiness. (기출변형)

가정 내 불화의 조짐이 있었다.

⊕ **indicator** 명 지표

0969 □□□

silence

[sáiləns]

2020 지방직 9급 외 10회

명 침묵, 고요함 ＝ quiet, tranquility

There are signs saying to put your phone on quiet mode to ensure **silence**. (기출변형)

침묵을 확실히 하도록 전화기를 무음으로 두라고 하고 있는 표지가 있다.

↔ **noise** 명 소음

⊕ **silent** 형 침묵을 지키는

= 어휘 영역 출제

0970 □□□

fertile

[fə́ːrtl]

2018 서울시 9급 외 10회

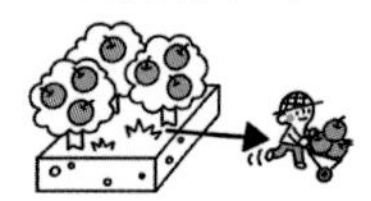

형 비옥한, 풍부한 = fruitful

형 번식력이 있는 = productive

어원 fert[나르다] + ile[형·접] = 날라야 할 생산물이 많이 나오는, 즉 비옥한

Political groups compete to earn **fertile** land and gold mines. (기출)

정치적 집단들은 비옥한 땅과 금광을 얻기 위해 경쟁한다.

↔ **barren** 형 척박한

⊕ **fertilize** 동 수정시키다

빈출 단어

0971 □□□

dedicate

[dédikèit]

2019 법원직 9급 외 9회

동 바치다, 헌신하다 = devote

어원 de[떨어져] + dic[말하다] + ate[동·접] = 다른 유혹에서 떨어져 자신을 바치겠다고 말하다, 즉 헌신하다

This book is **dedicated** to the curators of the museum for their continuing effort. (기출변형)

이 책은 박물관 큐레이터들의 지속적인 노력을 이유로 그들에게 바쳐졌다.

⊕ **dedication** 명 헌신

0972 □□□

incentive 

[inséntiv]

2020 국회직 8급 외 9회

명 동기, 자극 = motivation

명 장려책, 우대책

어원 in[안에] + cent[노래하다] + ive[형·접] = 안에 노래를 불러 신나게 자극하는, 행동하도록 자극하는 동기

The teacher provided the students with **incentives** to get perfect scores.

그 선생님은 학생들에게 완벽한 점수를 받기 위한 동기를 주었다.

↔ **deterrent** 명 제지하는 것

0973 □□□

equate

[ikwéit]

2017 법원직 9급 외 8회

동 동일시하다 = identify with

동 ~과 일치하다 = be equivalent

People **equate** a lack of eye contact with lying. (기출변형)

사람들은 눈 맞춤의 부족함과 거짓말을 동일시한다.

⊕ **equation** 명 방정식, 등식

0974 □□□

persuasive 

형 설득력 있는 | = convincing

[pərswéisiv]

2021 국가직 9급 외 7회

어원 per[완전히] + suas(de)[충고하다] + ive[형·접] = 상대에게 충고하여 의견이 완전히 넘어오도록 설득하는, 즉 설득력 있는

He showed in **persuasive** detail how it is possible to change the idea. (기출변형)

그는 생각을 바꾸는 게 어떻게 가능한지를 설득력 있게 자세히 보여주었다.

0975 □□□

lucrative

형 수익성이 좋은 | = profitable, remunerative

[lú:krətiv]

2015 사회복지직 9급 외 6회

He built a **lucrative** business in Africa selling brand-name consumer goods. (기출변형)

그는 유명 상표 소비재를 판매하는 수익성이 좋은 사업체를 아프리카에 설립했다.

↔ **unprofitable** 형 수익을 못 내는

0976 □□□

greedy 

형 탐욕스러운, 욕심이 많은 | = avaricious

[grí:di]

2021 국회직 9급 외 5회

Most people admit that being ethical means not being **greedy**. (기출변형)

대부분의 사람은 윤리적인 것이 탐욕스럽지 않은 것을 의미한다고 인정한다.

↔ **generous** 형 아끼지 않는, 후한

0977 □□□

anonymous

형 익명의 | = nameless

[ənɑ́:nəməs]

2020 국회직 9급 외 5회

A man sent the shop an **anonymous** letter of apology. (기출변형)

한 남자가 상점으로 익명의 사과 편지를 보냈다.

↔ **known** 형 알려진

+ **anonymity** 명 익명

0978 □□□

ingenuity 

명 창의력, 독창성 | = creativity

[ìndʒənjú:əti]

2019 서울시 7급 외 4회

It will take a lot of **ingenuity** to solve this difficult problem.

이 어려운 문제를 풀기 위해선 많은 창의력이 필요할 것이다.

+ **genuinely** 부 진정으로, 성실하게

0979 □□□

novice | 명 초보자, 풋내기 | = rookie

[nάːvis]

2012 사회복지직 9급 외 4회

The **novice** baseball player practiced every day to get better.

그 초보 야구 선수는 더 나아지기 위해 매일 연습했다.

↔ **expert** 명 전문가

0980 □□□

conversion | 명 전환, 개조 | = transformation

[kənvə́ːrʒən]

2011 사회복지직 9급 외 4회

어원 con[모두(com)] + ver(s)[돌리다] + ion[명·접] = 모든 것을 다 돌려서 전환함

The **conversion** to the metric system will not be easy. 기출변형

미터법으로의 전환은 쉽지 않을 것이다.

⊕ **convert** 동 (형태, 목적, 시스템 등을) 전환하다

0981 □□□

hover  | 동 맴돌다, 배회하다 | = remain, linger

[hʌ́vər]

2019 서울시 9급 외 3회

The waitress **hovered** near our table.

그 웨이트리스는 우리의 테이블 근처를 맴돌았다.

0982 □□□

palatable  | 형 맛있는, 맛 좋은 | = tasty, pleasant

형 마음에 드는, 구미에 맞는 | = pleasant

[pǽlətəbl]

2017 지방직 9급 외 3회

I made our main dish more **palatable** by adding seasonings. 기출변형

나는 조미료를 추가함으로써 우리의 주요리를 더욱 맛있게 만들었다.

0983 □□□

apex  | 명 꼭대기, 정점 | = pinnacle, acme

[éipeks]

2014 지방직 7급 외 2회

The climbers reached the **apex** of the mountain after three days.

그 등반가들은 3일 후 산의 꼭대기에 도착했다.

↔ **nadir** 명 밑바닥

0984 □□□

edible | 형 먹을 수 있는, 식용의

[édəbl]

2020 국회직 8급 외 2회

어원 ed[먹다] + ible[~할 수 있는] = 먹을 수 있는

Orchids produce flowers that offer no **edible** reward. 기출변형

난초는 먹을 수 있는 보상을 제공하지 않는 꽃을 생산한다.

↔ **inedible** 형 먹을 수 없는

0985 □□□

plight

[plait]

2016 지방직 7급 외 2회

명 곤경, 역경 | = bad situation

How does he explain the **plight** of the oil-hungry nations? (기출)

그는 석유가 메마른 나라들의 곤경을 어떻게 설명하는가?

0986 □□□

faint

[feint]

2017 서울시 9급 외 2회

형 (빛, 소리, 냄새 등이) 희미한, 모호한 | = dim, vague

동 실신하다

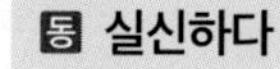

A **faint** odor of vinegar makes babies turn their heads. (기출변형)

식초의 희미한 냄새는 아기들이 고개를 돌리게 만든다.

↔ **clear** 형 선명한

+ **faintly** 부 희미하게

0987 □□□

infinite

[ínfənət]

2019 서울시 9급 외 2회

형 무한한 | = limitless

어원 in[아닌] + fin[끝] + ite[형·접] = 끝나지 않는, 즉 무한한

Stereotypes classify the **infinite** variety of human beings as a handful of types. (기출변형)

고정관념은 무한한 종류의 인간을 편리한 소수의 유형들로 분류한다.

↔ **finite** 형 한정된

+ **infinity** 명 무한성

0988 □□□

splendid

[spléndid]

2019 법원직 9급 외 1회

형 화려한, 훌륭한 | = marvelous

If I had given up the project, I wouldn't have achieved such a **splendid** result. (기출변형)

프로젝트를 포기했었다면, 나는 이렇게 화려한 성과를 거둘 수 없었을 것이다.

+ **splendor** 명 멋짐, 훌륭함

빈출 숙어

0989 □□□

refer to

2021 국가직 9급 외 55회

~을 나타내다, 가리키다 | = indicate, mean

~을 참조하다 | = consult

People invented the expression "o'clock" to **refer to** the time. (기출변형)

사람들은 시간을 나타내기 위해 "o'clock"이라는 표현을 발명했다.

0990 □□□

apply to

2020 국가직 9급 외 17회

~에 적용되다

~에 지원하다 — ■ register

A special coating was **applied to** the glass windshield. (기출변형)

바람막이 창에 특별한 막이 적용되었다.

0991 □□□

happen to

2020 법원직 9급 외 10회

~하게 되다, (어떤 일이) ~에게 일어나다 — ■ by chance

Consider office workers who **happen to** use wheelchairs. (기출)

휠체어를 사용하게 된 직장인들을 생각해 보자.

0992 □□□

a great deal of

2019 서울시 9급 외 7회

많은, 다량의 — ■ plenty of

I became a master in this art after **a great deal of** practice. (기출변형)

나는 많은 연습 후에야 이 기술에 있어 숙련자가 되었다.

0993 □□□

in no time

2019 국가직 9급 외 2회

곧, 당장에 — ■ shortly

It's not very far away, so we should be there **in no time**.

그곳은 그다지 멀지 않으니, 우리는 곧 그곳에 도착할 것이다.

0994 □□□

make the best of

2017 서울시 9급

~을 최대한 이용하다 — ■ maximize

We **made the best of** the given tools and repaired the car.

우리는 주어진 도구를 최대한 이용해서 차를 수리했다.

⊕ **make the most of** ~을 가급적 이용하다

완성 어휘

0995	forefather	명 선조
0996	hackneyed	형 진부한
0997	fictitious	형 허구의
0998	exhortative	형 권고적인
0999	overrule	동 기각하다
1000	underprivileged	형 혜택을 못 받는
1001	cognizant	형 인식하고 있는
1002	conflicting	형 모순되는
1003	rugged	형 울퉁불퉁한
1004	raid	명 습격, 급습
1005	vengeance	명 복수, 앙갚음
1006	recede	동 물러나다
1007	appendix	명 부속물, 부록, 맹장
1008	oddity	명 괴이함, 이상한 것
1009	embezzle	동 횡령하다
1010	dismally	부 쓸쓸하게, 우울하게
1011	exemplify	동 전형적인 예가 되다
1012	retardation	명 지연, 저지
1013	disenchantment	명 환멸
1014	corpse	명 시체
1015	saturate	동 포화시키다
1016	acquisitive	형 소유욕이 많은
1017	adjacent	형 인접한
1018	unforgiving	형 용서하지 않는
1019	misplaced	형 부적절한
1020	opulent	형 호화로운, 부유한
1021	continuum	명 연속체
1022	coexist	동 공존하다
1023	prosaic	형 평범한, 상상력이 없는
1024	conceit	명 자만, 자부심
1025	defer	동 미루다, 연기하다
1026	assailant	명 폭행범
1027	resuscitate	동 소생시키다
1028	molten	형 녹은
1029	take a nosedive	폭락하다, 급강하하다
1030	on a par with	~와 동등하게
1031	pass on	넘겨주다, 전달하다
1032	per capita	1인당
1033	call off	중지하다, 취소하다
1034	live up to	~에 부끄럽지 않게 살다
1035	stick to	~을 계속하다
1036	break down	고장 나다, 무너지다
1037	gaze at	응시하다
1038	strike a balance	청산하다
1039	drift away	벗어나다, 줄행랑치다
1040	strip away	벗겨내다

= 어휘 영역 출제

DAY 14

■ 1회독 ■ 2회독 ■ 3회독

DAY14 음성 바로 듣기

최빈출 단어

1041 □□□

standard

[stǽndərd]

2020 지방직 9급 외 32회

형 일반적인, 보통의 = usual

명 수준, 기준 = criterion

The daily schedule of flextime workers varies from the **standard** business hours. 기출변형

유연 근무자들의 매일의 근무 일정은 일반적인 업무 시간과 다르다.

1042 □□□

spell

[spel]

2017 법원직 9급 외 25회

명 (한) 시기, 잠깐 = period, interval

동 (철자를) 말하다, 맞게 쓰다

This year's rice harvest would suffer a considerable decrease because of the unusually long **spell** of dry weather. 기출변형

올해의 쌀 수확량은 비정상적으로 긴 시기의 건조한 날씨 때문에 상당한 감소를 겪을 것이다.

1043 □□□

controversial

[kὰːntrəvə́ːrʃəl]

2018 지방직 9급 외 24회

형 논란이 많은 = contentious

It is hard to find any subject more **controversial** than human cloning. 기출

인간 복제보다 더 논란이 많은 주제를 찾는 것은 어렵다.

↔ **uncontroversial** 형 논란의 여지가 없는

+ **controversy** 명 논란

1044 □□□

mostly

[móustli]

2020 지방직 9급 외 23회

부 대부분, 주로 = mainly

Trade relations were **mostly** limited to nearby islands. 기출변형

무역 관계들은 대부분 근처의 섬들로 제한되었다.

↔ **rarely** 부 드물게

+ **most** 형 최고의, 대부분의

1045 □□□

perception

명 인식, 지각 = awareness, sense

[pərsépʃən]

2019 서울시 7급 외 20회

Our **perception** of color is determined by the structure of the human eye. 기출변형

색깔에 대한 우리의 인식은 사람 눈의 구조에 의해 결정된다.

⊕ **perceptual** 형 인식의, 지각의

1046 □□□

racial

형 인종의, 민족의 = ethnic

[réiʃəl]

2020 국회직 9급 외 17회

The author attacked **racial** prejudice with his natural and witty writing style. 기출변형

그 작가는 그의 자연스럽고 재치 있는 문체로 인종적 편견을 비난하였다.

⊕ **racism** 명 인종 차별주의

1047 □□□

representative

명 대표자, 대리인 = delegate

형 대표적인 = exemplary

[rèprizéntətiv]

2020 국회직 9급 외 15회

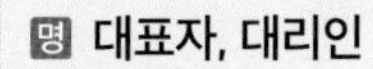

Representatives from the union resisted the proposal presented by management. 기출변형

조합의 대표자들은 경영진이 제시한 제안에 저항했다.

⊕ **represent** 동 대표하다

1048 □□□

alleviate 🌿

동 완화하다 = ease, assuage

[əlí:vièit]

2023 국회직 8급 외 14회

어원 al[~쪽으로] + lev(i)[올리다] + ate[동·접] = 몸 상태가 좋은 쪽으로 올라가도록 고통을 완화하다

Bringing presents for his daughter **alleviated** his guilt for not attending her recital. 기출변형

그의 딸에게 선물을 가져다주는 것은 딸의 연주회에 참석하지 못한 것에 대한 그의 죄책감을 완화했다.

↔ **aggravate** 동 악화시키다

⊕ **alleviation** 명 경감, 완화

1049 □□□

insight

명 통찰력, 이해 = perception

[ínsàit]

2019 서울시 7급 외 12회

어원 in[안에] + sight[보다] = 보이지 않는 안을 들여다보는 통찰력

The research provides new **insight** on our ability to adjust to irritating conditions. 기출변형

이 연구는 짜증 나는 환경에 적응하는 우리의 능력에 대한 새로운 통찰력을 제공한다.

⊕ **insightful** 형 통찰력 있는

1050 □□□

inhabitant

[inhǽbətənt]

2020 법원직 9급 외 11회

명 거주자, 서식 동물 | = resident, dweller

어원 in[안에] + hab(it)[가지다] + ant[명·접] = 어떤 장소를 가져서 그 안에 사는 사람, 즉 거주자

The farmers will not be able to satisfy the food needs of all its **inhabitants**. (기출변형)

그 농부들은 모든 거주자들의 식량 수요를 충족시킬 수 없을 것이다.

1051 □□□

obscure 

[əbskjúər]

2020 국회직 8급 외 11회

형 애매한, 잘 알려지지 않은 | = abstruse

동 모호하게 하다

어원 ob[맞서] + scure[덮여진] = 보려는 시도에 맞서 무언가로 덮여져 분명하게 보이지 않는, 애매한

Many **obscure** legal terms have been replaced to clarify the meaning. (기출변형)

애매한 많은 법률 용어들이 의미를 명확하게 하기 위해서 대체되었다.

⊕ **obscurity** 명 무명

빈출 단어

1052 □□□

conservative

[kənsə́:rvətiv]

2018 서울시 7급 외 9회

형 보수적인 | = traditional

Her **conservative** parents were not open to many new ideas.

보수적인 그녀의 부모님은 많은 새로운 생각들에 개방적이지 않았다.

↔ **radical** 형 급진적인

⊕ **conservatively** 부 보수적으로

1053 □□□

intent

[intént]

2020 국회직 8급 외 9회

명 목적, 의도 | = purpose

형 전념하는, 몰두하는 | = absorbed

The **intent** of the law is to provide compensation for proved harms. (기출변형)

그 법의 목적은 입증된 피해에 대한 보상을 제공하는 것이다.

⊕ **intentional** 형 의도적인, 고의로 한

1054 □□□

capitalism

[kǽpətəlìzm]

2021 국가직 9급 외 9회

명 자본주의

Capitalism is an economic system that is based on private ownership of the factors of production.

자본주의는 생산 요인들의 사적 소유에 기반한 경제 시스템이다.

↔ **communism** 사회주의

1055 □□□

tempt

[tempt]

2020 법원직 9급 외 8회

동 유혹하다, 부추기다 | = attract, allure

어원 tempt[시도하다] = 상대를 자기 뜻대로 움직이려는 시도로 유혹하다

Despite the exam the next day, he was **tempted** to go to a movie instead.

다음 날 시험에도 불구하고, 그는 대신에 영화를 보러 가는 것에 유혹되었다.

↔ **dissuade** 동 (~하지 않도록) 설득하다

⊕ **temptation** 명 유혹

1056 □□□

perplex

[pərpléks]

2019 국회직 8급 외 5회

동 당황하게 하다 | = confuse, bewilder

어원 per[완전히] + plex[꼬다] = 풀 수 없게 완전히 꼬여 당황하게 하다

Her rudeness **perplexed** him. (기출변형)

그녀의 무례함이 그를 당황하게 했다.

1057 □□□

eligible

[élidʒəbl]

2017 사회복지직 9급 외 5회

형 자격이 있는, 조건이 맞는 | = entitled

명 적임자, 적격자

Eligible voters were British citizens living in the UK. (기출변형)

투표 자격이 있는 사람들은 영국에 거주하는 영국 시민이었다.

1058 □□□

erosion

[iróuʒən]

2017 지방직 9급 외 5회

명 침식, 부식 | = dissolution, decay

어원 e[밖으로] + ros[갉아먹다] + ion[명·접] = 어떤 것의 표면을 밖으로 갉아 내는 것, 즉 침식

Soils are carried away by water and wind **erosion** over time. (기출변형)

토양은 시간에 걸쳐 물과 바람의 침식에 의해 휩쓸린다.

1059 □□□

auction

[ɔ́:kʃən]

2020 지방직 9급 외 4회

명 경매

Some of the finest jewels were sold by Sotheby's at an evening **auction**. (기출변형)

가장 좋은 귀금속 중 몇 점이 저녁 경매에서 소더비 사에 의해 팔렸다.

1060 □□□

obsolete 

[ɑ̀:bsəlí:t]

2016 서울시 9급 외 4회

형 구식의 | = outdated

An alternative device might replace the cell phone and make it **obsolete**. (기출변형)

다른 기기가 휴대전화를 대신하고 그것을 구식으로 만들 수도 있다.

↔ **contemporary** 형 현대의

1061 □□□

treaty

명 조약 | = agreement

[tríːti]

2018 국회직 8급 외 3회

어원 treat[끌다] + y[명·접] = 여러 나라를 끌어와서 함께 맺는 조약

Disagreements over the **treaty** arose among the leaders. 기출변형

그 조약에 대한 의견 불일치가 지도자들 사이에서 일어났다.

1062 □□□

appraise

동 평가하다, 감정하다 | = assess, evaluate

[əpréiz]

2018 서울시 9급 외 3회

A product tested without branding is not more objectively **appraised.** 기출변형

상표 없이 테스트된 상품이 더 객관적으로 평가되지는 않는다.

+ **appraiser** 명 감정인

1063 □□□

affirm

동 단언하다 | = declare, assert

[əfə́ːrm]

2019 서울시 9급 외 2회

어원 af[~에(ad)] + firm[확실한] = 누군가에게 확실하다고 단언하다

Many studies have **affirmed** the positive effects of friendship. 기출변형

다수의 연구는 우정의 긍정적인 영향에 대해 단언해 왔다.

+ **affirmative** 형 단언하는

1064 □□□

apprehensive

형 우려하는, 걱정되는 | = anxious

[æprihénsiv]

2017 지방직 9급 외 2회

The journalist was **apprehensive** to report the story without evidence.

그 기자는 증거 없이 그 이야기를 보도하는 것에 대해 우려했다.

↔ **confident** 형 확신하는

+ **apprehension** 명 우려, 불안

1065 □□□

lure

동 유혹하다, 유인하다 | = seduce, entice

[luər]

2020 국가직 9급 외 2회

Desires for extra income **lure** many homeowners to open their places to tourists. 기출변형

추가적인 소득에 대한 욕망은 많은 집주인들이 그들의 집을 관광객들에게 개방하도록 유혹한다.

1066 □□□

fluent

[flú:ənt]

2014 국가직 9급 외 2회

형 유창하게 말하는, 능수능란한 | = eloquent

어원 flu[흐르다] + ent[형·접] = 술술 흐르듯 유창하게 말하는

He studied German for 12 years and finally became a **fluent** speaker.

그는 독일어를 12년 동안 공부했고 결국 유창하게 말하는 사람이 되었다.

+ **fluency** 명 유창성

1067 □□□

leftover

[léftoùvər]

2020 국회직 9급 외 2회

형 남은 | = remaining

명 남은 것 | = remains

The workers burned **leftover** wood chips to produce heat. (기출변형)

그 노동자들은 열을 만들어내기 위해 남은 나무 조각들을 태웠다.

1068 □□□

faultless

[fɔ́:ltlis]

2014 국가직 9급 외 1회

형 흠잡을 데 없는, 틀림없는 | = perfect, unerring

The expensive table had **faultless** construction.

그 값비싼 테이블은 흠잡을 데 없는 구조로 되어 있었다.

↔ **flawed** 형 결함이 있는

빈출 숙어

1069 □□□

due to

2020 국가직 9급 외 68회

~ 때문에, ~에 기인하는 | = owing to, thanks to

Several problems have been raised **due to** the new members. (기출변형)

몇 가지 문제가 새로운 회원들 때문에 생겼다.

1070 □□□

in case (of)

2021 국가직 9급 외 8회

~의 경우, 만약 ~ 한다면 | = in the event

This is my number just **in case** you would like to call me. (기출)

혹시 내게 전화하고 싶은 경우에 이게 내 번호야.

= 어휘 영역 출제

1071 □□□

make use of
~을 사용하다 ■ employ

2017 지방직 9급 외 6회

Physicists today still **make use of** Einstein's cosmological constant to describe the universe. (기출)

오늘날의 물리학자들은 우주를 설명하기 위해 여전히 아인슈타인의 우주 상수를 사용한다.

1072 □□□

consistent with
~과 일치하는 ■ consonant with

2020 국회직 8급 외 4회

The brushwork is **consistent with** other works by Rembrandt. (기출변형)

그 붓놀림은 렘브란트의 다른 작품들과 일치한다.

↔ **inconsistent with** ~과 일치하지 않는

1073 □□□

for the time being
당분간 ■ at present

2016 국가직 9급 외 3회

The police demanded that she not leave the country **for the time being.** (기출)

경찰은 그녀가 당분간 나라를 떠나지 말 것을 요구했다.

1074 □□□

fall short of
~에 못 미치다 ■ not reach the level of

2021 국가직 9급 외 1회

Although **falling** far **short of** human language, many species do exhibit impressively complex communication systems. (기출변형)

인간의 언어에 훨씬 못 미치긴 하지만, 많은 종들은 자연적인 환경에서 인상 깊게 복잡한 의사소통 체계를 보여준다.

완성 어휘

1075 □□□	radiation	명 방사능, 방사선
1076 □□□	pompous 🌿	형 거만한, 화려한, 과시하는
1077 □□□	officious 🌿	형 참견하기 좋아하는
1078 □□□	parasitic 🌿	형 기생하는
1079 □□□	inland	형 내륙에 있는
1080 □□□	abrogate 🌿	동 폐지하다
1081 □□□	probe	동 조사하다; 명 조사
1082 □□□	relent 🌿	동 (마음이) 누그러지다
1083 □□□	forerunner	명 전신, 선구자
1084 □□□	positivity	명 확실함
1085 □□□	inaudible	형 들리지 않는
1086 □□□	grandiose	형 (너무) 거창한
1087 □□□	incredulous	형 믿지 않는
1088 □□□	efficacy	명 효험
1089 □□□	maximization 🌿	명 극대화
1090 □□□	savory	형 풍미 있는
1091 □□□	vibrancy 🌿	명 진동, 공명
1092 □□□	wary	형 경계하는
1093 □□□	disparity	명 차이, 격차
1094 □□□	inviolate	형 존중되어야 할
1095 □□□	sanctity	명 존엄성, 신성함
1096 □□□	disorientation	명 방향 감각 상실
1097 □□□	shareholder	명 주주
1098 □□□	disgrace	명 수치, 불명예
1099 □□□	occult	형 신비로운, 초자연적인
1100 □□□	fabulously	부 엄청나게, 굉장히
1101 □□□	policing	명 치안 유지 활동
1102 □□□	bulk	명 대부분, 부피
1103 □□□	fastidious	형 세심한, 꼼꼼한
1104 □□□	fathom	동 (의미 등을) 헤아리다
1105 □□□	paradox	명 역설
1106 □□□	segregate	동 차별하다, 구분하다
1107 □□□	autobiography	명 자서전
1108 □□□	retrospective	형 회상하는
1109 □□□	frantic	형 제정신이 아닌, 광기의
1110 □□□	zero in on 🌿	~에 집중하다, 초점을 맞추다
1111 □□□	cover letter	자기소개서
1112 □□□	pros and cons	장단점
1113 □□□	put forward	제안하다, 제기하다
1114 □□□	dust down	(먼지를) 털다
1115 □□□	by any means	어떻게 해서든
1116 □□□	draw up	~을 작성하다
1117 □□□	strive for	~을 얻으려고 노력하다
1118 □□□	angle for	~을 노리다
1119 □□□	thumb through	~을 급히 훑어보다
1120 □□□	make up one's mind	결심하다

🌿 = 어휘 영역 출제

DAY 15

■ 1회독 ■ 2회독 ■ 3회독

DAY15 음성 바로 듣기

최빈출 단어

1121 □□□

organism

[ɔ́:rgənìzm]

2020 국가직 9급 외 45회

명 생명체, 유기체 ＝ creature

어원 organ[기관] + ism[명·접] = 내부에 여러 기관이 모여 이뤄진 생명체

A marine biologist is someone who studies aquatic **organisms.** 기출변형

해양 생물학자는 수중 생명체들을 연구하는 사람이다.

⊕ **microorganism** 명 미생물

1122 □□□

characteristic

[kæriktərístik]

2020 법원직 9급 외 31회

명 특징 ＝ attribute, feature

형 특유의 ＝ distinctive

One **characteristic** of the Renaissance was a new expression of wealth. 기출변형

르네상스의 특징 중 하나는 부의 새로운 표현이었다.

⊕ **characterize** 동 특징짓다

1123 □□□

status

[stéitəs]

2020 국가직 9급 외 29회

명 (사회적) 지위, 신분 ＝ position, rank

명 상황, 사정 ＝ condition

어원 sta(tus)[서다] = 차지하고 서 있는 지위, 신분

Globalization can be beneficial regardless of one's economic **status.** 기출

세계화는 사람의 경제적 지위와 상관없이 유익할 수 있다.

1124 □□□

extensive

[iksténsiv]

2020 국가직 9급 외 22회

형 폭넓은, 광대한 ＝ comprehensive

어원 ex[밖으로] + ten(s)[뻗다(tend)] + ive[형·접] = 현재의 범위 밖으로 뻗어 폭넓은, 광대한

Extensive lists of microwave oven models are available on the website. 기출변형

폭넓은 목록의 전자레인지 모델들을 웹사이트에서 찾아볼 수 있다.

⇔ **limited** 형 제한된

⊕ **extent** 명 범위

1125 □□□

era

[íərə]

2020 국회직 8급 외 20회

명 시대, 시기 | = epoch, age

Elizabeth Barret Browning was a feminist writer of the Victorian **Era**. 기출변형

Elizabeth Barret Browning은 빅토리아 시대의 페미니스트 작가였다.

1126 □□□

infer

[infə́ːr]

2020 법원직 9급 외 12회

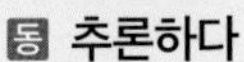

동 추론하다 | = deduce, reason

동 뜻하다, 암시하다 | = imply

어원 in[안에] + fer[나르다] = 머리 안에서 어떤 일을 끝으로 날라서 결론을 내다, 즉 추론하다

People **infer** honesty based on how others present themselves. 기출변형

사람들은 다른 사람들이 그들 자신을 어떻게 드러내는지에 기반해 정직함을 추론한다.

⊕ **inference** 명 추론

1127 □□□

imitate 

[ímətèit]

2022 국가직 9급 외 11회

동 모방하다, 본뜨다 | = emulate, mimic

어원 imit[모방하다] + ate[동·접] = 모방하다, 본뜨다

Chinese pottery was **imitated** by Persian ceramicists. 기출변형

중국의 도자기는 페르시아의 도예가들에 의해 모방되었다.

⊕ **imitation** 명 모방, 흉내

1128 □□□

prohibit

[prouhíbit]

2020 국가직 9급 외 11회

동 금지하다 | = forbid, ban

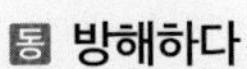

동 방해하다 | = prevent, hinder

Smoking is **prohibited** in all facilities. 기출변형

모든 시설에서 흡연은 금지되어 있다.

↔ **allow** 동 허락하다

⊕ **prohibition** 명 금지

1129 □□□

inadequate

[inǽdikwət]

2019 지방직 9급 외 10회

형 불충분한, 부적절한 | = deficient

Traditional education policies are **inadequate** in bringing about major social changes. 기출변형

전통적인 교육 정책은 주요 사회적 변화를 일으키는데 있어서 불충분하다.

↔ **sufficient** 형 충분한

⊕ **inadequacy** 명 불충분함, 부적절함

1130 □□□

faculty

[fǽkəlti]

2019 법원직 9급 외 9회

명 교수진, (대학의) 학부 ＝ staff

명 (특정한) 능력, 재능 ＝ ability, skill

어원 fac(ul)[행하기 쉬운(facile)] + ty[명·접] = 일을 쉽게 행할 수 있는 능력, 그런 능력을 갖춘 교수진

The college newspaper prints news about the **faculty.** 기출변형

그 대학 신문은 교수진에 대한 소식들을 싣는다.

빈출 단어

1131 □□□

occasional 

[əkéiʒənəl]

2020 법원직 9급 외 7회

형 가끔의, 때때로의 ＝ infrequent

어원 oc[향하여] + cas[떨어지다] + ion[명·접] + al[형·접] = 현실을 향하여 떨어진 특별한 일인, 가끔의

Except for an **occasional** whispered question, he concentrated on the movie quietly. 기출

가끔 속삭이는 질문을 제외하고, 그는 조용히 영화에 집중했다.

↔ **frequent** 형 빈번한

⊕ **occasionally** 부 가끔, 때때로

1132 □□□

uncertainty

[ənsə́rtənti]

2020 지방직 7급 외 6회

명 불확실성 ＝ unpredictability

The plans for nuclear plants still remain in a state of **uncertainty.** 기출변형

원자력 발전소에 대한 계획은 아직도 불확실성의 상태로 남아 있다.

↔ **certainty** 명 확실성

⊕ **uncertainly** 부 불확실하게, 확신 없이

1133 □□□

realm

[relm]

2020 법원직 9급 외 6회

명 영역, 범위 ＝ domain, sphere

명 왕국 ＝ kingdom

For centuries, humans have wondered what exists beyond the **realm** of our planet. 기출변형

수 세기 동안, 인간들은 우리 행성의 영역 너머에는 무엇이 존재하는지 궁금해했다.

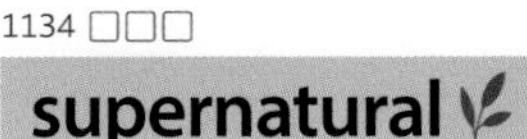

1134 ☐☐☐

supernatural

[sùpərnǽtʃərəl]

2019 국가직 9급 외 6회

형 초자연적인, 불가사의한 | ≡ psychic, magical

명 초자연적 존재

어원 super[넘어서] + natural[자연스러운] = 자연스러운 것을 넘어 초자연적인

According to the folk belief, **supernatural** powers belonged to the nature of the witch. (기출)

민간 신앙에 따르면, 초자연적인 힘은 마녀의 천성에 속해 있었다.

↔ **normal** 형 평범한

1135 ☐☐☐

ponder

[pá:ndər]

2022 국회직 9급 외 5회

동 (곰곰이) 생각하다, 숙고하다 | ≡ mull over

어원 pond(er)[무게를 달다] = 머릿속에서 무게를 달아보듯 깊이 생각하다

I sat on the couch and **pondered** the idea of taking a walk. (기출변형)

나는 소파에 앉아서 산책하는 것에 대해 생각했다.

1136 ☐☐☐

navigate

[nǽvəgèit]

2020 국회직 8급 외 5회

동 길을 찾다 | ≡ plot a course

동 항해하다 | ≡ sail, pilot

어원 nav[배] + ig[운전하다] + ate[동·접] = 배를 운전해서 항해하다, 길을 찾다

Sailors learned to **navigate** by looking up at the stars. (기출변형)

선원들은 별들을 올려다봄으로써 길을 찾는 법을 배웠다.

⊕ **navigational** 형 항해의

1137 ☐☐☐

proliferation

[prəlìfəréiʃən]

2020 국회직 9급 외 5회

명 확산, 만연 | ≡ growth, spread

The public feared the results of the **proliferation** of nuclear arms. (기출변형)

대중은 핵무기 확산의 결과를 두려워했다.

↔ **decrease** 명 감소

⊕ **proliferate** 동 확산하다

1138 ☐☐☐

assimilate

[əsíməlèit]

2024 국가직 9급 외 4회

동 동화시키다, 동화되다 | ≡ incorporate

동 완전히 이해하다, 받아들이다 | ≡ grasp

어원 as[~에(ad)] + simil[비슷한] + ate[동·접] = 어떤 것에 비슷해지게 동화시키다

The government's goal was to naturally **assimilate** immigrants into society.

정부의 목표는 이민자들을 자연스럽게 사회에 동화시키는 것이었다.

⊕ **unassimilated** 형 동화되지 않은

= 어휘 영역 출제

1139 □□□

align

[əláin]

2020 국회직 8급 외 4회

동 나란히 정렬시키다 ■ line up

동 손을 잡게 하다, 제휴하게 하다 ■ ally, affiliate

The teacher **aligned** the desks into three straight rows.

그 선생님은 책상들을 세 개의 똑바른 줄로 나란히 정렬시켰다.

⊕ **alignment** 명 일렬, 제휴

1140 □□□

embody

[imbɑ́:di]

2019 국가직 9급 외 3회

동 포함하다, 담다 ■ include

동 구현하다, 구체화하다 ■ realize, manifest

A myth often **embodies** the religious values of a culture. (기출변형)

신화는 종종 한 문화의 종교적 가치를 포함한다.

1141 □□□

flock

[flɑ:k]

2017 사회복지직 9급 외 3회

동 모이다, 떼를 짓다 ■ gather, assemble

명 무리, 떼 ■ herd, group

Tourists **flock** to Hawaii because of its warm weather and beautiful scenery. (기출변형)

관광객들은 따뜻한 날씨와 아름다운 풍경 때문에 하와이로 모인다.

1142 □□□

verify

[vérəfài]

2017 국회직 8급 외 3회

동 확인하다, 입증하다 ■ substantiate

어원 ver[진실한] + ify[동·접] = 증거를 들어 진실함을 밝히다, 즉 입증하다

An active listener **verifies** information by asking questions. (기출변형)

적극적인 경청자는 질문함으로써 정보를 확인한다.

⊕ **verifiable** 형 증명할 수 있는

1143 □□□

correlation

[kɔ̀:rəléiʃən]

2018 국회직 9급 외 3회

명 상관관계 ■ connection, link

어원 cor[함께(com)] + relat(e)[관련 짓다] + ion[명·접] = 두 가지가 함께 관련 지어져 생긴 상관관계

A **correlation** has been found between Internet addicts and social phobia. (기출변형)

인터넷 중독자들과 사회 공포증 사이의 상관관계가 밝혀졌다.

⊕ **correlate** 동 상관관계에 있다

1144 □□□

intersection

명 교차로, 교차 지점 | ≡ crossroad

[ìntərsékʃən]

2014 지방직 9급 외 3회

어원 inter[사이에] + sect[자르다] + ion[명·접] = 하나의 길이 다른 길을 자르고 들어간 교차로

Walk down the street and turn right at the first **intersection.** 기출변형

길을 따라 걸어간 다음 첫 번째 교차로에서 우회전하세요.

⊕ **intersect** 동 교차하다

1145 □□□

predecessor

명 전임자, 이전 것 | ≡ precursor

[prédəsèsər]

2017 지방직 9급 외 2회

I was a curator at a museum, and she was my **predecessor.** 기출변형

나는 한 박물관의 큐레이터였고, 그녀는 나의 전임자였다.

⊕ **precede** 동 먼저 오다, 먼저 일어나다

1146 □□□

lethal

형 치명적인 | ≡ dangerous, fatal

[lí:θəl]

2016 서울시 9급 외 2회

Ants release a yellow substance that is **lethal** for the attacker. 기출변형

개미는 공격자에게 치명적인 노란 물질을 방출한다.

1147 □□□

pivotal

형 중추적인, 중요한 | ≡ vital, crucial

[pívətl]

2019 서울시 9급 외 2회

Negative comments played a **pivotal** role in some athletes' eating disorders. 기출변형

부정적인 언급들이 몇몇 운동선수들의 식이 장애에 중추적 역할을 했다.

1148 □□□

fragment

명 파편, 조각 | ≡ piece

[frǽgmənt]

2019 국가직 9급 외 2회

The volcano eruption produced more lava **fragments** than before. 기출변형

그 화산 폭발은 이전보다 더 많은 용암 파편을 만들어 냈다.

⊕ **fragmentation** 명 분열, 파쇄

1149 □□□

coalition

명 연합, 연합체 | ≡ alliance

[kòuəlíʃən]

2021 국가직 9급 외 2회

Richard found himself faced by a **coalition** of enemies. 기출변형

Richard는 적들의 연합을 마주한 자신을 발견했다.

= 어휘 영역 출제

빈출 숙어

1150 □□□

in order to ~하기 위해서 ▣ so as to

2020 국가직 9급 외 67회

We need to listen and speak up **in order to** communicate well. (기출변형)

우리는 소통을 잘하기 위해서 듣고 큰 소리로 말할 필요가 있다.

1151 □□□

dependent on ~에 의존하는

2020 법원직 9급 외 14회

After starting each day with a cup of coffee, he had grown **dependent on** caffeine.

날마다 커피 한 잔으로 시작한 후, 그는 카페인에 의존하게 되었다.

1152 □□□

pay ~ off ~을 지불하다, 청산하다

성공하다, 성과를 내다

2020 법원직 9급 외 9회

He asked me if I could **pay off** some accounts. (기출변형)

그는 내게 몇몇 외상값을 지불할 수 있는지 물었다.

1153 □□□

to date 지금까지, 현재까지 ▣ so far

2020 지방직 9급 외 6회

To date, over 500 cases of the virus have been confirmed worldwide. (기출변형)

지금까지, 그 바이러스에 대해 전 세계적으로 500건 이상이 확인되었다.

1154 □□□

come down with (병에) 걸리다 ▣ contract

2014 국가직 9급 외 3회

He developed a fever and assumed that he was **coming down with** the flu.

그는 열이 났고 자신이 독감에 걸렸다는 것을 추정했다.

완성 어휘

1155	tract	명 지역, 지대
1156	mainland	명 중심지, 본토
1157	patriotism	명 애국심
1158	modeling	명 모형 제작, 조형
1159	trade-off	명 (서로 대립하는 요소의) 균형
1160	meander ✓	동 (정처 없이) 거닐다
1161	override	동 무시하다, 우선하다
1162	aspiring	형 포부가 있는
1163	waterlogged	형 침수된
1164	domestically	부 국내에서, 가정적으로
1165	spokesperson	명 대변인
1166	enormity	명 막대함, 무법성
1167	corruptible ✓	형 부패할 수 있는
1168	embark	동 승선하다, 승선시키다
1169	omen	명 징조, 조짐
1170	thoroughness	명 철두철미함
1171	disinflation	명 인플레이션 완화
1172	incessant ✓	형 끊임없는, 쉴 새 없는
1173	protract	동 (시간을) 오래 끌다
1174	chatter	동 수다를 떨다
1175	electron	명 전자
1176	imperturbability	명 침착, 냉정
1177	blink	동 (눈을) 깜빡이다
1178	nostalgia	명 향수, 그리움
1179	commonality	명 공통성
1180	amicable	형 우호적인, 원만한
1181	moist	형 촉촉한, 습기 찬
1182	harmonious ✓	형 조화로운
1183	bequeath	동 물려주다, 남기다
1184	sizable	형 상당한 크기의
1185	infuriate ✓	동 격노하게 하다
1186	cavalier ✓	형 무신경한
1187	bounce back	다시 회복되다
1188	a piece of cake	식은 죽 먹기
1189	out of the blue ✓	갑자기, 난데없이
1190	put up ✓	내걸다, 제시하다
1191	go aloft	죽다, 천당에 가다
1192	bail out	~를 보석금으로 빼내다
1193	by means of	~을 써서, ~의 도움으로
1194	(put) in a nutshell	간단히 말해서
1195	out of fashion	구식의, 유행에 뒤떨어진
1196	slip away	사라지다, 죽다
1197	sit on	~을 쥐고 있다
1198	pick up on	~을 알아차리다
1199	come out with	~을 공표하다
1200	speak for itself	자명하다, 분명하다

✓ = 어휘 영역 출제

Review Test DAY 11-15

1. 각 어휘의 알맞은 뜻을 찾아 연결하세요.

01. occasional •	• ⓐ 가끔의, 때때로의
02. compulsory •	• ⓑ 완화하다
03. obscure •	• ⓒ 개선하다, 개량하다
04. ameliorate •	• ⓓ 우려하는, 걱정되는
05. facilitate •	• ⓔ 애매한; 모호하게 하다
06. palatable •	• ⓕ 의무적인, 필수의
07. alleviate •	• ⓖ 전임자, 이전 것
08. apprehensive •	• ⓗ 확산, 만연
09. proliferation •	• ⓘ 맛있는; 마음에 드는
10. predecessor •	• ⓙ 촉진하다; 가능하게 하다

2. 다음 영단어의 뜻을 우리말로 쓰세요.

01. paramount	________	**11.** defer	________
02. resuscitate	________	**12.** plight	________
03. hazard	________	**13.** exhortative	________
04. indispensable	________	**14.** obsolete	________
05. expedite	________	**15.** affirm	________
06. aloof	________	**16.** pompous	________
07. negligible	________	**17.** fragment	________
08. penal	________	**18.** assimilate	________
09. ingenuity	________	**19.** imitate	________
10. hover	________	**20.** ponder	________

3. 다음 빈칸에 들어갈 말로 가장 적절한 것은?

> For many years, the cause of the disease has continued to __________ medical researchers.

① increase ② consolidate ③ mold ④ perplex

4. 다음 밑줄 친 부분과 의미가 가장 가까운 것은?

> Art historians believe that Picasso emulated the geometric shapes of African masks in his Cubist paintings.

① appraised ② abrogated ③ mimicked ④ lured

5. 다음 밑줄 친 단어의 의미와 가장 가까운 것은?

> Barack Obama reached the apex of his career in 2008, when he was elected president of the United States.

① raid ② nadir ③ acme ④ exterior

정답

1. 01. ⓐ 02. ⓕ 03. ⓔ 04. ⓒ 05. ⓙ 06. ⓘ 07. ⓑ 08. ⓓ 09. ⓗ 10. ⓖ

2. 01. 가장 중요한; 탁월한 02. 소생시키다 03. 위험; 위태롭게 하다
04. 필수적인, 없어서는 안 될 05. 추진하다, 촉진하다 06. 냉담한, 무관심한
07. 무시해도 될 정도의, 하찮은 08. 형벌의 09. 창의력, 독창성
10. 맴돌다, 배회하다 11. 미루다, 연기하다 12. 곤경, 역경 13. 권고적인
14. 구식의 15. 단언하다 16. 거만한, 화려한 17. 파편, 조각
18. 동화시키다; 완전히 이해하다 19. 모방하다, 본뜨다
20. (곰곰이) 생각하다, 숙고하다

3. ④ 당황하게 하다 **[해석]** 수년 동안, 그 질병의 원인은 의학 연구원들을 당황하게 했다. **[오답]** ① 증가하다 ② 통합하다 ③ 주조하다

4. ③ 모방했다 **[해석]** 미술사가들은 피카소가 그의 입체파 그림들에서 아프리카 가면들의 기하학적 모양들을 모방했다고 믿는다. **[오답]** ① 평가했다 ② 폐지했다 ④ 유혹했다

5. ③ 정점 **[해석]** 버락 오바마는 2008년에 그의 경력의 정점에 도달했는데, 이때는 그가 미국의 대통령으로 당선된 때였다. **[오답]** ① 습격 ② 밑바닥 ④ 외부

DAY 16

■ 1회독 ■ 2회독 ■ 3회독

DAY16 음성 바로 듣기

최빈출 단어

1201 □□□

production

[prədʌ́kʃən]

2019 지방직 7급 외 54회

명 생산, 제작 = manufacturing

어원 pro[앞으로] + duc(e)[끌다] + tion[명·접] = 소비자 앞으로 끌고 올 새 제품을 만드는 생산

The **production** of steel involves high fixed costs. (기출변형)
철강의 생산은 높은 고정 비용을 포함한다.

+ **productivity** 명 생산성

1202 □□□

typically

[típikəli]

2020 법원직 9급 외 34회

부 보통, 일반적으로 = normally

The mistletoe plant **typically** attaches itself to the oak tree. (기출변형)
하루살이 식물은 보통 스스로 떡갈나무에 달라붙는다.

+ **typical** 형 전형적인

1203 □□□

urban

[ə́:rbən]

2021 국가직 9급 외 29회

형 도시의 = metropolitan

Harappa was an **urban** civilization that had a diverse social organization. (기출변형)
하라파 문화는 다양한 사회적 조직을 가진 도시 문명이었다.

↔ **rural** 형 시골의

+ **urbanization** 명 도시화

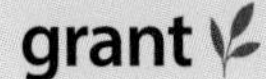

1204 □□□

grant

[grænt]

2018 국가직 9급 외 21회

동 수여하다, 부여하다 = award

동 허가하다, 승인하다

명 (정부 등에서 주는) 보조금 = subsidy

어원 grant[믿다(cred)] = 상대를 믿어 군말 없이 주다, 수여하다

Schools that **grant** free tuition to all students are rare. (기출변형)
모든 학생에게 무료 등록금을 수여하는 학교는 드물다.

+ **take for granted** ~을 당연시하다

1205 □□□

investigate 

[invéstəgèit]

2020 국회직 8급 외 19회

동 조사하다, 살피다 ≡ examine

어원 in[안에]+vestig[흔적을 쫓다] + ate[동·접] = 흔적을 쫓아 어떤 곳 안에 들어가서 조사하다

He **investigated** the problem and found a solution. (기출변형)

그는 문제를 조사해서 해결책을 찾아냈다.

⊕ **investigation** 명 수사

1206 □□□

stock

[stɑ:k]

2018 국가직 9급 외 16회

명 주식, 주식자본 ≡ shares

명 재고, 재고품 ≡ reserve

The rapid rise of the **stock** market led to a sudden increase in national wealth. (기출변형)

주식 시세의 급격한 상승은 국부의 급상승을 초래했다.

1207 □□□

embarrass

[imbǽrəs]

2019 서울시 7급 외 15회

동 당황하게 하다, 곤란하게 하다 ≡ shame, mortify

어원 em[안에(en)] + bar(rass)[장애] = 경로 안에 장애물을 놓아 당황하게 하다

My mother **embarrassed** me by telling stories about my childhood.

나의 어머니는 나의 어린 시절 이야기를 함으로써 나를 당황하게 했다.

1208 □□□

retain

[ritéin]

2020 국가직 9급 외 14회

동 유지하다 ≡ keep, hold on to

동 보유하다, 간직하다

어원 re[뒤로] + tain[잡다] = 잡아서 뒤로 보관하여 사라지지 않도록 유지하다

The flask still **retained** most of its original shape. (기출변형)

그 플라스크 용기는 여전히 원래 형태의 대부분을 유지했다.

↔ **give up** 포기하다

1209 □□□

admire

[ædmáiər]

2019 서울시 9급 외 14회

동 존경하다, 동경하다 ≡ respect

동 감탄하다

어원 ad[~에] + mir(e)[감탄하다] = ~에 감탄하다, 존경하다

I **admire** my brother for following his dream to become a doctor.

나는 의사가 되려는 자신의 꿈을 추구하는 나의 오빠를 존경한다.

↔ **despise** 동 멸시하다

⊕ **admiration** 명 존경

1210 □□□

ministry

[mínəstri]

2019 서울시 7급 외 13회

명 (정부의 각) 부 ⊟ department

A research fund was given to the university by the **Ministry** of Education. (기출변형)

연구 자금이 교육부에 의해 그 대학에 주어졌다.

빈출 단어

1211 □□□

peak

[pi:k]

2015 법원직 9급 외 9회

명 절정, 정점 ⊟ summit, pinnacle

When the real estate market reaches its **peak**, the demand for housing usually drops. (기출변형)

부동산 시장이 절정에 달하면, 대개 주택 수요가 줄어든다.

1212 □□□

pronounce

[prənáuns]

2019 국가직 9급 외 9회

동 발음하다 ⊟ articulate, utter

동 단언하다, 표명하다 ⊟ announce, proclaim

Foreign names tend to be harder to **pronounce**. (기출변형)

외국 이름들은 발음하기 더욱 어려운 경향이 있다.

⊕ **pronunciation** 명 발음

1213 □□□

overwhelming

[òuvərhwélmiŋ]

2020 지방직 7급 외 8회

형 굉장한, 압도적인 ⊟ massive, stunning

Because of the **overwhelming** number of entries last year, they're making one contest change this year. (기출변형)

작년의 굉장한 수의 참가자들로 인해, 그들은 올해 대회에 한 가지 변화를 만들었다.

1214 □□□

medieval

[mì:diíːvəl]

2020 국가직 9급 외 8회

형 중세의, 중세시대의 ⊟ antique

Alchemy was practiced in many different cultures, including ancient China and **medieval** Europe. (기출변형)

연금술은 고대 중국과 중세 유럽을 포함하여 많은 서로 다른 문화들에서 수행되었다.

↔ **modern** 형 현대의, 근대의

1215 ☐☐☐

revise

통 수정하다 | = change

[riváiz]

2015 국가직 9급 외 7회

어원 re[다시] + vis(e)[보다] = 마친 일을 다시 보고 수정하다

You have **revised** your essay so many times. (기출변형)

당신은 에세이를 너무 여러 번 수정해 왔다.

1216 ☐☐☐

static

형 고정된, 변화가 없는 | = stagnant, changeless

[stǽtik]

2020 국회직 8급 외 6회

Traditions are often considered **static** and unchanging. (기출변형)

전통은 종종 고정적이고 변하지 않는 것으로 여겨진다.

1217 ☐☐☐

attendance

명 출석, 출석률 | = presence

[əténdəns]

2019 국가직 9급 외 6회

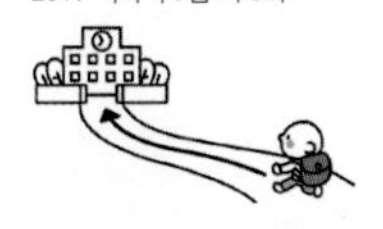

어원 at[~쪽으로(ad)] + tend[뻗다] + ance[명·접] = 어떤 장소 쪽으로 발걸음을 뻗어가서 그곳에 출석함

Whether school **attendance** is required varies from state to state. (기출변형)

학교에 출석이 요구되는지 아닌지는 주마다 다르다.

⊕ **attend** 통 참석하다

1218 ☐☐☐

appease

통 달래다, 진정시키다 | = pacify, soothe

[əpí:z]

2024 국가직 9급 외 5회

She bought a gift to **appease** her son after forgetting his birthday.

그녀는 자기 아들의 생일을 잊은 후로 그를 달래기 위한 선물을 샀다.

↔ **provoke** 통 화나게 하다, 도발하다, 유발하다

⊕ **appeasement** 명 달램, 진정, 완화

1219 ☐☐☐

famine

명 기근, 흉작 | = food shortages

[fǽmin]

2019 지방직 9급 외 5회

In the 1840s, Ireland suffered **famine** because Ireland could not produce enough food. (기출)

1840년대에, 아일랜드는 충분한 식량을 생산하지 못해 기근에 시달렸다.

↔ **plenty** 명 풍요로움

= 어휘 영역 출제

1220 □□□

enact

■ 동 제정하다, 법제화하다 ■ approve, ratify

[inǽkt]

2019 국회직 8급 외 5회

어원 en[하게 만들다] + act[행동하다] = 어떤 행동을 하게 만들기 위해 법을 제정하다

The president **enacted** the "Emergency Banking Act" to shut down bankrupt banks. 기출변형

대통령은 '긴급은행법'을 제정해 파산한 은행을 폐쇄했다.

↔ **repeal** 동 폐지하다

⊕ **enactment** 명 입법, 제정

1221 □□□

contend

■ 동 주장하다 ■ assert, claim

■ 동 겨루다, 다투다 ■ compete, challenge

[kənténd]

2019 법원직 9급 외 3회

Some students **contend** that colleges are not doing a good job of teaching. 기출변형

몇몇 학생들은 대학이 가르치는 일을 제대로 하지 않고 있다고 주장한다.

⊕ **contender** 명 도전자, 경쟁자

1222 □□□

exhilarate 

■ 동 아주 기쁘게 만들다, 기운을 북돋우다 ■ excite, invigorate

[igzílərèit]

2016 국회직 9급 외 3회

Researchers have found that generosity isn't always a sacrifice; it often **exhilarates** us. 기출변형

연구원들은 관대함이 항상 희생이 아니라는 것을 발견했는데, 그것은 종종 우리를 아주 기쁘게 만든다.

↔ **depress** 동 우울하게 하다, 낙담시키다

⊕ **exhilarating** 형 아주 신나는, 즐거운

1223 □□□

streamline

■ 동 능률화하다 ■ facilitate

[strí:mlàin]

2017 지방직 9급 외 3회

A new set of rules is being formulated to **streamline** procedures. 기출변형

새로운 규칙들이 절차를 능률화하기 위해 만들어지고 있다.

1224 □□□

questionnaire

■ 명 설문지 ■ opinion poll

[kwèstʃənέər]

2020 지방직 9급 외 2회

A gift card will be given to whoever completes the **questionnaire**. 기출변형

설문지를 작성하는 누구에게나 선불카드가 주어질 예정이다.

⊕ **question** 명 질의, 문제

1225 □□□

plunge 

[plʌndʒ]

2019 서울시 9급 외 2회

동	(어떤 상황에) 몰아넣다, 이르게 하다	= throw, cast
동	급락하다	= plummet
명	급락	= fall

The tragic asteroid hit **plunged** the world into a very dark winter. (기출변형)

그 끔찍한 소행성 충돌은 세계를 매우 어두운 겨울로 몰아넣었다.

1226 □□□

antibody 

[ǽntibὰdi]

2018 국회직 8급 외 2회

명	항체

어원 anti[대항하여] + body[신체] = 신체에 들어온 병원균에 대항하는 항체

The research says that meditators had high levels of flu-fighting **antibodies.** (기출변형)

그 연구는 명상가들이 독감과 싸우는 항체의 수준이 높았다고 말한다.

⊕ **antibiotic** 형 항체의

1227 □□□

patch

[pætʃ]

2019 국회직 8급 외 2회

명	부분, 조각	= spot, bit
명	작은 땅	

My dog is all brown, except for a **patch** of black fur.

나의 개는 검은색 털 한 부분을 제외하고 전부 갈색이다.

1228 □□□

vendor

[véndər]

2016 국회직 8급 외 1회

명	판매 회사	= supplier
명	노점상	= seller, merchant

Samsung was once the world's No. 2 mobile phone **vendor** behind Nokia. (기출변형)

삼성은 한때 노키아에 뒤이어 세계 2위의 휴대전화 판매 회사였다.

1229 □□□

presumptuous

[prizʌ́mptʃuəs]

2018 서울시 9급 외 1회

형	주제넘은, 건방진	= pompous

It was **presumptuous** of the company to announce the merger before it was finalized.

합병이 마무리되기도 전에 회사가 그것을 발표한 것은 주제넘은 일이었다.

빈출 숙어

1230 ☐☐☐

in other words 다시 말해서, 달리 말하면

2020 지방직 9급 외 39회

Some fats pose a minimal hazard for health—**in other words**, not all fats are lethal. (기출변형)

어떤 지방은 건강에 아주 작은 위협을 가한다. 다시 말해서, 모든 지방이 치명적인 것은 아니다.

1231 ☐☐☐

turn to ~에 의지하다 ≡ resort to

2020 국회직 9급 외 24회

Some people **turn to** alternative medicine because they lost faith in doctors. (기출변형)

어떤 사람들은 의사에 대한 신뢰감을 잃었기 때문에 대체 의학에 의지한다.

1232 ☐☐☐

account for ~을 설명하다 ≡ give reason for

2020 국회직 8급 외 17회

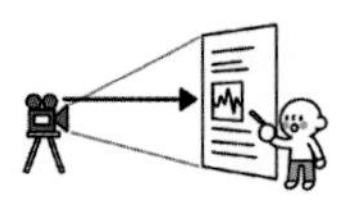

The psychologist used a new test to **account for** overall personality development. (기출변형)

그 심리학자는 전반적인 성격 발달을 설명하기 위해 새로운 실험을 이용했다.

1233 ☐☐☐

break in 침입하다 ≡ trespass

2018 서울시 9급 외 6회

He was asleep in bed when the thief **broke in** that night. (기출변형)

그날 밤 도둑이 침입했을 때 그는 침대에서 잠들어 있었다.

1234 ☐☐☐

make it 해내다, 성공하다

2012 지방직 9급 외 3회

I'm sure I can **make it** to work on time. (기출변형)

나는 직장까지 제시간에 도착할 수 있다고 확신한다.

완성 어휘

1235	interpersonal	형 사람 사이의, 대인 관계의
1236	contestant	명 참가자
1237	mainstream	명 주류; 형 주류의
1238	predisposition ✓	명 (질병의) 소인, 성향, 경향
1239	heedless ✓	형 부주의한
1240	allure ✓	명 매력; 동 유혹하다
1241	enslavement	명 노예화
1242	rigorous	형 엄격한
1243	hurdle ✓	명 장애물
1244	disproportionate	형 불균형의
1245	orientation	명 성향, 방향
1246	outback	명 오지, 미개척지
1247	overpower	동 제압하다, 압도하다
1248	jovial	형 쾌활한
1249	perishable ✓	형 썩기 쉬운, 부패하기 쉬운
1250	enrollee	명 등록자
1251	remembrance	명 추억
1252	omit	동 생략하다
1253	unattended	형 주인이 없는
1254	disperse ✓	동 흩어지다
1255	instill	동 서서히 주입하다
1256	sublime	형 숭고한, 절묘한
1257	chronological	형 연대순의
1258	acquiesce ✓	동 묵인하다
1259	sterile	형 불임의, 불모의
1260	benefactor	명 후원자
1261	scandalous	형 수치스러운
1262	collaborate	동 협력하다
1263	brutally	부 야만스럽게
1264	seizure	명 압수, 장악
1265	deplorable ✓	형 비참한, 유감스러운
1266	stuffy	형 답답한, 딱딱한
1267	provocative ✓	형 도발적인, 화를 돋우는
1268	unsightly	형 보기 흉한
1269	plucky ✓	형 대담한, 용기 있는, 단호한
1270	over the moon ✓	너무나도 황홀한
1271	around the corner ✓	임박한, 바로, 곧
1272	on behalf of	~을 대신하여, ~을 대표하여
1273	turn up	나타나다
1274	put emphasis on	~을 강조하다
1275	lag behind	뒤처지다
1276	pass over ✓	제외하다, 무시하다
1277	go far	성공하다
1278	chip away	조금씩 잘라내다
1279	trip over	~에 발이 걸려 넘어지다
1280	be better off	(처지가) 더 낫다

✓ = 어휘 영역 출제

DAY 17

■ 1회독 ■ 2회독 ■ 3회독

DAY17 음성 바로 듣기

최빈출 단어

1281 □□□

climate

[kláimit]

2021 국가직 9급 외 73회

명 기후 = weather

명 분위기

어원 clim[경사지다] + ate[명·접] = 지구의 경사에 따라 다른 기후

Spiders live in all different kinds of **climates** and environments. 기출변형

거미는 모든 다양한 종류의 기후와 환경에 산다.

1282 □□□

forward

[fɔ́:rwərd]

2020 국회직 9급 외 33회

부 (위치가) 앞으로 = forth

형 앞으로 가는

High heels cause discomfort because they force the foot **forward** in the shoe. 기출변형

하이힐은 발을 신발의 앞으로 향하게 하기 때문에 불편을 유발한다.

↔ **backward** 부 뒤로

1283 □□□

collapse

[kəlǽps]

2018 지방직 7급 외 20회

명 붕괴 = disintegration

동 무너지다, 쓰러지다 = fall down

The Soviet Union's **collapse** has created a power vacuum in East Asia. 기출

소련의 붕괴는 동아시아의 권력에 공백을 만들었다.

1284 □□□

interpret

[intə́:rprit]

2020 지방직 9급 외 19회

동 해석하다, 이해하다 = construe

동 통역하다 = translate

어원 inter[서로] + pret[거래하다] = 거래하는 사이에서 서로 말이 통하도록 해석하다

Almost everyone now **interprets** LOL in its 'laughing' sense. 기출변형

대부분의 사람이 이제는 LOL을 '웃다'의 의미로 해석한다.

⊕ **misinterpretation** 명 오해

1285 □□□

bias

[báiəs]

2020 국회직 9급 외 15회

명 편견, 성향 = prejudice

동 편견을 갖게 하다

Investigators are asked to put away all **biases** so they can focus on the facts. 기출변형

연구자들은 사실에 집중할 수 있도록 모든 편견을 버리도록 요청받는다.

↔ **objectivity** 명 객관성

⊕ **biased** 형 편향된

1286 □□□

delicate 

[délikət]

2020 국회직 8급 외 14회

형 섬세한, 정교한, 까다로운 = fine, exquisite

형 연약한, 다치기 쉬운 = fragile

형 우아한

어원 de[아래로] + lic[빛] + ate[형·접] = 빛 아래로 가서 봐야 할 정도로 정교하고 섬세한

There is a **delicate** balance between a satellite's speed and the pull of gravity. 기출변형

인공위성의 속도와 중력의 당기는 힘 사이의 섬세한 균형이 있다.

↔ **crude** 형 대충의

1287 □□□

immigrant

[ímigrənt]

2017 서울시 9급 외 14회

명 이민자, 이주민 = settler

Despite having a national census result, the nation failed to estimate the number of **immigrants**. 기출변형

국가 인구조사 결과를 가지고 있음에도 불구하고, 그 나라는 이민자 수를 추산하는 데 실패했다.

⊕ **immigrate** 동 다른 나라로 이주해 오다

= 어휘 영역 출제

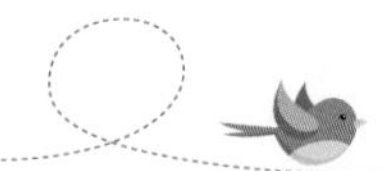

1288 □□□

substitute

[sʌ́bstətjùːt]

2018 국회직 8급 외 10회

명 대리인, 대용품 = surrogate, proxy

동 대체하다, 대신하다 = replace

어원 sub[아래에] + stit(ute)[서다] = 아래에 있던 사람이 위의 사람 대신 서다, 즉 대신하는 사람

The team sent in a **substitute** player to replace the injured pitcher.

그 팀은 부상당한 투수를 교체하기 위해 대체 선수를 보냈다.

빈출 단어

1289 □□□

corrupt

[kərʌ́pt]

2019 서울시 9급 외 9회

형 부패한 = fraudulent

동 부패하게 만들다, 타락시키다

어원 cor[모두] + rupt[깨뜨리다] = 법이나 도덕을 모두 깨뜨려 부패한

The money often ended up being stolen by **corrupt** officials. 기출변형

그 자금은 결국 종종 부패한 공무원들에 의해 도난당했다.

↔ **honest** 형 정직한

⊕ **corruption** 명 부패

1290 □□□

persistent 

[pərsístənt]

2019 국회직 9급 외 8회

형 지속적인 = continuous

형 끈질긴, 집요한 = stubborn

어원 per[완전히] + sist[서다(sta)] + ent[형·접] = 한 자리에 완전히 자리 잡고 서서 그것을 지속하는

Experts are pointing out climate change as a key factor in this year's **persistent** drought. 기출변형

전문가들은 올해 지속적인 가뭄의 주요 요인으로서 기후 변화를 주목하고 있다.

↔ **occasional** 형 가끔의

⊕ **persistently** 부 고집스레

1291 □□□

pest

[pest]

2017 지방직 7급 외 7회

명 해충 = insect, bug

Genetic engineering helps produce crops that resist **pests**. 기출변형

유전 공학은 해충에 저항하는 작물을 생산하는 것을 도와준다.

1292 □□□

sensation

[senséiʃən]

2018 법원직 9급 외 6회

명 감각, 느낌 ≡ feeling

명 센세이션[선풍을 일으키는 사람, 사건] ≡ hit

A **sensation** is a particular feeling of taste, sight, sound, or smell that you receive. 기출변형

감각은 당신이 받아들이는 미각, 시각, 소리 또는 냄새의 특정한 느낌이다.

⊕ **sensational** 형 선풍적인

1293 □□□

intuition

[ìntju:íʃən]

2019 지방직 9급 외 5회

명 직감, 직관 ≡ instinct

어원 in[안에] + tuit[가르치다] + ion[명·접] = 자신 안에서 스스로에게 가르침을 주는 직감

The driver's **intuition** told him he was going in the wrong direction.

운전자의 직감은 그가 잘못된 방향으로 가고 있다는 것을 말해주었다.

⊕ **intuitive** 형 직감에 의한

1294 □□□

dispatch 

[dispǽtʃ]

2018 국회직 8급 외 5회

동 파견하다, 보내다 ≡ send

명 파견, 발송

United Nations representatives are **dispatched** to areas of tension around the world. 기출변형

국제 연합(UN)의 대표들은 전 세계의 갈등이 있는 지역으로 파견된다.

1295 □□□

violation

[vàiəléiʃən]

2018 서울시 9급 외 5회

명 위법 행위, 위반 ≡ break

Violation of this rule may result in severe criminal penalties. 기출변형

이 법에 대한 위법 행위는 가혹한 형사적 처벌로 이어질 수 있다.

⊕ **violate** 동 위반하다

1296 □□□

enterprise

[éntərpràiz]

2019 서울시 7급 외 4회

명 기업 ≡ firm, company

어원 enter[사이에 (inter)] + pris(e)[붙잡다] = 잘 안 보이는 사이에 숨어있는 기회를 붙잡으려 노력하는 기업

Medium-sized **enterprises** can get access to low-priced loans. 기출변형

중견기업은 낮은 가격의 대출을 이용할 수 있다.

⊕ **enterprising** 형 진취적인

1297 □□□

entertain

[èntərtéin]

2016 국회직 8급 외 4회

동 즐겁게 해 주다 ■ amuse

There are unlimited occasions and places to **entertain** children today. 기출

오늘날에는 어린이들을 즐겁게 해 주는 일들과 장소들이 끝없이 있다.

1298 □□□

premise

[prémis]

2018 법원직 9급 외 4회

명 전제, 가정 ■ postulation

The professor refused to revise the student's paper because its basic **premise** was incorrect.

그 교수는 학생의 논문을 수정하는 것을 거부했는데, 그것의 기본 전제가 틀렸기 때문이었다.

⊕ **premises** 명 부동산, 부지

1299 □□□

benevolent

[bənévələnt]

2018 국회직 9급 외 4회

형 자비로운, 친절한 ■ kind

어원 bene[좋은] + vol[의지] + ent[형·접] = 좋은 의지를 갖고 상대를 대하는, 즉 자비로운

The idea of **benevolent** fairies is very modern. 기출

자비로운 요정이라는 발상은 매우 현대적이다.

⊕ **benevolence** 명 자비심, 자선, 선행

1300 □□□

utmost

[ʌ́tmòust]

2019 지방직 9급 외 3회

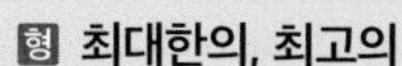

형 최대한의, 최고의 ■ supreme, greatest

어원 ut[더 ~한] + most[가장 많은] = 가장 많은 것들 중에서도 더 많은, 즉 최고의 또는 최대의

Making sure the painting portrayed the king's majesty was of **utmost** concern to the artist. 기출변형

그림이 왕의 위엄을 표현하도록 확실히 하는 것이 그 예술가의 최대 관심사였다.

↔ **limited** 형 제한된

1301 □□□

prospective

[prəspéktiv]

2020 국회직 9급 외 3회

형 유망한, 장래의 ■ potential, possible

어원 pro[앞에] + spect[보다(spec)] + ive[형·접] = 앞을 내다보는, 즉 장래의, 유망한

Prospective studies have shown that some theories were incorrect. 기출변형

유망한 연구들은 몇몇 이론들이 맞지 않았음을 보여준다.

⊕ **prospect** 명 가망, 가능성

1302 □□□

signify

[sígnəfài]

2018 서울시 9급 외 3회

동 의미하다, 뜻하다 ■ indicate

When the bell rings, it **signifies** the end of class.

종이 울리면, 그것은 수업이 끝났음을 의미한다.

⊕ **signification** 명 의미

1303 □□□

prevail 

[privéil]

2019 국회직 8급 외 2회

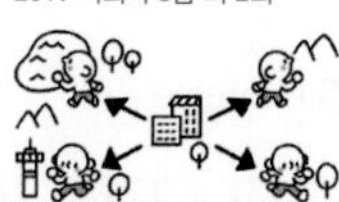

동 만연하다, 팽배하다 | = be widespread

동 승리하다, 이기다 | = win, triumph

Expressionism is a style of art that **prevailed** in the 20th century.

표현주의는 20세기에 만연했던 예술 양식이다.

⊕ **prevalent** 형 일반적인

1304 □□□

recurrent

[rikə́:rənt]

2020 국회직 9급 외 2회

형 반복되는, 재발되는 | = repeated

I am writing this e-mail to you concerning your **recurrent** late arrival. (기출변형)

저는 당신의 반복되는 지각에 관해 이 이메일을 씁니다.

1305 □□□

shallow 

[ʃǽlou]

2018 지방직 9급 외 2회

형 얕은 | = low

형 얄팍한, 피상적인 | = superficial, flimsy

The waters near the seashore are **shallow**, so it is safe for the children.

해안가 근처의 수면은 얕아서 아이들에게 안전하다.

↔ **deep** 형 깊은

1306 □□□

flatten

[flǽtn]

2018 국가직 9급 외 1회

동 평평하게 하다 | = level

While at rest, moths **flatten** their wings against their bodies. (기출변형)

움직이지 않는 동안, 나방은 자신의 날개를 몸에 붙여 평평하게 한다.

1307 □□□

nebulous 

[nébjuləs]

2018 서울시 7급 외 1회

형 모호한 | = vague, uncertain

The fog made everything appear **nebulous**, and it became difficult to drive.

안개가 모든 것을 모호하게 보이게 했고, 운전하기가 어려워졌다.

↔ **clear** 형 명료한

1308 □□□

impregnable 

[imprégnəbl]

2015 서울시 7급 외 1회

형 견고한, 난공불락의 | = impenetrable, invincible

A fortress that is **impregnable** is so strong that it cannot be broken into. (기출변형)

견고한 요새는 너무 강해서 침입될 수 없다.

↔ **vulnerable** 형 취약한

빈출 숙어

1309 □□□

work out

2017 국가직 9급 외 14회

(일이) 잘 풀리다, 해결하다 = solve

운동하다 = exercise

Because of the terrible traffic jam, the shortcut didn't **work out** at all. (기출변형)

극심한 교통체증 때문에, 지름길조차 전혀 잘 풀리지 않았다.

1310 □□□

accustomed to

2020 국회직 9급 외 8회

~에 익숙한 = familiar with

The marketing strategy appeals to consumers **accustomed to** paying by credit cards. (기출변형)

그 마케팅 전략은 신용카드로 결제하는 것에 익숙한 소비자들에게 매력적이다.

1311 □□□

prior to

2002 법원직 9급 외 4회

~에 앞서, 먼저 = ahead of

If you have any questions **prior to** the meeting, please let me know. (기출)

만약 회의에 앞서 질문이 있으시면, 제게 알려주세요.

1312 □□□

wipe out

2017 서울시 7급 외 3회

~을 완전히 없애 버리다, 파괴하다 = destroy, annihilate

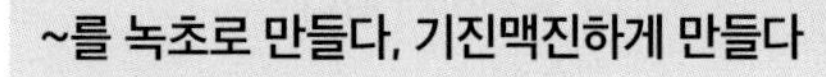
~를 녹초로 만들다, 기진맥진하게 만들다

Vaccines **wiped out** smallpox. (기출변형)

백신들은 천연두를 완전히 없애버렸다.

1313 □□□

make a remark

2018 서울시 7급 외 1회

발언을 하다

He **made a remark** that offended every colleague who heard it.

그는 그 말을 들은 모든 동료들을 불쾌하게 하는 발언을 했다.

1314 □□□

give ~ a ride[lift]

2018 국가직 9급

태워주다

My mother **gave** me **a ride** to college my freshman year. (기출변형)

내가 신입생이 된 해에 어머니는 나를 대학으로 태워주었다.

완성 어휘

1315	gauge	명 측정기
1316	maneuver	동 조작하다, 책략을 짜다
1317	terse	형 간결한
1318	posture	명 자세
1319	craving 🌿	명 갈망, 열망
1320	colloquial	형 구어의
1321	hideous	형 불쾌한, 꺼림칙한
1322	polemic 🌿	명 격론, 논쟁
1323	allusive 🌿	형 암시적인
1324	entangled 🌿	형 얼기설기 얽힌
1325	melancholy 🌿	명 우울감
1326	nobility	명 귀족
1327	autonomic	형 자율적인, 자치의
1328	rivalry 🌿	명 경쟁, 경쟁의식
1329	respectable 🌿	형 존경할 만한
1330	materially	부 실질적으로
1331	worldly	형 세속적인
1332	debunk 🌿	동 틀렸음을 밝히다
1333	kidnap	동 납치하다
1334	stance	명 입장
1335	enshrine	동 소중히 간직하다
1336	ornate	형 화려하게 장식된
1337	galvanize 🌿	동 자극하다, 격려하다
1338	doomy	형 불길한
1339	caustic	형 부식성의, 신랄한
1340	succinct 🌿	형 간단명료한
1341	ludicrous	형 터무니없는
1342	foe	명 적
1343	stringent	형 엄중한
1344	concord	명 화합
1345	equanimity	명 침착, 평정
1346	cautiously	부 조심스럽게
1347	fungus	명 균류, 곰팡이류
1348	revocation	명 폐지, 철회
1349	notification	명 알림, 통고
1350	geography	명 지리학
1351	be doomed to	~하게 마련이다
1352	be to blame for	~에 대한 책임이 있다
1353	at the last minute	임박해서, 마지막 순간에
1354	hang out	어울리다
1355	come into one's own	명예·신용을 얻다
1356	tune in	맞춰 듣다, 귀 기울이다
1357	in defiance of	~에 대항하여
1358	be cut out to be	~의 자질이 있는
1359	off hand	준비 없이, 즉석에서
1360	pull through 🌿	회복하다

🌿 = 어휘 영역 출제

DAY 18

■ 1회독 ■ 2회독 ■ 3회독

DAY18 음성 바로 듣기

최빈출 단어

1361 □□□

criticize

[krítəsàiz]

2023 지방직 9급 외 33회

동 비판하다 = condemn

I was often **criticized** for not sticking with plans. 기출변형

나는 계획을 충실히 따르지 않아서 종종 비판받았다.

↔ **praise** 동 칭찬하다

⊕ **criticism** 명 비판

1362 □□□

proper

[prάpər]

2020 지방직 9급 외 29회

형 적절한, 알맞은 = appropriate, suitable

어원 proper[자기 자신의] = 자기 자신의 것처럼 딱 맞는, 즉 적절한

The general did not allow **proper** medical care to prisoners. 기출변형

그 장군은 수감자들에게 적절한 의료를 허락하지 않았다.

↔ **improper** 형 부적절한, 부적당한

⊕ **properly** 부 제대로, 적절히

1363 □□□

vary

[véri]

2022 국가직, 지방직 9급 외 21회

동 다르다, 달라지다 = differ, fluctuate

동 바꾸다, 변경하다 = change

Beliefs about maintaining ties with those who have died **vary** from culture to culture. 기출

죽은 사람들과의 유대 관계를 유지하는 것에 대한 생각은 문화마다 다르다.

⊕ **variable** 형 변하기 쉬운, 변덕스러운

1364 □□□

crucial

[krú:ʃəl]

2020 법원직 9급 외 21회

형 중대한, 결정적인 = vital

An inventor named James Watt developed **crucial** innovations called steam engines. 기출변형

제임스 와트라는 한 발명가가 증기 기관이라고 불리는 중대한 혁신을 개발해냈다.

1365 □□□

stable

[stéibl]

2020 국회직 8급 외 20회

형 안정된, 안정적인 ▣ secure

어원 sta[서다] + (a)ble[할 수 있는] = 서 있을 수 있게 상태가 안정된

The **stable** economy and strong franc were keys to Switzerland's success as a financial hub. (기출변형)

안정된 경제와 영향력 있는 프랑화는 금융 중심지로서 스위스의 성공 비결이었다.

↔ **insecure** 형 불안정한

⊕ **stabilize** 동 안정시키다

1366 □□□

subtle

[sʌ́tl]

2020 국회직 9급 외 17회

형 미묘한, 감지하기 힘든 ▣ faint, slight

형 (감각이) 예민한, 섬세한 ▣ delicate

어원 sub[아래에] + tle[짜여진] = 다른 것 아래에 무늬가 짜여 있어 알아보기 힘든, 미묘한

Humans have developed special nervous systems that enable recognizing **subtle** expressions. (기출변형)

인간은 미묘한 표정들을 알아볼 수 있는 특별한 신경계를 발달시켰다.

↔ **obvious** 형 분명한, 확실한

1367 □□□

insomnia

[insɑ́:mniə]

2018 국가직 9급 외 15회

명 불면증

The increased number of prescription sleep aids shows how widespread **insomnia** is today. (기출변형)

증가한 수면제 처방 건수는 오늘날 불면증이 얼마나 널리 퍼져있는지 보여준다.

1368 □□□

sensible 

[sénsəbl]

2020 지방직 7급 외 15회

형 분별력 있는, 현명한 ▣ practical, wise

어원 sens[느끼다] + ible[할 수 있는] = 옳고 그름을 느낄 수 있는, 즉 분별력 있는

The athlete wrapped himself in the national flag as a **sensible** response to fan expectations. (기출변형)

그 운동선수는 팬의 기대에 대한 분별력 있는 반응으로서 자신의 몸을 국기로 감쌌다.

↔ **foolish** 형 어리석은

⊕ **sensitive** 형 세심한

1369 □□□

ethnic

[éθnik]

2017 국회직 8급 외 12회

형 민족의, 인종의 ▣ racial, cultural

No matter what **ethnic** group they belong to, all Alaskans have one thing in common. (기출변형)

그들이 어떤 민족 집단에 속하든지 간에, 모든 알래스카 사람들은 한 가지 공통점을 가진다.

⊕ **ethnicity** 명 민족성

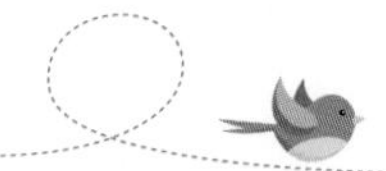

1370 □□□

optimistic 

형 낙관적인 ■ positive, supportive

[ɑ̀:ptəmístik]

2019 국가직 9급 외 11회

Overly **optimistic** expectations about our personal futures are not easily fulfilled. 기출변형

우리 개인의 미래에 대한 지나치게 낙관적인 기대는 쉽게 성취될 수 없다.

↔ **pessimistic** 형 비관적인

⊕ **optimism** 명 낙관주의

1371 □□□

medication

명 약물치료 ■ medicine, drug

[mèdəkéiʃən]

2020 국회직 8급 외 11회

Scientists would be able to control aggressive tendencies through **medication**. 기출변형

과학자들은 약물치료를 통해 공격적인 성향을 조절할 수 있을 것이다.

빈출 단어

1372 □□□

genuine 

형 진정한, 진짜의 ■ authentic

[dʒénjuin]

2019 서울시 7급 외 9회

He was gifted with a **genuine** talent. 기출변형

그는 진정한 재능을 타고났다.

⊕ **ingenuity** 명 기발한 재주, 독창성

1373 □□□

mine

명 광산 ■ quarry

[main]

2018 법원직 9급 외 6회

The steam engines were used in **mines** and factories throughout Britain. 기출변형

증기 기관은 영국 전역의 광산과 공장에서 사용되었다.

1374 □□□

veteran

명 참전 용사

명 전문가 ■ expert

[vétərən]

2019 국회직 8급 외 5회

Veterans of the World War II took advantage of a higher education. 기출변형

제2차 세계대전 참전 용사들은 고등 교육 기관을 이용했다.

↔ **novice** 명 초보자

1375 □□□

duplicate

동 [djú:pləkèit]
명 [djú:plikət]

2019 지방직 7급 외 4회

동 복제하다, 사본을 만들다 ≡ copy

명 사본

어원 du[둘] + plic[접다] + ate[동·접] = 접어서 똑같은 둘을 만들다, 즉 복제하다

The inventors made robots that could **duplicate** the actions of a person or animal. (기출변형)

발명가들은 사람이나 동물의 행동을 복제할 수 있는 로봇을 만들었다.

1376 □□□

prosperous

[práspərəs]

2015 서울시 9급 외 4회

형 성공한, 부유한 ≡ wealthy

어원 pro[앞으로] + sper[희망] + ous[형·접] = 희망차게 앞으로 발전해 나가는, 즉 성공한

Shakespeare became **prosperous** as a writer. (기출변형)

셰익스피어는 작가로서 성공하게 되었다.

↔ **poor** 형 가난한

⊕ **prosperity** 명 번영, 번창

1377 □□□

consecutive 

[kənsékjutiv]

2019 국회직 8급 외 4회

형 연이은, 잇따른 ≡ successive

She had a pain in her stomach for three **consecutive** days. (기출)

그녀는 연이은 3일 동안 배에 통증이 있었다.

↔ **separate** 형 분리된, 따로따로의

1378 □□□

surveillance

[sərvéiləns]

2020 국회직 8급 외 4회

명 감시 ≡ supervision

Some people worry that **surveillance** through cameras is not effective in preventing crimes. (기출변형)

어떤 사람들은 카메라를 통한 감시가 범죄를 예방하는데 효과적이지 않다고 걱정한다.

1379 □□□

playwright

[pleíraìt]

2017 지방직 9급 외 3회

명 극작가 ≡ writer, dramatist

Poets and **playwrights** often write about love and sadness.

시인과 극작가들은 종종 사랑과 슬픔에 대해 글을 쓴다.

= 어휘 영역 출제

1380 □□□

impediment 

명 장애, 장애물 | ≡ obstacle

[impédəmənt]

2019 법원직 9급 외 3회

The celebrations in the street during the World Cup created **impediments** to traffic.

월드컵 기간 동안 거리에서의 축하 행사는 교통 장애를 일으켰다.

↔ **benefit** 명 혜택

⊕ **impede** 동 지연시키다, 방해하다

1381 □□□

downward

형 하향의, 내려가는 | ≡ descending

[dáunwərd]

2019 국회직 9급 외 3회

Generally, gravity is a **downward** force that pulls on everything even birds. (기출변형)

대개 중력은 모든 것을, 심지어 새들도 잡아당기는 하향의 힘이다.

1382 □□□

formulate

동 고안하다, 만들어 내다 | ≡ draw up

동 공식으로 나타내다

[fɔ́:rmjulèit]

2019 국회직 9급 외 2회

어원 form[형태] + ul(a)[명·접] + ate[동·접] = 어떤 형태를 만들다, 고안하다

We must **formulate** clear theories to provide a satisfactory explanation. (기출변형)

우리는 만족스러운 설명을 제공할 수 있도록 분명한 이론을 고안해내야 한다.

⊕ **formulation** 명 공식화

1383 □□□

blueprint

명 청사진, 계획 | ≡ scheme, plan

[blúprìnt]

2016 법원직 9급 외 2회

The architect considered what kind of house his client wanted and integrated it into the **blueprints**. (기출변형)

그 건축가는 고객이 어떤 종류의 집을 원할지 생각했고, 그것을 청사진에 집약했다.

1384 □□□

vertical

형 수직의, 세로의 | ≡ upright

[və́:rtikəl]

2011 법원직 9급 외 2회

There was a **vertical** stack of books on the desk that reached eye level.

책상 위에는 눈높이에 도달한 책들이 수직으로 쌓여 있었다.

↔ **horizontal** 형 수평의, 가로의

⊕ **vertically** 부 수직으로

1385 □□□

cosmic

[kázmik]

2017 사회복지직 9급 외 1회

형 우주의 | ≡ extraterrestrial

Cosmic dust is important in the formation of stars.
우주 먼지는 별의 형성에 아주 중요하다.

⊕ cosmos 명 우주

1386 □□□

generalize

[dʒénərəlàiz]

2017 지방직 9급 외 1회

동 일반화하다

어원 gener[종류] + al[형·접] + ize[동·접] = 종류 전체에 걸쳐 일반화하다

Some of us tend to **generalize** the characteristics of foreign people.
우리 중 몇몇은 외국인의 특징을 일반화하는 경향이 있다.

⊕ generally 부 일반적으로

1387 □□□

replenish 

[ripléniʃ]

2014 사회복지직 9급 외 1회

동 보충하다, 다시 채우다 | ≡ refill, refresh

Blood reserves constantly need to be **replenished.** (기출변형)
예비 혈액들은 끊임없이 보충되어야 한다.

1388 □□□

postulation 

[pàstʃəléiʃən]

2015 국회직 8급

명 전제 조건, 가정 | ≡ assumption

The psychologist's **postulation** was that stressed people seek escape.
심리학자의 전제 조건은 스트레스를 받은 사람들은 탈출을 꾀한다는 것이었다.

빈출 숙어

1389 □□□

in terms of 

2022 지방직 9급 외 32회

~의 측면에서 | ≡ with respect to

The United States and countries in Europe differ **in terms of** limits on government. (기출변형)
미국과 유럽의 국가들은 정부에 대한 규제 측면에서 다르다.

1390 □□□

go through

2019 법원직 9급 외 21회

(과정·절차 등을) 거치다, 겪다 | ≡ undergo

면밀히 살피다

Every forensic case **goes through** various phases, from analysis to restoration. (기출변형)
모든 과학수사 사건은 분석부터 복원까지 다양한 단계를 거친다.

= 어휘 영역 출제

1391 □□□

on the contrary

반대로 ▣ however

2020 법원직 9급 외 15회

On the contrary, minivan buyers tend to be more involved with family and friends. (기출변형)

반대로, 미니밴 구매자들은 가족이나 친구들과 더 많이 관계를 맺는 경향이 있다.

1392 □□□

pay attention to

~에 관심을 기울이다 ▣ look after

2018 법원직 9급 외 6회

Educators should **pay** more **attention to** children with learning problems. (기출변형)

교육자들은 학습 문제가 있는 아이들에게 더 많은 관심을 기울여야 한다.

1393 □□□

out of the question

불가능한, 가당치 않은 ▣ absurd

2018 지방직 9급 외 5회

Due to the recent economic crisis, increasing the defense budget appeared **out of the question**. (기출변형)

최근의 경제 위기 때문에, 방위 예산을 늘리는 것은 불가능할 것으로 보였다.

1394 □□□

in a row

연달아 ▣ consecutively

2015 국가직 9급 외 3회

He has been late for the class three days **in a row**. (기출)

그는 사흘간 연달아 수업에 늦었다.

완성 어휘

1395	margin	명 여백
1396	testify	동 증언하다, 증명하다
1397	problematic	형 문제가 있는
1398	baffle	동 당황하게 만들다
1399	veto	명 거부권
1400	composing	형 진정시키는
1401	pastime	명 취미
1402	mourn	동 애도하다
1403	lust	명 욕망
1404	whim	명 (일시적인) 기분, 변덕
1405	outperform	동 능가하다
1406	averse	형 싫어하는
1407	watchful	형 경계하는
1408	devilish	형 사악한, 악마 같은
1409	seasonally	부 계절 따라, 정기적으로
1410	extraterrestrial	형 외계의; 명 외계인
1411	emblem	명 상징, 표상
1412	enterprising	형 진취력이 있는
1413	oscillate	동 진동하다
1414	unnerve	동 불안하게 만들다
1415	endemic	형 고유의, 고질적인
1416	lineage	명 혈통
1417	cryptically	부 은밀히, 애매하게
1418	corrosive	형 부식을 일으키는
1419	capricious	형 변덕스러운
1420	timed	형 시기적절한
1421	dilapidated	형 다 허물어져 가는
1422	monopoly	명 독점, 전매
1423	staffer	명 직원
1424	composite	형 합성의
1425	coloration	명 착색, 천연색
1426	autocratic	형 독재의, 독재적인
1427	dishonesty	명 부정직, 불성실
1428	bother with	~으로 걱정하게 하다
1429	reflect on	깊이 생각하다
1430	rack one's brain	머리를 짜내서 생각하다
1431	run off	달아나다, 피하다
1432	take after	~를 닮다
1433	wrap up	(합의·회의 등을) 마무리 짓다
1434	get back on	~로 돌아오다
1435	in the wake of	~에 뒤이어
1436	pull over	(차를) 길가에 대다
1437	hinge on	~에 달려있다
1438	have[take] pity on	~을 가엾게 여기다
1439	under no circumstances	어떠한 경우에도
1440	between the lines	넌지시, 암시적으로

= 어휘 영역 출제

DAY 19

■ 1회독 ■ 2회독 ■ 3회독

DAY19 음성 바로 듣기

최빈출 단어

1441 □□□

specific [spisífik]

2020 법원직 9급 외 51회

형 특정한, 특별한 = particular

형 구체적인, 명확한 = precise, definite

Skin color is unrelated to **specific** qualities of the mind. 기출변형

피부색은 정신의 특정한 자질들과 관계가 없다.

⊕ **specifically** 부 구체적으로

1442 □□□

application [æpləkéiʃən]

2020 지방직 9급 외 24회

명 지원, 지원서

명 사용, 적용 = implementation

The professor urged his students to apply for the job because the **application** deadline was near. 기출변형

그 교수는 지원 마감일이 가까웠기 때문에 그의 학생들에게 그 일자리에 지원할 것을 재촉했다.

⊕ **applicant** 명 지원자

1443 □□□

dependent  [dipéndənt]

2020 법원직 9급 외 16회

형 ~에 달려 있는 = based

형 의존하는, 종속된 = subject to

어원 de[아래로] + pend[매달다] + ent[형·접] = 상대의 아래에 매달려 의존하는

These days, many people find themselves too **dependent** on digital devices. 기출변형

오늘날, 많은 사람들이 그들 스스로가 디지털 기기에 너무 의존한다는 것을 깨닫는다.

⊕ **dependence** 명 의존, 의지

1444 □□□

convert

[kənvə́:rt]

2019 지방직 9급 외 13회

동 **개조하다, 변환하다** ≡ change, transform

동 **전용하다, 유용하다**

She **converted** the basement into a ceramic studio. (기출변형)
그녀는 지하를 도자기 공방으로 개조했다.

⊕ **conversion** 명 전환, 개조

1445 □□□

preference

[préfərəns]

2019 서울시 7급 외 13회

명 **선호, 애호** ≡ liking, taste

Major brand marketers spend huge amounts on advertising to build customer **preferences.** (기출변형)
일류 브랜드의 마케팅 담당자들은 고객 선호를 구축하기 위해 광고에 많은 돈을 쓴다.

⊕ **prefer** 동 선호하다

1446 □□□

competent

[kɑ́:mpətənt]

2020 국회직 8급 외 13회

형 **유능한, 능력 있는** ≡ skilled, capable

What matters most to organizations is having **competent** managers. (기출)
대다수의 기관에서 가장 중요한 것은 유능한 관리자를 두는 것이다.

↔ **incompetent** 형 무능한

⊕ **competence** 명 유능함

1447 □□□

arrangement

[əréindʒmənt]

2019 국회직 9급 외 13회

명 **배치, 구성** ≡ disposition, display

명 **협정, 협의** ≡ agreement

명 **준비, 마련** ≡ preparations

어원 ar[~쪽으로(ad)] + rang(e)[줄] + ment[명·접] = 한 쪽으로 줄을 세워 정리하는 것, 즉 배치

Playhouses in Shakespeare's day differed from today's theater with regard to seating **arrangements.** (기출변형)
셰익스피어 시대의 극장은 오늘날의 극장과 좌석 배치 측면에서 달랐다.

⊕ **arrange** 동 조정하다, 정돈하다, 준비하다

1448 □□□

acquire

[əkwáiər]

2021 국가직 9급 외 12회

동 얻다, 획득하다, 습득하다 | ≡ obtain, get

어원 ac[~쪽으로(ad)] + quir(e)[구하다] = 구하는 것 쪽으로 가서 그것을 얻다, 습득하다

Many people dream of **acquiring** wealth. (기출변형)

많은 사람들은 부를 얻는 것을 꿈꾼다.

↔ **lose** 동 잃다, 지다

⊕ **acquisition** 명 습득, 인수

1449 □□□

devise

[diváiz]

2020 국회직 8급 외 11회

동 고안하다, 생각해 내다 | ≡ conceive

어원 de[떨어져] + vis(e)[나누다(vid)] = 떨어뜨려서 여러 번에 나누어 궁리한 결과 어떤 것을 고안하다

The school **devised** a solution for the lack of digital learning tools. (기출변형)

그 학교는 디지털 학습 도구 부족에 대한 해결책을 고안해냈다.

1450 □□□

curb

[kə:rb]

2020 국가직 9급 외 10회

동 억제하다, 제한하다 | ≡ restrain, hinder

Parents should **curb** their children's use of smartphones. (기출변형)

부모들은 그들의 자녀들의 스마트폰 사용을 억제해야 한다.

빈출 단어

1451 □□□

modification

[mὰ:dəfikéiʃən]

2022 서울시 9급 외 8회

명 수정, 변경 | ≡ alteration

어원 mod[기준] + ifi(c)[동·접] + ation[명·접] = 기준에 맞게 수정함

"Genome editing" is another term for the cell **modification** process. (기출변형)

유전자 편집은 세포 수정 과정의 또 다른 용어이다.

⊕ **modified** 형 수정된

1452 □□□

vicious

[víʃəs]

2019 법원직 9급 외 7회

형 악랄한, 타락한 | ≡ malicious, mean

Vicious crimes can cause anxiety among citizens. (기출변형)

악랄한 범죄는 시민들 사이에 불안감을 유발한다.

↔ **benevolent** 형 자애로운, 친절한

1453 □□□

rescue

[réskjuː]

2020 국회직 9급 외 7회

명 구출, 구조 — ⊜ salvage

동 구조하다, 구하다 — ⊜ save

Rescue workers put their lives and health in harm's way. (기출)

구조대원들은 위험을 무릅쓰고 자신의 목숨과 건강을 바쳤다.

↔ **endanger** 동 위험에 빠뜨리다

1454 □□□

coverage

[kʌ́vəridʒ]

2018 지방직 7급 외 6회

명 보도, 취재 — ⊜ reporting

9/11 had enormous **coverage** for years. (기출변형)

9/11은 수년간 엄청나게 보도되었다.

1455 □□□

fist

[fist]

2020 국회직 9급 외 6회

명 주먹

He hit the table with his **fist** in anger.

그는 화를 내며 주먹으로 탁자를 내리쳤다.

1456 □□□

racism

[réisizm]

2019 국회직 8급 외 5회

명 인종 차별주의 — ⊜ bias, chauvinism

어원 race[인종, 민족] + ism[명·접] = 인종 차별(주의), 민족 우월 의식

The prevailing attitude sometimes leads to **racism**. (기출변형)

지배적인 태도는 때때로 인종 차별주의로 이어진다.

⊕ **racial** 형 인종의, 민족 간의

1457 □□□

popularize

[pɑ́ːpjulərὰiz]

2019 서울시 7급 외 4회

동 대중화하다 — ⊜ make popular

With his book, the author **popularized** American literature. (기출변형)

그의 책을 통해, 그 작가는 미국 문학을 대중화했다.

⊕ **popularization** 명 통속화, 대중화

1458 □□□

radiant

[réidiənt]

2016 국가직 7급 외 4회

형 밝은, 빛나는 — ⊜ brilliant, glowing

The summer sunrise cast **radiant** light across the fields.

여름 일출은 들판을 가로질러 밝은 빛을 드리웠다.

1459 □□□

proclaim 

동 선언하다 | = announce, declare

[proukléim]

2016 국회직 8급 외 4회

어원 pro[앞에] + claim[외치다] = 사람들 앞에서 외쳐 선언하다

"Without music, life would be a mistake," Nietzsche **proclaimed.** (기출변형)

"음악이 없다면 인생은 실수일 것이다,"라고 니체가 선언했다.

1460 □□□

resilience 

명 회복력, 탄력성 | = flexibility

[rizíljəns]

2023 국회직 9급 외 3회

The human spirit has enormous **resilience** in the face of hardships. (기출변형)

인간의 정신은 고난에 직면하더라도 엄청난 회복력을 가지고 있다.

⊕ **resiliency** 명 탄성

1461 □□□

emigrate

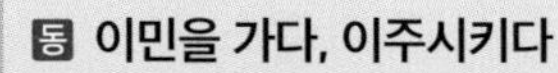

동 이민을 가다, 이주시키다 | = migrate, relocate

[émigrèit]

2019 지방직 9급 외 3회

어원 e[밖으로(ex)] + migr[이동하다] + ate[동·접] = 나라 밖으로 이동해서 이민 가다

He received little schooling before **emigrating** from America. (기출변형)

그는 미국으로부터 이민을 가기 전에 교육을 거의 받지 못했다.

1462 □□□

procure 

동 구하다, 확보하다 | = obtain, acquire

[proukjúər]

2019 국회직 9급 외 3회

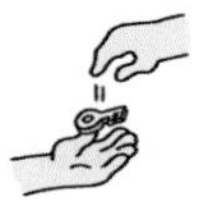

It was difficult for construction companies to **procure** raw materials. (기출변형)

건설회사들이 원자재를 구하는 것은 어려웠다.

↔ **lose** 동 잃다

⊕ **procurement** 명 입수, 조달

1463 □□□

maritime

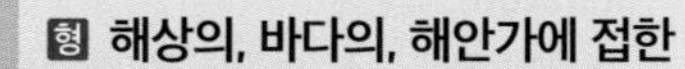

형 해상의, 바다의, 해안가에 접한 | = nautical, marine

[mǽrətàim]

2017 서울시 9급 외 3회

Maritime law ensures that shipping and other businesses follow rules on the oceans.

해상법은 선박과 다른 사업체들이 바다에서 규칙을 따르도록 보장한다.

1464 □□□

inward

형 내면의, 마음속의 | = internal, inner

부 속으로, 안쪽에

[ínwərd]

2014 서울시 9급 외 2회

He meditates everyday to find **inward** peace.

그는 내면의 평화를 찾기 위해 매일 명상한다.

↔ **outward** 형 밖으로 향하는

1465 □□□

prolific

[prəlífik]

2016 서울시 9급 외 2회

형 다작의, 다산의, 열매를 많이 맺는 = fruitful

형 ~이 풍부한 = copious

The most **prolific** writer in the world wrote nearly 1,200 books.

세계에서 가장 다작한 작가는 거의 1,200권의 책을 썼다.

1466 □□□

verse

[vəːrs]

2014 서울시 9급 외 2회

명 연, 절, 운문

The poem was broken into several **verses**, each with its own theme.

그 시는 각각 주제가 있는 여러 연으로 나뉘었다.

1467 □□□

sanitary 

[sǽnətèri]

2020 지방직 9급

형 위생적인, 위생의, 깨끗한 = clean

Food inspectors make sure that commercial kitchens remain **sanitary**.

식품 조사관들은 상업용 주방들이 위생적으로 유지되도록 한다.

+ **sanitation** 명 위생 시설

1468 □□□

prodigal 

[prɑ́ːdigəl]

2016 서울시 9급

형 사치스러운, 호탕한 = lavish

형 ~이 아주 많은, 풍부한 = profuse

He was born to a wealthy family in New York and enjoyed a **prodigal** life. (기출변형)

그는 뉴욕의 부유한 가족에게서 태어났고 사치스러운 삶을 누렸다.

↔ **thrifty** 형 절약하는

빈출 숙어

1469 □□□

turn out

2020 국회직 9급 외 31회

~인 것으로 드러나다 = came off

After an inspection of the broken computer, the cause **turned out** to be a virus. (기출변형)

그 고장 난 컴퓨터에 대한 점검 후에, 원인은 바이러스인 것으로 드러났다.

1470 □□□

play a role (in) 역할을 하다, 한몫을 하다

2017 지방직 7급 외 4회

A country's wealth **plays a** central **role in** education. 기출변형

한 나라의 부는 교육에서 중심적인 역할을 한다.

1471 □□□

look into 조사하다, 자세히 살피다 ≡ examine

2020 법원직 9급 외 3회

If you provide me with evidence, I will **look into** it immediately. 기출변형

당신이 증거를 제공하면, 내가 그것을 즉시 조사할 것이다.

1472 □□□

come into existence 생기다, 나타나다 ≡ appear

2016 법원직 9급 외 2회

The euro **came into existence** in 2002. 기출변형

유로화는 2002년에 생겼다.

1473 □□□

lay over 경유하다, 머무르다 ≡ stop over

연기하다, 미루다

2018 서울시 9급 외 2회

The flight **laid over** in Chicago, and then flew to New York.

그 비행편은 시카고에서 경유해 뉴욕으로 향했다.

1474 □□□

wear out 마모되다, (낡아서) 떨어지다

2021 국가직 9급 외 1회

Taste buds **wear out** every week to ten days, and we replace them, although not as frequently over the age of forty-five. 기출

미뢰는 일주일에서 10일마다 마모되고, 비록 45세가 넘으면 이렇게 자주는 아니지만, 우리는 그것들을 교체한다.

완성 어휘

1475	salient	형 두드러진, 중요한
1476	theatrical	형 연극의, 과장된
1477	foreshadow	동 전조가 되다, 조짐을 보이다
1478	comply	동 준수하다
1479	grimace	동 얼굴을 찡그리다
1480	ravenous	형 게걸스러운, 엄청난
1481	amenable	형 순종하는
1482	enjoin	동 (~을 하도록) 명하다
1483	mirthful	형 유쾌한, 명랑한
1484	senator	명 상원 의원
1485	parsimony	명 인색함
1486	accredited	형 승인받은, 공인된
1487	drizzle	동 이슬비가 내리다
1488	kinfolk	명 친척, 친족
1489	beset	동 괴롭히다
1490	hypnosis	명 최면
1491	squad	명 (같은 일을 하는) 대, 조, 반
1492	subliminal	형 잠재의식의
1493	exhaustive	형 완전한, 철저한
1494	outsourcing	명 외주 제작, 외부 위탁
1495	erroneously	부 잘못되게
1496	logistical	형 수송의, 병참의
1497	tilt	동 기울어지다; 명 기울기
1498	crackdown	명 엄중 단속, 탄압
1499	inadvertent	형 부주의한, 소홀한
1500	irretrievable	형 돌이킬 수 없는
1501	blandness	명 맛이 없음, 무미건조함
1502	ancillary	형 보조적인, 부수적인
1503	constrict	동 수축되다, 위축시키다
1504	gallantry	명 용맹, 무용
1505	oath	명 맹세, 서약
1506	day-to-day	형 일상의, 나날의
1507	up-to-the-minute	형 최첨단의
1508	back down on	철회하다, 패배를 인정하다
1509	black sheep	골칫덩이, 말썽꾼
1510	be accused of	~으로 비난받다, 피소되다
1511	come forward	나서다
1512	scratch off	~에서 지우다
1513	throw off	떨쳐 버리다
1514	slip off	벗겨지다
1515	in (a) ~ fashion	~한 방식으로
1516	push aside	옆으로 밀쳐내다
1517	date from	~부터 시작되다
1518	take a nap	낮잠을 자다
1519	no sooner	~하자마자
1520	in common	공동으로, 공통으로

= 어휘 영역 출제

DAY 20

■ 1회독 ■ 2회독 ■ 3회독

DAY20 음성 바로 듣기

최빈출 단어

1521 □□□

diversity

[divə́:rsəti]

2020 국가직 9급 외 22회

명 다양성, 포괄성 　 = variety

어원 di[떨어져(dis)] + vers(e)[돌리다] + ity[명·접] = 떨어뜨려 돌려서 방향이 다양함, 즉 다양성

There is enormous **diversity** among the languages of humans. (기출변형)

인간의 언어 사이에는 거대한 다양성이 있다.

⊕ **biodiversity** 명 생물 다양성

1522 □□□

sequence

[sí:kwəns]

2020 국회직 8급 외 21회

명 순서, 차례, 서열 　 = order, course

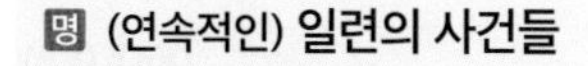

명 (연속적인) 일련의 사건들 　 = series

어원 sequ[따라가다] + ence[명·접] = 앞의 것을 따라가면서 나타나는 순서

Read the numbers out loud and memorize that **sequence**. (기출변형)

그 숫자들을 소리 내어 읽고 그 순서를 외워라.

⊕ **consequence** 명 결과

1523 □□□

excessive

[iksésiv]

2019 법원직 9급 외 18회

형 과도한, 지나친 　 = inordinate

어원 ex[밖으로] + ce(ed)[가다] + (s)ive[형·접] = 정해진 범위 밖으로 가서 그것을 넘은, 과도한

Excessive hunting is the main cause of decline in the seal population. (기출변형)

과도한 사냥이 물개의 개체 수 감소의 주요한 원인이다.

⊕ **excessively** 부 과도하게, 지나치게

1524 □□□

harsh

[hɑ:rʃ]

2020 국가직 9급 외 16회

형 거친, 가혹한 　 = cruel, severe

The seeds of most plants survive **harsh** weather. (기출변형)

대부분의 식물 씨앗들은 거친 날씨에서도 살아남는다.

⊕ **harshly** 부 엄격히, 엄하게

1525 □□□

transport

명 [trǽnspɔ:rt]
동 [trænspɔ́:rt]

2020 국회직 8급 외 15회

명 **수송, 운송** = delivery

동 **수송하다, 운반하다** = convey

어원 trans[가로질러] + port[운반하다] = 바다 등을 가로질러 다른 지역으로 운반하다

The cotton industry has boomed, thanks to strong rail **transport**. 기출변형

면직물 산업은 강력한 열차 수송 덕분에 번창했다.

⊕ **transportation** 명 운송, 운송 수단

1526 □□□

multiple

[mʌ́ltəpl]

2020 국회직 9급 외 15회

형 **많은, 다수의, 다양한** = many, various

명 **배수**

Before the invention of printing, **multiple** copies of a manuscript were made by hand. 기출변형

인쇄술이 발명되기 전에는, 많은 원고의 복사본이 손으로 만들어졌다.

↔ **sole** 형 유일한, 단 하나의

1527 □□□

formal 

[fɔ́:rməl]

2020 국회직 9급 외 13회

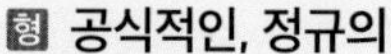

형 **공식적인, 정규의** = official

An election is a **formal** decision-making process for selecting a candidate for a public office. 기출변형

선거는 공직을 위한 후보자를 선택하는 공식적인 의사 결정 과정이다.

↔ **informal** 형 비공식적인, 격식에 얽매이지 않는

⊕ **formalize** 동 형식을 갖추다, 공식화하다

1528 □□□

myth

[miθ]

2020 지방직 7급 외 12회

명 **신화** = legend, tale

Myths express the deepest beliefs of a culture. 기출변형

신화는 한 문화의 가장 뿌리 깊은 신념을 표현한다.

⊕ **mythology** 명 신화, 근거 없는 믿음

1529 □□□

given

[gívən]

2020 국회직 8급 외 12회

형 **특정한, (이미) 정해진** = particular

전 **~을 고려해 볼 때** = in light of

Many of the emotional moments people experience on a **given** day are roused by smell. 기출변형

사람들이 특정한 날에 경험한 많은 감정적인 순간들은 냄새에 의해 유발된다.

= 어휘 영역 출제

1530 □□□

nurture

[nə́:rtʃər]

2018 국회직 8급 외 10회

동 키우다, 양육하다 = bring up, care for

명 양육, 육성 = upbringing

어원 nur(t)[돌보다] + ure[명·접] = 돌보아서 자라게 양육하다

Harp seal pups are **nurtured** in this sanctuary to protect them from the harsh wildness. (기출변형)

새끼 하프 바다표범들은 혹독한 야생으로부터 보호받기 위해 이 보호구역에서 키워진다.

↔ **neglect** 동 방치하다, 소홀하다, 무시하다

빈출 단어

1531 □□□

consent 

[kənsént]

2023 지방직 9급 외 9회

명 동의, 합의, 인가 = agreement, assent

동 동의하다, 인가하다, 허락하다 = agree, permit

The doctors asked the patient to give **consent** for the surgery. (기출변형)

의사들은 그 환자에게 수술을 위한 동의를 하도록 요청했다.

⊕ **consensus** 명 의견 일치, 합의

1532 □□□

prerequisite

[prirékwəzət]

2020 국가직 9급 외 9회

명 필요조건, 전제 조건 = requirement

Facts are a **prerequisite** of science. (기출변형)

사실은 과학의 필요조건이다.

⊕ **requisite** 형 (어떤 목적에) 필요한

1533 □□□

loyalty

[lɔ́iəlti]

2019 국회직 8급 외 8회

명 충성심, 충실 = allegiance

어원 loy[법] + al[형·접] + ty[명·접] = 정해진 법을 잘 지키는, 즉 충실함

She proved her **loyalty** to her employer by rejecting another company's job offer. (기출변형)

그녀는 다른 회사의 일자리 제안을 거절함으로써 자신의 고용주에 대한 충성심을 증명했다.

⊕ **disloyalty** 명 불성실

1534 □□□

prospect 

[práspekt, prɔ́spekt]

2020 국회직 9급 외 7회

명 가능성, 가망 | = possibility

동 탐사하다 | = search

어원 pro[앞에] + spect[보다(spec)] = 앞을 내다봄, 즉 가능성

Inequalities in English education could lead to differences in job **prospects**. (기출변형)

영어 교육의 불균형이 취업 가능성의 차이로 이어질 수도 있다.

+ **prospective** 형 장래의

1535 □□□

superficial

[sù:pərfíʃəl]

2018 법원직 9급 외 7회

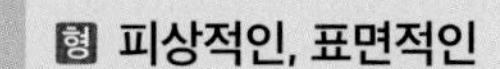

형 피상적인, 표면적인 | = shallow

The students have only a **superficial** exposure to foreign languages. (기출변형)

학생들은 외국어에 대해 피상적인 노출만 겪는다.

↔ **deep** 형 깊은

+ **superficiality** 명 피상성

1536 □□□

absurd 

[æbsə́:rd]

2016 지방직 7급 외 7회

형 터무니없는, 부조리한 | = preposterous

어원 ab[떨어져] + surd[안 들리는] = 상식에서 떨어져 있어 그것이 안 들리는 듯 터무니없는

His marketing ideas can be **absurd**, but they sometimes work.

그의 마케팅 아이디어들은 터무니없을 수도 있지만, 그것들이 때로는 효과가 있다.

↔ **reasonable** 형 타당한, 사리에 맞는

+ **absurdly** 부 터무니없이, 우스꽝스럽게

1537 □□□

glacier

[gléiʃər]

2016 지방직 9급 외 7회

명 빙하

The heat melts **glaciers** and sea ice. (기출변형)

열기는 빙하와 빙해를 녹인다.

1538 □□□

haunt

[hɔ:nt]

2019 지방직 9급 외 5회

동 괴롭히다, 계속 떠오르다 | = torment, disturb

동 출몰하다, 나타나다

The idea **haunted** me day and night. (기출변형)

그 생각은 밤낮으로 나를 괴롭혔다.

= 어휘 영역 출제

1539 □□□

warrior

[wɔ́:riər]

2020 지방직 9급 외 4회

명 전사 　　= soldier

The Spartans of ancient Greece were well-trained **warriors.**

고대 그리스의 스파르타 사람들은 잘 훈련된 전사들이었다.

1540 □□□

prosecutor

[prɑ́:sikjù:tər]

2018 법원직 9급 외 4회

명 검찰관, 기소자

어원 pro[앞에] + secut(e)[따라가다] + or[명·접(사람)] = 앞에 있는 범죄자를 따라가며 죄를 고발하는 사람, 즉 기소자

Prosecutors worked hard to prove the illegal actions of the CEO. 기출변형

검찰관들은 그 최고 경영자의 불법 행위들을 증명하기 위해 노력했다.

⊕ **prosecute** 동 기소하다

1541 □□□

imperative 

[impérətiv]

2018 서울시 9급 외 3회

형 필수적인, 아주 중요한 　　= vital, crucial

형 명령조의, 단호한

Honesty is an **imperative** trait for good leaders.

정직은 좋은 지도자들에게 필수적인 특성이다.

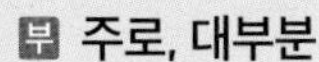

↔ **unimportant** 형 중요하지 않은, 하찮은

1542 □□□

predominantly

[pridɑ́:mənəntli]

2016 사회복지직 9급 외 3회

부 주로, 대부분 　　= mainly, mostly

The nation's capital city is **predominantly** populated by people from neighboring countries. 기출변형

그 나라의 수도는 주로 인접 국가의 사람들에 의해 거주된다.

1543 □□□

applaud

[əplɔ́:d]

2018 서울시 9급 외 3회

동 박수갈채를 보내다 　　= clap

어원 ap[~에(ad)] + plaud[박수 치다] = 누군가에게 박수를 치며 갈채를 보내다, 칭찬하다

After the performance, the audience **applauded.** 기출변형

연주가 끝나고, 관중들은 박수갈채를 보냈다.

1544 □□□

gratitude 

[grǽtətjù:d]

2018 서울시 7급 외 3회

명 감사, 고마움 　　= appreciation

어원 grat(i)[감사하는] + tude[명·접] = 감사함, 고마움

She expressed **gratitude** for her parents' offer to tour Europe. 기출변형

그녀는 부모님이 유럽을 관광하는 것을 제안한 것에 대해 감사를 표현했다.

⊕ **gratified** 형 만족한, 기쁜

1545 □□□

candid

[kǽndid]

2020 국가직 9급 외 2회

형 솔직한, 숨김없는 | ⊟ frank, forthright

형 공평한, 편견 없는

Candid customer reviews are available on our website. (기출변형)

우리 웹사이트에서 솔직한 고객 후기를 볼 수 있다.

↔ **secretive** 형 비밀스러운

1546 □□□

unfold

[ʌnfóuld]

2020 지방직 7급 외 2회

동 펼치다, 펴다 | ⊟ open

동 (생각을) 밝히다, 나타내다 | ⊟ reveal

She **unfolded** the note and read what was written on it.

그녀는 노트를 펼쳐 쓰여져 있는 것을 읽었다.

1547 □□□

weave

[wiːv]

2018 국회직 8급 외 2회

동 엮다, 짜다 | ⊟ knit, intertwine

The "Flying Shuttle" enabled cloth to be **woven** faster than before. (기출변형)

'플라잉 셔틀'은 옷을 전보다 빠르게 엮을 수 있게 했다.

1548 □□□

proficient

[prəfíʃənt]

2015 법원직 9급 외 1회

형 능숙한 | ⊟ skillful

어원 pro[앞으로] + fic(i)[만들다] + ent[형] = 빠르게 만들며 앞으로 나갈 수 있는, 즉 능숙한

Proficient readers can make predictions while reading. (기출변형)

능숙한 독자들은 책을 읽으면서 예측을 할 수 있다.

↔ **incompetent** 형 무능한

⊕ **proficiency** 명 숙달, 능숙

빈출 숙어

1549 □□□

used to

2020 지방직 9급 외 108회

~하곤 했다 | ⊟ once

He **used to** work in the mental health care field. (기출)

그는 정신 건강 관리 분야에서 일하곤 했다.

1550 □□□

point out

지적하다, 가리키다

2020 법원직 9급 외 17회

There are additional studies that **point out** the need to stop bullying. 기출변형

따돌림을 멈춰야 할 필요성을 지적하는 추가적인 연구가 있다.

1551 □□□

as though

마치 ~인 것처럼 | = as if

2020 지방직 7급 외 13회

Some animals play with their food **as though** it were a living animal. 기출변형

몇몇 동물은 그들의 먹이를 마치 그것이 살아있는 동물인 것처럼 갖고 논다.

1552 □□□

look to

~을 생각해보다, ~에 주의하다 | = give attention to

돌보다, 보살피다 | = attend to

2017 서울시 9급 외 5회

Despite the serious problems we face today, we must **look to** the future.

오늘날 우리가 직면하고 있는 심각한 문제들에도 불구하고, 우리는 미래를 생각해 봐야 한다.

1553 □□□

make out

알아보다, 분간하다 | = recognize

증명하다

2013 서울시 7급 외 5회

I can't **make out** who is standing over there. 기출변형

나는 저기에 서 있는 사람이 누구인지 알아볼 수 없다.

1554 □□□

at hand

당면한, 머지않은 | = upcoming

2018 국회직 8급 외 4회

Judges work toward their goal, the fairest solution for the problem **at hand**. 기출변형

판사는 당면한 문제에 대한 가장 공정한 해결책이라는 목표를 향해 일한다.

완성 어휘

1555	Fahrenheit	형 화씨의; 명 화씨
1556	resurgence	명 부활, 재기
1557	theorist	명 이론가
1558	impertinent	형 무례한, 관계없는
1559	recessive	형 열성의, 퇴행의
1560	amiable	형 상냥한, 다정한
1561	sanitize	동 위생 처리하다
1562	condiment	명 양념, 조미료
1563	etch	동 선명히 그리다, 새기다
1564	onshore	형 육지의
1565	forecaster	명 기상 예보관
1566	bejeweled	형 보석으로 장식한
1567	misconception	명 오해, 오인
1568	acquaintance	명 지인, 친분
1569	cowardly	형 비겁한; 부 비겁하게
1570	kinship	명 친족 관계, 유사성
1571	selfishness	명 이기적임, 제멋대로임
1572	futuristic	형 초현대적인, 미래의
1573	suspend	동 매달다, 걸다, 보류하다
1574	fanatic	명 광신자
1575	venture	명 모험; 동 과감히 해보다
1576	velocity	명 속도
1577	gnarled	형 울퉁불퉁하고 비틀린
1578	magnanimous	형 너그러운
1579	flush	동 상기되다; 명 홍조
1580	consequential	형 중대한, ~에 따른
1581	invigorating	형 상쾌한, 격려하는
1582	perennial	형 계속 반복되는
1583	disband	동 해체하다, 해산하다
1584	covet	동 탐내다, 갈망하다
1585	summon	동 소환하다, 소집하다
1586	glucose	명 포도당
1587	opaque	형 불투명한, 불분명한
1588	scanty	형 얼마 안 되는, 빈약한
1589	in place	가동 준비가 된
1590	be assigned to	~에게 할당되다
1591	walk out	작업을 중단하다
1592	spell out	자세히 설명하다, 판독하다
1593	hang about with	~와 자주 어울리다
1594	in general terms	대체적으로
1595	have in mind	염두에 두다, 계획하다
1596	aside from	~ 이외에
1597	take by surprise	~를 깜짝 놀라게 하다
1598	be sensitive to	~에 민감한, (계절 등을) 타다
1599	speak up	강력히 변호하다
1600	be up to one's eyes in	~에 몰두하다

= 어휘 영역 출제

Review Test DAY 16-20

1. 각 어휘의 알맞은 뜻을 찾아 연결하세요.

01. plunge •	• ⓐ 중대한, 결정적인
02. plucky •	• ⓑ 대담한, 용기 있는
03. premise •	• ⓒ (어떤 상황에) 몰아넣다; 급락하다
04. polemic •	• ⓓ 감사, 고마움
05. sensible •	• ⓔ 억제하다, 제한하다
06. crucial •	• ⓕ 탐내다, 갈망하다
07. curb •	• ⓖ 사치스러운; ~이 아주 많은
08. prodigal •	• ⓗ 격론, 논쟁
09. gratitude •	• ⓘ 분별력 있는, 현명한
10. covet •	• ⓙ 전제, 가정

2. 다음 영단어의 뜻을 우리말로 쓰세요.

01. provocative ______________

02. turn to ______________

03. vertical ______________

04. persistent ______________

05. dispatch ______________

06. foreshadow ______________

07. benevolent ______________

08. signify ______________

09. craving ______________

10. impediment ______________

11. replenish ______________

12. procure ______________

13. salient ______________

14. coverage ______________

15. consecutive ______________

16. lay over ______________

17. back down on ______________

18. resurgence ______________

19. proficient ______________

20. make out ______________

3. 다음 빈칸에 들어갈 말로 가장 적절한 것은?

> An outgoing personality and an ability to communicate with people are __________ for a good leader.

① delicate ② presumptuous ③ vicious ④ imperative

4. 다음 밑줄 친 부분과 의미가 가장 가까운 것은?

> The latest tablet was recalled due to a recurrent problem with its screen.

① prolific ② mirthful ③ amiable ④ repeated

5. 다음 밑줄 친 단어의 의미와 가장 가까운 것은?

> Prime Minister Jenkins held a press conference to proclaim that Earth Day would now be a national holiday.

① declare ② nurture ③ grant ④ haunt

정답

1. **01.** ⓒ **02.** ⓑ **03.** ⓙ **04.** ⓗ **05.** ⓘ **06.** ⓐ **07.** ⓔ **08.** ⓖ **09.** ⓓ **10.** ⓕ

2. **01.** 도발적인, 화를 돋우는 **02.** ~에 의지하다 **03.** 수직의, 세로의 **04.** 지속적인; 끈질긴 **05.** 파견하다; 파견 **06.** 전조가 되다, 조짐을 보이다 **07.** 자비로운, 친절한 **08.** 의미하다, 뜻하다 **09.** 갈망, 열망 **10.** 장애, 장애물 **11.** 보충하다, 다시 채우다 **12.** 구하다, 확보하다 **13.** 두드러진, 중요한 **14.** 보도, 취재 **15.** 연이은, 잇따른 **16.** 경유하다; 연기하다 **17.** 철회하다, 패배를 인정하다 **18.** 부활, 재기 **19.** 능숙한 **20.** 알아보다; 증명하다

3. ④ 필수적인 **[해석]** 외향적인 성격과 사람들과 소통하는 능력은 좋은 리더에게 필수적이다. **[오답]** ① 섬세한 ② 주제넘은 ③ 악랄한

4. ④ 계속 반복되는 **[해석]** 가장 최신 태블릿은 그것의 화면에 관련된 반복되는 문제 때문에 회수되었다. **[오답]** ① 다작의 ② 유쾌한 ③ 상냥한

5. ① 선언하다 **[해석]** Jenkins 수상은 지구의 날이 이제 국경일이 될 것이라고 선언하기 위해 기자 회견을 열었다. **[오답]** ② 양육하다 ③ 수여하다 ④ 괴롭히다

DAY 21

■ 1회독 ■ 2회독 ■ 3회독

DAY21 음성 바로 듣기

최빈출 단어

1601 □□□

perhaps [pərhǽps]

2020 법원직 9급 외 59회

부 아마 = maybe, possibly

Perhaps you could get a guarantor, someone to sign for the loan for you. (기출)

아마 당신의 대출에 서명을 할 보증인을 구할 수 있을 것이다.

1602 □□□

detect [ditékt]

2020 국가직 9급 외 21회

동 감지하다 = discover

Some animals can **detect** the coming of an earthquake. (기출변형)

어떤 동물들은 지진이 오는 것을 감지할 수 있다.

1603 □□□

privilege [prívəlidʒ]

2019 국회직 8급 외 20회

명 특권, 특혜 = prerogative

동 특권을 주다

Not many had the **privilege** of seeing the actor on the stage. (기출변형)

그다지 많지 않은 사람들이 그 배우를 무대에서 볼 특권을 가졌다.

+ **privileged** 형 특권을 가진

1604 □□□

exploit 동 [iksplɔ́it] 명 [éksplɔit]

2020 국가직 9급 외 15회

동 이용하다, 착취하다 = utilize, make use of

명 위업, 공적 = feat, deed

As dinosaurs disappeared, new species emerged to **exploit** existing resources. (기출변형)

공룡들이 사라지면서, 새로운 종들이 기존의 자원을 이용하기 위해 나타났다.

+ **exploitation** 명 개척, 개발

1605 □□□

evaluate

동 평가하다, 검토하다

= assess, rate

[ivǽljuèit]

2019 지방직 7급 외 15회

어원 e[밖으로(ex)] + val(u)[가치 있는] + ate[동·접] = 가치가 밖으로 보이게 가격, 등급 등을 이용해 평가하다

In **evaluating** my progress, the coach considered my performance and attitude. (기출변형)

나의 발전을 평가하는 데 있어서, 코치는 나의 성과와 태도를 고려했다.

+ **evaluation** 명 평가

1606 □□□

inevitably

부 필연적으로, 불가피하게

= naturally, certainly

[inévitəbli]

2023 국회직 9급 외 14회

Low ratings of television programs will **inevitably** lead to their cancellation. (기출변형)

텔레비전 프로그램의 낮은 시청률은 필연적으로 폐지로 이어진다.

+ **inevitable** 형 피할 수 없는

1607 □□□

ecosystem

명 생태계

= ecology

[íkousìstəm]

2019 지방직 7급 외 14회

어원 eco[환경] + system[체계, 시스템] = 자연환경의 체계, 즉 생태계

An **ecosystem** is a community of living things. (기출변형)

생태계는 생물들의 공동체이다.

1608 □□□

architecture

명 건축물, 건축

= construction

[ɑ́:rkitèktʃər]

2019 지방직 7급 외 13회

Rome is a city rich in fabulous **architecture** of the Roman Empire. (기출변형)

로마는 로마 제국 시대의 굉장한 건축물이 풍부한 도시이다.

+ **architect** 명 건축가

1609 □□□

preparation

명 준비, 대비

= planning

[prèpəréiʃən]

2019 국회직 8급 외 12회

어원 pre[앞서] + par(e)[준비하다] + ation[명·접] = 앞서서 미리 준비하는 것, 즉 대비

Unlike humans, some mammals' lives are repetitions of winter sleep and **preparation** periods. (기출변형)

인간과 달리, 몇몇 포유류들의 삶은 겨울잠과 준비기간의 반복이다.

+ **prepare** 동 준비하다

= 어휘 영역 출제

1610 □□□

overlook

[òuvərlúk]

2019 국회직 9급 외 11회

동 간과하다, 눈 감아 주다 = miss

동 내려다보다

어원 over[넘어서] + look[보다] = 상대를 못 보고 그냥 넘어서 가다, 즉, 간과하다

It's easy to **overlook** errors when you are too focused on a task. 기출변형

당신이 한 가지 일에 너무 집중했을 때에는 오류를 간과하기 쉽다.

↔ **notice** 동 발견하다

1611 □□□

slightly

[sláitli]

2017 지방직 7급 외 10회

부 약간, 조금 = a little

Each person offered a **slightly** different viewpoint. 기출변형

각각의 사람들은 약간 다른 관점을 제시했다.

빈출 단어

1612 □□□

admission

[ædmíʃən]

2017 서울시 9급 외 9회

명 입장, 가입, 입학 = entry

명 (잘못에 대한) 시인, 인정 = acknowledgement

어원 ad[~에] + mi(t)[보내다] + sion[명·접] = 자신에게 보내진 것을 받아들임, 즉 입장, 인정

Visitors at Disneyland pay a high rate for **admission**. 기출변형

디즈니랜드의 방문객들은 입장을 위해 비싼 요금을 지불한다.

1613 □□□

hemisphere

[hémisfìər]

2017 국회직 8급 외 9회

명 반구

어원 hemi[반] + sphere[구] = 지구나 인간의 뇌를 반으로 나눈 한쪽, 즉 반구

Women seem to have stronger connections between the two **hemispheres** of their brains. 기출변형

여성들은 뇌의 두 반구 간에 더 강한 연결성을 가지고 있는 것으로 보인다.

1614 □□□

prehistoric

[prìhistɔ́rik]

2019 지방직 9급 외 9회

형 선사 시대의 = primitive

Prehistoric societies did not clearly distinguish between mental and physical disorders. 기출변형

선사 시대 사회들은 정신 질환과 신체 질환을 뚜렷하게 구분하지 않았다.

1615 □□□

automatically

[ɔ̀:təmǽtikəli]

2018 지방직 7급 외 8회

부 자동으로 = mechanically

Devices that monitor and track your health can **automatically** call 911. 기출변형

당신의 건강 상태를 감시하고 추적하는 장치들은 자동으로 119에 전화할 수 있다.

1616 □□□

integral

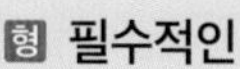

[íntigrəl]

2020 법원직 9급 외 7회

형 필수적인 = essential

형 (필요한 모든 부분이 갖춰져) 완전한 = complete

Knowing what people don't eat forms an **integral** part of our understanding of them. 기출변형

사람들이 무엇을 먹지 않는지에 대해 아는 것은 그들을 이해하는 데 필수적인 부분을 형성한다.

+ **integration** 명 통합, 융화

1617 □□□

narrative

[nǽrətiv]

2019 국가직 9급 외 6회

명 이야기, 설화 = story, account

형 이야기체의, 설화의

There is disagreement about when mythical **narratives** first developed in Egypt. 기출

신화적 이야기들이 이집트에서 언제 처음 발전되었는지에 대해서는 의견 차이가 있다.

1618 □□□

seize

[si:z]

2018 국회직 9급 외 5회

동 압수하다, ~을 빼앗다

동 장악하다, 점유하다 = clutch

동 이해하다, 납득하다

Police **seized** weapons and documents from the suspect's home.

경찰은 용의자의 집에서 무기와 서류들을 압수했다.

+ **seizure** 명 압수, 점령

1619 □□□

fallacy

[fǽləsi]

2015 지방직 7급 외 5회

명 오류, 틀린 생각 = misconception

어원 fall[잘못된] + acy[명·접] = 잘못된 생각이나 믿음, 오류

Common mistakes are due to confusion between truth and **fallacy**. 기출변형

흔한 실수들은 진실과 오류 사이의 혼동 때문이다.

1620 □□□

withdraw

[wiðdrɔ́ː]

2019 서울시 9급 외 5회

동 철수하다, 회수하다 = leave, retreat

동 (돈을) 인출하다

어원 with[뒤로] + draw[끌다] = 뒤로 끌어 철수하다

India became an independent country after the British **withdrew.** 기출변형

영국이 철수한 후에 인도는 독립 국가가 되었다.

↔ **introduce** 동 도입하다, 소개하다

⊕ **withdrawal** 명 철회, 회수, 인출

1621 □□□

groom

[gruːm]

2017 국가직 9급 외 4회

동 손질하다, 다듬다 = brush

명 신랑, 마부

Dogs **groom** themselves to help facilitate the growth of hair. 기출변형

개들은 털이 자라도록 돕기 위해 그들의 털을 손질한다.

1622 □□□

statesperson

[stéitspə̀ːrsn]

2018 서울시 7급 외 3회

명 정치인 = politician

The **statesperson** began working to pass new laws soon after he was elected.

그 정치인은 당선된 후 곧 새로운 법을 통과시키기 위해 일하기 시작했다.

1623 □□□

ratify

[rǽtəfài]

2019 서울시 9급 외 2회

동 (조약 등을) 비준하다, 승인하다 = approve, confirm

The people **ratified** the Constitution, making it illegal to discriminate against foreign people.

사람들은 외국인을 차별하는 것을 불법으로 규정하면서, 헌법을 비준했다.

↔ **annul** 동 무효화 하다

⊕ **ratification** 명 비준, 인가

1624 □□□

cuisine

[kwizíːn]

2017 국가직 9급 외 2회

명 요리, 음식 = cooking, food

The restaurant serves Beijing **cuisine.** 기출변형

그 음식점은 베이징 요리를 제공한다.

1625 □□□

construe 

동 이해하다, 해석하다 | = interpret

[kənstrúː]

2016 국회직 8급 외 1회

Information stored in the brain can influence how people **construe** new information. (기출변형)

뇌에 저장되어 있는 정보는 사람들이 새로운 정보를 어떻게 이해하는지에 영향을 줄 수 있다.

1626 □□□

standing

명 지위, 신분 | = status

[stǽndiŋ]

2017 법원직 9급 외 1회

The type of bread consumed by a person can indicate social **standing**. (기출변형)

사람이 먹는 빵의 종류는 사회적 지위를 나타낼 수 있다.

1627 □□□

ransack 

동 샅샅이 뒤지다 | = scour

동 약탈하다, 빼앗다 | = plunder

[rǽnsæk]

2014 서울시 7급

The burglars **ransacked** every single house as they passed through the village. (기출변형)

그 도둑들은 마을을 지나며 모든 집을 하나하나 샅샅이 뒤졌다.

1628 □□□

confidential

형 기밀의 | = private, intimate

형 신용 있는, 믿을만한

[kɑ̀ːnfədénʃəl]

2014 지방직 7급

The police have worked hard to restrain the illegal transfer of **confidential** information. (기출변형)

경찰은 불법적인 기밀 정보의 이전을 억제하기 위해 힘써왔다.

↔ **public** 형 공개된

+ **confidentiality** 명 비밀

빈출 숙어

1629 □□□

as a result (of)

그 결과, 결과적으로 | = because of, due to

2020 법원직 9급 외 81회

As a result of computer networks, students can obtain university lectures in real time. (기출)

컴퓨터 네트워크의 결과, 학생들은 대학 강의를 실시간으로 얻을 수 있다.

1630 □□□

be subject to

~의 대상이다

2020 법원직 9급 외 22회

The power of a court cannot **be subject to** the desires of one person. (기출변형)

법원의 권위는 한 사람의 요구의 대상이 될 수 없다.

1631 □□□

specialize in

~을 전문으로 하다, 전공하다 ≡ major in

2020 지방직 9급 외 9회

Many psychologists **specialize in** the behavioral problems of children. (기출변형)

많은 심리학자들이 아동의 행동에 관한 문제들을 전문으로 한다.

1632 □□□

get over 

~을 극복하다 ≡ get through

2017 국가직 9급 외 5회

It took me a very long time to **get over** the shock of her death. (기출)

나는 그녀의 죽음으로 인한 충격에서 극복하는 데 아주 오랜 시간이 걸렸다.

1633 □□□

be engaged in

~에 관여되다, 연루되다 ≡ be joined in

2018 국회직 9급 외 4회

The political figure **was engaged in** the controversy. (기출변형)

그 정치 인사는 그 논란에 관여되었다.

1634 □□□

look out

조심하다 ≡ beware

바라보다

2015 법원직 9급 외 4회

I told him to **look out** for ice on the sidewalk.

나는 그에게 보도의 얼음을 조심하라고 말했다.

완성 어휘

1635	abdomen	명 복부
1636	threshold	명 한계점, 기준점
1637	recess	명 휴식 기간
1638	blatantly	부 주제넘게, 뻔뻔스럽게
1639	proxy	명 대리인, 대용물; 형 대리의
1640	mitigating	형 완화하는, 가볍게 하는
1641	opportune	형 적절한
1642	massacre	명 대학살
1643	sarcastic	형 비꼬는, 풍자적인
1644	scour	동 샅샅이 뒤지다
1645	unprincipled	형 지조 없는, 부도덕한
1646	advisable	형 바람직한
1647	drowsy	형 졸리는
1648	knack	명 재주
1649	prudence	명 신중함, 알뜰함, 간소
1650	grapple	동 붙잡다, 잡다, 격투하다
1651	firsthand	부 직접
1652	ephemeral	형 수명이 짧은
1653	verge	명 길가
1654	refract	동 굴절시키다
1655	optical	형 시각적인
1656	underway	형 진행 중인
1657	detergent	명 세제
1658	momentous	형 중대한
1659	subsequent	형 그다음의
1660	imperturbable	형 차분한
1661	mutable	형 잘 변하는
1662	foolproof	형 실패할 염려가 없는
1663	abstruse	형 난해한
1664	swamp	명 습지
1665	hospitality	명 환대, 접대
1666	ironic	형 역설적인, 비꼬는
1667	under the weather	몸이 좋지 않은
1668	over and above	~에 덧붙여, ~ 위에
1669	shut off	차단하다
1670	in proportion to	~에 비례하여
1671	hear out	(이야기를) 끝까지 듣다
1672	go with	~에 포함되다
1673	wind up	마무리 짓다
1674	have a minute	시간이 나다
1675	in matters of	~에 관해서는
1676	bottom out	바닥을 치다
1677	have yet to	아직 ~하지 않았다
1678	a drop in	~의 하락
1679	throw in	~을 덤으로 주다
1680	be the first to	솔선하여 ~하다

= 어휘 영역 출제

DAY 22

■ 1회독 ■ 2회독 ■ 3회독

DAY22 음성 바로 듣기

최빈출 단어

1681 □□□

replace

[ripléis]

2020 국가직 9급 외 42회

동 대체하다, 대신하다 ≡ follow

어원 re[뒤로] + place[놓다] = 앞의 것을 뒤로 놓고, 뒤의 것으로 그것을 대체하다

Human cloning may one day make it possible to **replace** damaged organs. 기출변형

인간 복제는 언젠가는 손상된 장기를 대체할 수 있게 될지 모른다.

1682 □□□

minister

[mínəstər]

2018 국회직 8급 외 27회

명 장관, 각료 ≡ politician

명 성직자, 목사

어원 min(i)[작은] + ster[명·접(사람)] = 몸을 작게 숙여 봉사하는 장관 또는 성직자

The UNHCR chief held talks with Kenya's Internal Security **Minister** to request him to open the camp. 기출변형

UNHCR 총재가 케냐 국가안보 장관과 수용소를 여는 것을 요청하기 위해 회담을 했다.

1683 □□□

absorb

[æbsɔ́:rb]

2020 국가직, 지방직 9급 외 24회

동 흡수하다 ≡ consume, assimilate

어원 ab[~로부터] + sorb[빨아들이다] = 어떤 것으로부터 무언가를 빨아들이다, 흡수하다

The oceans have **absorbed** around a third of the total carbon dioxide on Earth. 기출변형

바다는 지구의 전체 이산화탄소의 약 3분의 1을 흡수했다.

1684 □□□

encounter

[inkáuntər]

2020 국회직 8급 외 22회

동 직면하다, 맞닥뜨리다 ≡ come into, run into

명 만남, 조우 ≡ meeting

Even highly motivated learners **encounter** challenges in language learning. 기출변형

심지어 매우 동기 부여된 학습자들도 언어 학습에서 문제들을 직면한다.

1685 □□□

perspective

[pərspéktiv]

2020 국가직 9급 외 21회

명 관점, 시각, 전망 = outlook, viewpoint

명 원근법, 투시법

어원 per[두루] + spect[보다(spec)] + ive[명·접] = 전체적으로 두루 보는 관점, 시각

Reading this book gave me a different **perspective** on life in the 1940s.

이 책을 읽은 것이 나에게 1940년대의 삶에 대한 다른 관점을 주었다.

1686 □□□

strive

[straiv]

2020 국회직 8급 외 17회

동 노력하다, 애쓰다 = endeavor, aspire

People these days are **striving** to get a stable job. 기출변형

요즘 사람들은 안정적인 직장을 얻기 위해 노력하고 있다.

1687 □□□

realistic 

[rìːəlístik]

2019 서울시 7급 외 14회

형 현실적인 = practical

The manager's ideas for the project are not **realistic** because we don't have enough money.

그 프로젝트에 대한 매니저의 생각은 현실적이지 않은데 그 이유는 우리가 충분한 돈을 가지고 있지 않기 때문이다.

+ **reality** 명 현실

1688 □□□

abundant

[əbʌ́ndənt]

2014 국회직 9급 외 12회

형 풍부한 = plentiful

어원 ab[~로부터] + und[물결치다] + ant[형·접] = 무언가로부터 물결쳐 흘러나올 정도로 풍부한

Englishmen moved to New Jersey where raw materials were **abundant** for their glass business. 기출변형

영국인들은 그들의 유리 사업을 위해 원료가 풍부한 뉴저지로 이주했다.

+ **abundance** 명 풍부

1689 □□□

alert

[əlɔ́ːrt]

2020 국회직 9급 외 12회

형 경계하는, 조심하는 = attentive

명 경계, 경보 = warning

The police officers attempt to remain **alert** for anything unusual. 기출변형

경찰관들은 어떤 흔치 않은 일에도 경계하는 것을 계속하려고 노력한다.

1690 □□□

output

명 생산량, 산출량, 출력 | = product, harvest

[áutpùt]

2020 국회직 8급 외 10회

어원 out[밖으로] + put[놓다] = 만들어서 밖으로 내어놓음, 즉 생산, 생산량

Your **output** grows as you become an expert at networking. 기출변형

당신의 생산량은 당신이 네트워크 형성의 전문가가 되면서 성장한다.

빈출 단어

1691 □□□

ambiguous

형 모호한, 애매한 | = vague, unclear

[æmbígjuəs]

2018 국회직 9급 외 9회

어원 ambi[주변의] + gu[이끌다] + ous[형·접] = (핵심이 아닌 주변으로 이끌어져) 모호한

An **ambiguous** term's context can help clearly indicating the intention. 기출변형

모호한 용어의 문맥은 의도를 명확하게 나타내는 것을 도울 수 있다.

↔ **unambiguous** 형 명백한, 명확한

+ **ambiguity** 명 애매모호함

1692 □□□

shed

동 (허물 등을) 벗다 | = cast off

동 (피·눈물 등을) 흘리다, 발산하다 | = emit, give out

명 허물

[ʃed]

2020 국회직 8급 외 9회

Each time the rattlesnake **sheds** its skin, a new ring is formed. 기출변형

매번 방울뱀이 허물을 벗을 때마다, 새로운 고리가 만들어진다.

+ **shed light on** ~을 비추다, 밝히다

1693 □□□

voyage

명 항해, 여행 | = trip

동 항해하다, 여행하다

[vɔ́iidʒ]

2018 지방직 9급 외 8회

어원 voy[길] + age[명·접] = 바닷길을 가는 것, 즉 항해

Many of the passengers suffered from seasickness during the sea **voyage**. 기출변형

많은 승객은 항해 중에 뱃멀미로 고통받았다.

1694 □□□

readily

[rédəli]

2018 서울시 7급 외 8회

부 손쉽게, 순조롭게 = easily, effortlessly

부 선뜻, 기꺼이 = willingly, eagerly

The dog **readily** learned to jump over the barrier. (기출변형)

그 개는 장애물을 뛰어넘는 것을 손쉽게 학습했다.

1695 □□□

conviction

[kənvíkʃən]

2018 국회직 8급 외 8회

명 신념, 확신 = principle, belief

명 유죄 판결 = verdict

The man explained his view, but she refused to change her **convictions.** (기출변형)

남자는 그의 견해를 설명했지만, 그녀는 자신의 신념을 바꾸기를 거부했다.

↔ **doubt** 명 의심

+ **convict** 동 유죄를 선고하다

1696 □□□

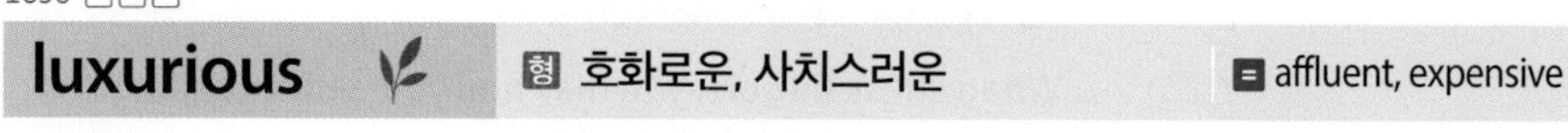

luxurious

[lʌgʒúəriəs]

2022 국가직 9급 외 8회

형 호화로운, 사치스러운 = affluent, expensive

They paid a lot of money to stay in a **luxurious** hotel room.

그들은 호화로운 호텔 방에 머물기 위해 많은 돈을 지불했다.

1697 □□□

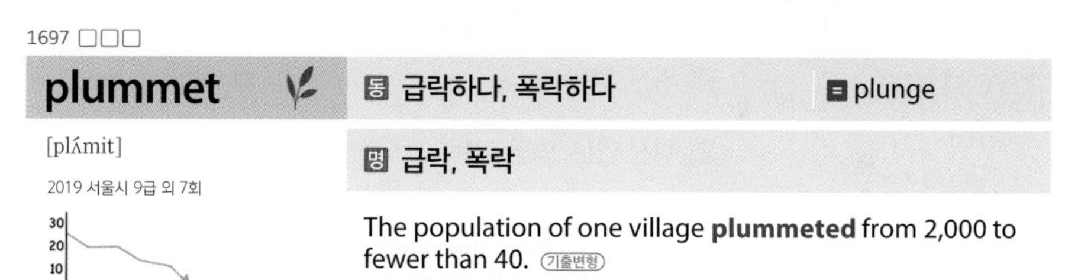

plummet

[plʌ́mit]

2019 서울시 9급 외 7회

동 급락하다, 폭락하다 = plunge

명 급락, 폭락

The population of one village **plummeted** from 2,000 to fewer than 40. (기출변형)

한 마을의 인구는 2,000명에서 40명 미만으로 급락했다.

1698 □□□

hierarchy

[háiərὰ:rki]

2020 국회직 8급 외 6회

명 계층, 계급 = ranking

명 (사상 등의) 체계

어원 hier[성스러운] + arch[우선] + y[명·접] = 성스러운 존재인 천사 중 누가 우선하는지 가려서 매긴 계급

In some companies, a strict **hierarchy** persists in modified form to this day. (기출변형)

몇몇 기업에서는, 엄격한 계층이 오늘날까지 변형된 형태로 지속되고 있다.

+ **hierarchical** 형 계급에 따른

= 어휘 영역 출제

1699 □□□

wholly

부 전적으로, 완전히 | **=** completely

[hóulli]

2016 사회복지직 9급 외 6회

Our behavior is not **wholly** determined by our genes. (기출변형)

우리의 행동이 전적으로 유전자에 의해 결정되는 것은 아니다.

+ **as a whole** 전체적으로

1700 □□□

maze

명 미로 | **=** labyrinth

[meiz]

2019 국회직 9급 외 6회

The researchers tested how long the mice spent in the **maze** until they found the exit. (기출변형)

그 연구원들은 쥐들이 미로에서 출구를 찾기까지 얼마나 오랫동안 시간을 보냈는지를 실험했다.

1701 □□□

linger

동 남아 있다, 계속되다 | **=** persist, remain

동 오래 머물다

[líŋgər]

2019 지방직 7급 외 5회

어원 ling(er)[긴] = 어떤 것이 길게 남아 있다

When stress **lingers**, you may find yourself struggling. (기출)

스트레스가 남아 있으면, 당신은 스스로가 힘겨워하는 것을 발견할 수 있다.

↔ **disappear** 동 사라지다

1702 □□□

prestige

명 위신, 명망 | **=** status, fame

형 위신 있는, 명망 있는

[prestíːʒ]

2018 서울시 9급 외 4회

어원 pre[앞에] + stig(e)[묶다] = 크게 쓴 이름을 앞에 묶어 자랑할 만한 위신, 명망

Parents often force their children to attend university for social **prestige** and reputation. (기출변형)

부모들은 종종 사회적 위신과 명성을 위해 자녀들이 대학에 가도록 강요한다.

+ **prestigious** 형 명망 있는

1703 □□□

rebuild

동 재건하다, 다시 세우다 | **=** reconstruct, renovate

[ribíld]

2020 국회직 9급 외 4회

It cost million dollars to **rebuild** homes in New Orleans after the tragic hurricane.

비극적인 허리케인 이후에 뉴올리언스의 주택들을 재건하는 것은 수백만 달러가 들었다.

↔ **demolish** 동 철거하다

1704 

intricate

[íntrikət]

2020 국회직 9급 외 4회

형 복잡한, 뒤얽힌 = complicated, complex

Science has revealed a cosmos more **intricate** than anything produced by pure imagination. (기출변형)

과학은 순수한 상상력에 의해 만들어진 그 어떤 것보다 더 복잡한 우주를 밝혀냈다.

↔ **simple** 형 단순한

1705 □□□

encompass

[inkʌ́mpəs]

2021 지방직 9급 외 3회

동 포함하다, 아우르다 = include

Species studied have varied widely to **encompass** both termites and rhesus macaques. (기출변형)

연구된 종들은 흰개미와 붉은털원숭이 모두를 포함할 정도로 매우 다양했다.

1706 □□□

punctual

[pʌ́ŋktʃuəl]

2018 국회직 9급 외 3회

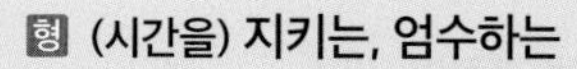

형 (시간을) 지키는, 엄수하는 = prompt, timely

어원 punct[점] + ual[형·접] = 작은 점까지 맞추는, 즉 시간이나 규칙을 잘 지키는

Being **punctual** is a good habit everyone has to have. (기출)

시간을 지키는 것은 누구나 지녀야 할 좋은 습관이다.

+ **punctually** 부 시간대로, 늦지 않게

1707 □□□

contradictory

[kɑ̀:ntrədíktəri]

2016 지방직 7급 외 3회

형 모순된, 상반된 = conflicting, incompatible

어원 contra[반대의(counter)] + dict[말하다] + ory[형·접] = 상대의 의견에 반대로 말하는, 즉 모순되는

The idea of mixing materialism and religion may seem **contradictory**. (기출변형)

물질주의와 종교를 결합한다는 생각은 모순되어 보일지도 모른다.

↔ **compatible** 형 양립 가능한, 공존할 수 있는

+ **self-contradictory** 형 자기 모순적인

1708 □□□

reputable

[répjətəbəl]

2024 국가직 9급 외 2회

형 평판이 좋은, 이름 높은 = respected, renowned

Purchasing art from a **reputable** gallery is one of the best ways to avoid fakes.

평판이 좋은 갤러리에서 미술품을 구매하는 것은 모조품을 피하는 가장 좋은 방법들 중 하나이다.

= 어휘 영역 출제

빈출 숙어

1709 □□□

be made of | ~으로 만들어지다 | ⊟ be composed of

2020 국가직, 지방직 9급 외 20회

In some regions, sculptures **are** mainly **made of** stone and mud. (기출변형)

어떤 지역에서는, 조각품은 주로 돌과 진흙으로 만들어진다.

⊕ **be made with** ~으로 만들어지다

1710 □□□

go on | 계속 진행되다, 계속하다 | ⊟ continue

2018 국가직 9급 외 18회

She **went on** to study a low-frequency form of sound. (기출변형)

그녀는 저주파 형태의 소리 연구를 계속 진행했다.

1711 □□□

be concerned with | ~에 관련이 있다 | ⊟ deal with, cover

| ~에 관심이 있다 | ⊟ be interested in

2020 지방직 9급 외 13회

This book **is concerned with** changes in weather patterns that are the result of global warming. (기출변형)

이 책은 지구 온난화의 결과인 날씨 패턴의 변화에 대해 다루고 있다.

1712 □□□

pay ~ back | ~에게 (돈을) 갚다 | ⊟ repay

2019 서울시 7급 외 5회

I'll lend you money if you **pay** me **back** by Saturday. (기출)

네가 토요일까지 나에게 돈을 갚으면 돈을 빌려주겠다.

1713 □□□

in detail | 자세히, 상세히 | ⊟ thoroughly

2019 서울시 9급 외 2회

He explained **in detail** how to repair the printer.

그는 프린터를 수리하는 방법을 자세히 설명했다.

1714 □□□

not to mention | ~은 말할 것도 없고 | ⊟ not only ~ (but)

2014 국가직 9급 외 2회

The fact that it's a holiday, **not to mention** the rainy weather, ensures bad traffic.

비가 오는 날씨는 말할 것도 없고, 공휴일이라는 사실은 나쁜 교통상황을 확실하게 한다.

완성 어휘

No.	어휘	뜻
1715	falsehood	명 거짓말
1716	hail	명 우박; 동 맞이하다
1717	throne	명 왕좌
1718	telescope	명 망원경
1719	zealous	형 열성적인
1720	reckon	동 (~이라고) 생각하다
1721	exceptive 🌿	형 예외적인
1722	mounting	형 증가하는
1723	windfall 🌿	명 (우발적인) 소득, 낙과
1724	contentious 🌿	형 논쟁을 초래하는
1725	imprudent 🌿	형 경솔한, 무분별한
1726	reimburse 🌿	동 배상하다, 변제하다
1727	calamity	명 재난, 재앙
1728	weasel	동 회피하다; 명 교활한 사람
1729	monsoon	명 우기
1730	afloat	형 (물에) 뜬
1731	dysfunction	명 기능 장애
1732	landholding	명 소유하고 있는 토지
1733	transparency 🌿	명 투명(성), 명백함
1734	incensed 🌿	형 몹시 화난, 격분한
1735	easygoing	형 태평한, 느긋한
1736	fiscal	형 재정상의
1737	pathetic	형 애처로운

No.	어휘	뜻
1738	viable	형 실행 가능한
1739	shelve 🌿	동 보류하다
1740	overland	형 육로의
1741	unrelenting	형 끊임없는
1742	brag 🌿	동 자랑하다; 명 자랑
1743	foremost	형 가장 중요한
1744	bodiless	형 실체가 없는
1745	antidote	명 해독제
1746	salvage	명 구조, 인양
1747	antagonistic 🌿	형 적대적인
1748	cutback	명 삭감, 감축
1749	outspoken	형 노골적으로 말하는
1750	play down 🌿	경시하다
1751	at one's discretion 🌿	재량에 따라
1752	fritter away 🌿	낭비하다
1753	as to	~에 관해서는
1754	make a case for 🌿	~이라고 주장하다, 의견을 진술하다
1755	factor in	~을 고려하다
1756	range from A to B	A에서 B까지 이르다
1757	step down	(지위에서) 물러나다
1758	destined to	~할 운명인
1759	in some way	어떤 점에서는
1760	sort out	해결하다, 정리하다

🌿 = 어휘 영역 출제

DAY 23

DAY23 음성 바로 듣기

최빈출 단어

1761 □□□

feed

[fi:d]

2019 국가직, 지방직 9급 외 35회

동 공급하다, 먹이다 = nourish

명 먹이

Ireland could not produce enough food to **feed** its population. 기출변형

아일랜드는 모든 주민에게 공급하기에 충분한 음식을 생산할 수 없었다.

1762 □□□

expansion

[ikspǽnʃən]

2020 국회직 9급 외 23회

명 확대, 발전 = increase

The excessive stock market **expansion** resulted in the Great Depression. 기출변형

과도한 증권 시장의 확대는 대공황을 초래했다.

1763 □□□

alter

[ɔ́:ltər]

2020 법원직 9급 외 19회

동 바꾸다, 변경하다, 달라지다 = transform

동 쇠약해지다, 늙다

어원 alter[다른] = 다른 것으로 바꾸다

Many of the wounds can **alter** the cell's abilities. 기출변형

그 상처 중 많은 것들이 세포의 능력을 바꿀 가능성이 있다.

+ **alteration** 명 변화, 개조

1764 □□□

frustrated

[frʌ́streitid]

2021 국가직 9급 외 18회

형 좌절감을 느끼는, 실망한 = thwarted

When we fail to do something, we feel **frustrated**. 기출변형

우리는 무언가에 실패했을 때, 좌절감을 느낀다.

1765 □□□

reference

[réfərəns]

2020 법원직 9급 외 17회

명 참고 문헌, 참조 = source, authority

명 문의, 조회

명 추천서 = recommendation

어원 re[다시] + fer[나르다] + ence[명·접] = 예전 것을 다시 날라와 참고하거나 언급하는 참고 문헌

She included **references** for where she got the information in her essay.

그녀는 에세이에 그 정보를 어디서 얻었는지에 대한 참고 문헌들을 포함했다.

1766 □□□

passive

[pǽsiv]

2020 국가직 9급 외 16회

형 수동적인, 소극적인 = inactive

어원 pass[느끼다] + ive[형·접] = 행동하지 않고 자극을 느끼기만 하는, 즉 수동적인

He is a very **passive** person, who just waits for things to happen.

그는 일이 일어나기만 기다리는, 매우 수동적인 사람이다.

↔ **active** 형 적극적인

⊕ **passively** 부 수동적으로, 소극적으로

1767 □□□

distort

[distɔ́:rt]

2024 국가직 9급 외 15회

동 (사실 등을) 왜곡하다 = misrepresent

어원 dis[떨어져] + tort[비틀다] = 본래의 모습과 동떨어지게 비틀어 왜곡하다

She felt that his essay wasn't accurate, as it **distorted** many historical facts.

많은 역사적 사실을 왜곡했기 때문에, 그녀는 그의 글이 정확하지 않다고 느꼈다.

⊕ **distortion** 명 왜곡

1768 □□□

philosophical

[fìləsɑ́:fikəl]

2019 국가직 9급 외 12회

형 철학적인, 철학의

어원 phil(o)[사랑하다] + soph[현명한] + ical[형·접] = 현명함을 사랑하는 사람들이 하는 학문인 철학의

He was a sociologist with a **philosophical** background. 기출

그는 철학적 배경을 가진 사회학자였다.

⊕ **philosopher** 명 철학자

1769 □□□

patent

[pǽtnt]

2018 국회직 8급 외 11회

명 특허 = franchise

동 특허를 얻다

The government protects intellectual property through the copyright and **patent** systems. 기출변형

정부는 저작권과 특허 제도를 통해 지적 재산을 보호한다.

= 어휘 영역 출제

1770 □□□

abstract

형 [æbstrǽkt]
명 [ǽbstrækt]

2019 서울시 9급 외 11회

형 추상적인, 관념적인 = theoretical

명 추상화

어원 abs[떨어져(ab)] + tract[끌다] = 떨어지도록 끌어내 추출하다, 구체적인 것에서 개념만 추출해 추상적인

Modern art focuses on describing the inner world of **abstract** thoughts. 기출변형

현대 예술은 추상적 사고로 이루어진 내면세계를 묘사하는 데 초점을 맞춘다.

빈출 단어

1771 □□□

tangible

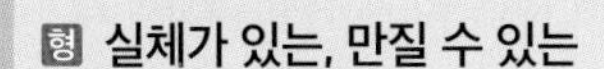

[tǽndʒəbl]

2020 지방직 9급 외 9회

형 실체가 있는, 만질 수 있는 = real

형 분명한, 명백한 = solid

어원 tang[접촉하다] + ible[할 수 있는] = 접촉할 수 있는, 만질 수 있는

In some ways, material possessions are **tangible** evidence of people's abilities. 기출변형

어떤 면에서, 물질적 소유는 사람들의 능력에 대한 실체가 있는 증거이다.

↔ **intangible** 형 무형의

1772 □□□

solitary

[sɑ́:lətèri]

2017 국가직 9급 외 9회

형 단일의, 혼자 하는 = lonely, single

형 고독한

어원 sol[혼자] + it[가다] + ary[형·접] = 혼자 가는, 혼자 하는

Creativity is not a **solitary** process but one of the social interactions. 기출변형

창의성은 단일의 과정이 아니라 사회적 상호작용을 하는 과정이다.

↔ **sociable** 형 사교적인

⊕ **solitude** 명 고독

1773 □□□

flip

[flip]

2018 법원직 9급 외 9회

동 젖혀지다, (책장 등을) 휙휙 넘기다 = overturn

동 (손가락으로) 튕기다, 탁 치다 = flick

The seat electronically **flips** to become a flat bed. 기출변형

그 좌석은 전자적으로 젖혀져서 평평한 침대가 된다.

1774 □□□

caregiver

명 돌보는 사람, 간병인

[kέərgìvər]

2019 서울시 9급 외 7회

Babies' brains develop in relationship with their earliest **caregivers.** 기출변형

아기들의 뇌는 가장 초기에 자신을 돌보는 사람과 관계를 맺으면서 발달한다.

1775 □□□

introvert

명 내성적인 사람

형 내성적인 = reserved

[íntrəvə̀ːrt]

2018 국회직 9급 외 7회

어원 intro[안으로] + vert[돌리다] = 생각이나 감정을 표현하지 않고 안으로 돌리는, 즉 내성적인 사람

While extroverts are leaders in public, **introverts** are leaders in theoretical fields. 기출변형

외향적인 사람들은 대중 앞에서 리더인 반면, 내향적인 사람들은 이론 분야에서 리더다.

↔ **extrovert** 명 외향적인 사람

+ **introverted** 형 내성적인

1776 □□□

drift

동 떠다니다, 표류하다 = wander

동 ~하게 되다 = diverge

[drift]

2017 지방직 9급 외 7회

The increased amount of plastic bags **drifting** in the ocean are threatening jellyfish. 기출변형

바다를 떠다니는 플라스틱 봉지의 늘어난 양은 해파리를 위협하고 있다.

1777 □□□

namely

부 즉, 다시 말해 = specifically

[néimli]

2019 서울시 7급 외 6회

The advertisements targeted certain women, **namely** those between 25 and 35.

그 광고는 특정 여성들, 즉 25세와 35세 사이의 여성들을 목표로 했다.

1778 □□□

imaginative

형 상상으로 만든, 가공의

형 상상력이 풍부한 = creative

[imǽdʒənətiv]

2017 지방직 9급 외 6회

Novels are works of **imaginative** fiction. 기출변형

소설은 상상으로 만든 허구의 작품이다.

↔ **pedestrian** 형 상상력이 없는, 재미없는

+ **imagination** 명 상상력

= 어휘 영역 출제

1779 □□□

enclose

[inklóuz]

2012 국가직 9급 외 6회

동 동봉하다 | ≡ include, insert

동 에워싸다, 둘러싸다

어원 en[안에] + clos(e)[닫다] = 어떤 것을 안에 넣고 주변을 모두 닫아 그것을 동봉하다

I am **enclosing** a list of the damaged goods with the warranty card. (기출변형)

손상된 물건들의 목록과 보증서를 동봉하겠습니다.

1780 □□□

constructive

[kənstrʌ́ktiv]

2017 서울시 7급 외 5회

형 건설적인 | ≡ helpful, positive

Language learners should feel free to criticize one another in a **constructive** manner. (기출변형)

언어 학습자들은 마음을 놓고 건설적인 방식으로 서로를 비판해야 한다.

⊕ **constructively** 부 건설적으로

1781 □□□

preventive

[privéntiv]

2016 지방직 9급 외 4회

형 예방을 위한, 예방의 | ≡ deterrent

어원 pre[앞에] + vent[오다] + ive[형·접] = 어떤 것의 앞에 와서 진행을 막는, 즉 예방의

Preventive visits to the clinic dropped as people delayed medical care. (기출변형)

사람들이 건강 관리를 미룸에 따라 예방을 위한 병원 방문은 줄어들었다.

⊕ **prevent** 동 예방하다, 막다

1782 □□□

decode

[di:kóud]

2015 법원직 9급 외 4회

동 (의미를) 이해하다, 해독하다 | ≡ decipher

어원 de[아닌] + code[암호화하다] = 암호화한 것을 아닌 상태로 해독하다

The students can **decode** the context and even become fluent oral readers. (기출변형)

그 학생들은 문맥을 이해하고 심지어 유창하게 구술하는 독자가 될 수 있다.

1783 □□□

countenance

[káuntənəns]

2016 지방직 7급 외 3회

동 지지하다, 동의하다 | ≡ stand for

명 (얼굴) 표정

She later expressed gratitude for her parents' refusal to **countenance** her idea. (기출변형)

그녀는 나중에 그녀의 의견을 지지하는 것에 대한 부모님의 거절에 감사를 표했다.

1784 □□□

punctuate 

[pʌ́ŋktʃuèit]

2020 국회직 8급 외 3회

동 중단시키다, 구두점을 찍다

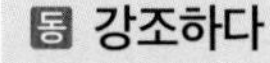

동 강조하다 = point

The dog's barking **punctuated** the silence of the night.
그 개의 짖는 소리가 밤의 고요를 중단시켰다.

1785 □□□

hazardous

[hǽzərdəs]

2017 국회직 9급 외 3회

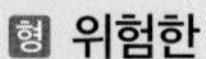

형 위험한 = dangerous

There is a huge expense to removing **hazardous** materials like pesticides. (기출변형)
살충제 같은 위험한 물질을 제거하는 것에 막대한 비용이 든다.

↔ **safe** 형 안전한

⊕ **hazard** 명 위험 요소

1786 □□□

reclaim

[rikléim]

2020 법원직 9급 외 3회

동 되찾다

동 개간하다, 개척하다 = regain

Many lost pets are **reclaimed** by owners after being brought into animal shelters. (기출변형)
많은 길 잃은 애완동물들이 동물 보호소로 옮겨진 후 주인들에 의해 되찾아진다.

⊕ **reclaimed** 형 재생된

1787 □□□

accentuate

[æksénťʃuèit]

2019 서울시 7급 외 1회

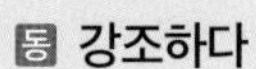

동 강조하다 = underscore

The surrounding colors **accentuate** the shadows at the corners of her mouth. (기출변형)
주변의 색깔들은 그녀의 입 가장자리에 있는 그늘을 강조한다.

1788 □□□

reiterate 

동 [riːítəreit]
형 [riːítərət]

2017 국회직 8급

동 (요구·발언 따위를) 반복하다 = repeat 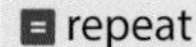

형 반복되는

The audience was bored because the speaker continued to **reiterate** the same information.
연설자가 계속해서 같은 내용을 반복했기 때문에 청중들은 지루해했다.

빈출 숙어

1789 □□□

derive from ~으로부터 비롯되다, ~에서 얻다

2020 법원직 9급 외 11회

Your opportunities **derive from** who you are connected to. (기출변형)

당신의 기회는 당신이 연결된 사람들로부터 비롯된다.

1790 □□□

set off 유발하다, 일으키다 ⊟ give rise to, bring out

2019 국회직 9급 외 9회

Updrafts of warm air **set off** storms. (기출변형)

따뜻한 공기의 상승 기류는 폭풍우를 유발한다.

1791 □□□

be inclined to ~하는 경향이 있다

2018 국가직 9급 외 5회

Good listeners **are inclined to** accept or tolerate rather than to judge. (기출변형)

좋은 청자들은 비판하기보다 받아들이거나 용인하는 경향이 있다.

1792 □□□

go over 검토하다, 조사하다 ⊟ examine, study

~을 넘다 ⊟ exceed

2017 국가직 9급 외 5회

We will **go over** the plans to make sure there are no errors.

우리는 실수가 없도록 계획을 검토할 것이다.

1793 □□□

lay down ~에 놓다, 두다 ⊟ put, place

(규칙을) 정하다

2018 법원직 9급 외 2회

The renovation crew will **lay down** new tile in the hotel's lobby.

그 보수 작업조는 호텔의 로비에 새로운 타일을 놓을 것이다.

1794 □□□

make progress 나아가다, 진전을 보이다 ⊟ get ahead

2019 지방직 9급

If we constantly focus on our worries, we won't ever **make progress.** (기출변형)

만약 우리가 그러한 걱정들에 계속해서 집중한다면, 우리는 절대로 나아갈 수 없을 것이다.

완성 어휘

1795	matchless 🌿	형 독보적인
1796	thwart	동 좌절시키다
1797	reconciliation	명 화해, 조정, 조화, 일치
1798	inanimately 🌿	부 생명이 없이
1799	renounce 🌿	동 단념하다, 포기하다
1800	worn-out	형 닳아서 해진, 헌, 녹초가 된
1801	herald 🌿	동 예고하다, 알리다, 발표하다
1802	allay 🌿	동 가라앉히다, 진정시키다
1803	mousy 🌿	형 소심한
1804	harden	동 경화되다, 단호해지다
1805	cadence	명 (말소리의) 억양
1806	multicellular	형 다세포의
1807	airborne	형 공수의, 공기로 운반되는
1808	elevation	명 승격
1809	lateral	형 측면의, 옆의
1810	endanger	동 위태롭게 하다
1811	recapitulate 🌿	동 요약하다, 반복하다
1812	animosity 🌿	명 적대감, 증오
1813	troublesome 🌿	형 성가신, 귀찮은
1814	vocational	형 직업과 관련된
1815	impartial	형 공정한
1816	profusion	명 풍성함, 다량
1817	verdict	명 판결, 결정
1818	egregious	형 악명 높은, 지독한
1819	arid	형 무미건조한
1820	solidify	동 굳어지다, 확고해지다
1821	antipathy	명 (강한) 반감
1822	avaricious	형 탐욕스러운
1823	decry	동 매도하다
1824	delicacy 🌿	명 정교함, 섬세함
1825	overdose	명 과다 복용
1826	pollination	명 (식물의) 수분
1827	cordiality 🌿	명 진심, 성의
1828	be taken in 🌿	속아 넘어가다
1829	make light of 🌿	~을 가볍게 여기다
1830	in the red 🌿	적자 상태로, 적자로
1831	be capable of	~할 수 있다
1832	be on edge	신경이 곤두서 있다
1833	lean into	(어려운 것을) 받아들이다
1834	infringe on	~을 침해하다
1835	settle into	자리 잡다
1836	ups and downs	기복, 성쇠
1837	hollow out	~의 속을 파내다
1838	set about	~에 착수하다
1839	incompatible with	~과 양립할 수 없는
1840	keep one's chin up	용기를 잃지 않다

🌿 = 어휘 영역 출제

DAY 24

■ 1회독 ■ 2회독 ■ 3회독

DAY24 음성 바로 듣기

최빈출 단어

1841 □□□

drop

[drɑ:p]

2020 국가직 9급 외 66회

동 떨어지다 = fall

동 내려주다, 그만두다

Gun crime numbers have **dropped** since the early 1990s because of the government's restrictions. (기출변형)

정부의 규제 때문에 1990년대 초부터 총기 범죄 건수가 떨어졌다.

1842 □□□

guarantee

[gærəntí:]

2020 국가직 9급 외 29회

동 보장하다, 확신하다 = ensure

명 보증, 확약 = warranty

Religious freedom is **guaranteed** by law. (기출변형)

종교적 자유는 법에 의해 보장된다.

1843 □□□

regard

[rigɑ́:rd]

2020 국가직 9급 외 27회

동 ~으로 여기다 = consider

명 관심, 고려 = consideration

어원 re[다시] + gard[지켜보다] = 반복해서 다시 지켜본 결과 상대를 어떤 것으로 여기다

Myths could be **regarded** as stories that contain poetic rather than literal truths. (기출변형)

신화는 있는 그대로의 진실보다는 시적 진실을 담고 있는 이야기들로 여겨질 수 있었다.

1844 □□□

undergo

[ʌ̀ndərgóu]

2020 법원직 9급 외 21회

동 (변화 등을) 겪다 = experience

동 견디다, 참다 = bear, endure

어원 under[아래에] + go[가다] = 어떤 것의 영향 아래에서 가다, 즉 그것을 겪다

Spinning objects **undergo** some changes to their shape. (기출변형)

회전하는 물체는 그들의 모양에 몇몇 변화를 겪는다.

1845 □□□

annual

[ǽnjuəl]

2021 국가직 9급 외 18회

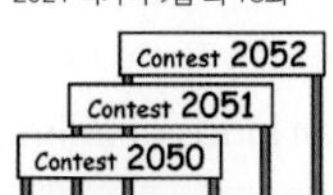

형 연간의, 연례의 = yearly, once a year

어원 ann[해마다] + ual[형·접] = 해마다의, 즉 연례의

The biggest developing countries have about fourteen trillion dollars in **annual** purchasing power. 기출변형

가장 큰 개발도상국들은 연간 약 14조 달러의 구매력을 가지고 있다.

⊕ **annually** 부 매년, 일 년에 한 번

1846 □□□

compromise

[kά:mprəmàiz]

2018 국가직 9급 외 14회

명 타협 = agreement

동 타협하다 = concede

동 위태롭게 하다, 손상하다 = undermine

어원 com[함께] + promise[약속하다] = 중간으로 하자고 함께 약속하는 것, 즉 타협

Both countries settled their differences through mutual agreement and **compromise**. 기출변형

양국은 상호 합의와 타협을 통해 서로의 차이를 해소했다.

⊕ **uncompromising** 형 타협하지 않는

1847 □□□

retail

[rí:teil]

2019 법원직 9급 외 14회

형 소매의, 소매상의

동 소매하다, 떼어 팔다

어원 re[다시] + tail[자르다] = 도매로 산 것을 다시 작게 잘라서 소비자에게 파는 소매의

In April, the average **retail** price for a lime hit 58 cents. 기출변형

4월에, 라임 한 개의 평균 소매 가격이 58센트에 이르렀다.

↔ **wholesale** 형 도매의; 명 도매

⊕ **retailer** 명 소매업자

1848 □□□

tension

[ténʃən]

2018 국회직 9급 외 14회

명 긴장, 갈등 = strain

명 팽팽함, 장력

어원 tens(e)[뻗다] + ion[명·접] = 쭉 뻗어 팽팽한 긴장, 갈등

Animals engage in aggressive behavior to relieve growing **tensions**. 기출변형

동물들은 고조되는 긴장을 완화시키기 위해 공격적인 행동에 관여한다.

1849 □□□

prevalent

[prévələnt]

2017 법원직 9급 외 13회

형 널리 퍼진, 일반적인 = widespread

형 우세한, 유력한 = prevailing

어원 pre[앞서] + val[강한] + ent[형·접] = 상대에 앞서게 힘이 강한, 즉 우세한 또는 널리 퍼진

The magnetic field is oddly **prevalent** in all kinds of animal navigation. 기출변형

자기장은 특이하게도 온갖 동물들의 길 찾기 능력에 널리 퍼져있다.

↔ **uncommon** 형 드문

⊕ **prevailing** 형 우세한, 지배적인

1850 □□□

approve

[əprúːv]

2018 국회직 8급 외 13회

동 승인하다 = pass, allow

동 찬성하다 = agree to

The appointment of the Prime Minister must be **approved** by the National Assembly. 기출

국무총리의 임명은 국회에 의해 승인되어야 한다.

↔ **disapprove** 동 못마땅해하다

⊕ **approval** 명 승인

1851 □□□

hypothesis

[haipάθəsis]

2019 서울시 7급 외 12회

명 가설, 추정, 추측 = theory

Scientists are still figuring out which of the **hypotheses** is correct. 기출변형

과학자들은 여전히 가설들 중 무엇이 사실인지를 알아내고 있다.

빈출 단어

1852 □□□

charity

[tʃǽrəti]

2023 지방직 9급 외 9회

명 자선 단체 = donations

Social media is used to help generate funds for **charities**. 기출변형

소셜 미디어는 자선 단체를 위한 기금을 조성하는 것을 돕기 위해 사용된다.

1853 □□□

aggravate 

[ǽgrəvèit]

2023 국회직 8급 외 9회

동 악화시키다 = exacerbate

어원 ag[~쪽으로(ad)] + grav[무거운] + ate[동·접] = 더 무거운, 즉 더 나쁜 쪽으로 악화시키다

The matter was **aggravated** when time and energy were wasted for arguing. 기출변형

논쟁으로 시간과 에너지가 낭비되고 있을 때, 그 문제는 악화되었다.

↔ **improve** 동 향상시키다

1854 □□□

absence 

[ǽbsəns]

2022 서울시 9급 외 9회

명 부재, 결석 ≡ leave

명 결핍 ≡ lack, deficiency

The man left his bag on the table hoping to save his place during his **absence**. (기출변형)

그 남자는 자신의 부재 동안 자리를 맡아두길 바라며 탁자에 그의 가방을 두었다.

1855 □□□

replicate 

[répləkèit]

2019 서울시 7급 외 9회

동 복제하다, 모사하다 ≡ copy, reproduce

어원 re[다시] + plic[접다] + ate[동·접] = 접어서 같은 것을 다시 복제하다

The virus uses the body cells to **replicate** itself. (기출변형)

바이러스는 자신을 복제하는 데 체세포를 이용한다.

⊕ **replication** 명 사본, 모사

1856 □□□

remedy

[rémədi]

2015 국회직 8급 외 8회

명 치료 방안, 해결책 ≡ treatment

동 치료하다 ≡ cure

어원 re[뒤로] + med(y)[병을 고치다] = 병을 고쳐서 상태를 뒤로 돌려 고치는 치료 방안

The research aims to find **remedies** to reduce offensive behaviors. (기출변형)

그 연구는 공격적인 행동을 줄일 치료 방안을 찾는 것을 목표로 한다.

1857 □□□

portray

[pɔːrtréi]

2020 법원직 9급 외 6회

동 묘사하다, 그리다, 나타내다 ≡ represent

동 (특정한 역할을) 연기하다

어원 por[앞으로(pro)] + tray[끌다(tract)] = 특징을 앞으로 끌어내어 그리다, 묘사하다

Some movies accurately **portray** memory loss as a common syndrome. (기출변형)

몇몇 영화들은 기억 상실을 흔한 증후군으로 정확하게 묘사한다.

⊕ **portrait** 명 초상화

1858 □□□

deficit

[défəsit]

2021 국가직 9급 외 6회

명 적자, 결손 ≡ shortfall

명 불리한 처지, 열세

어원 de[떨어져] + fic(it)[만들다] = 만들어서 가져온 돈이 지출보다 떨어지는 것, 즉 적자

The government can decrease the **deficit** by raising taxes.

정부는 세금을 올림으로써 적자를 줄일 수 있다.

1859 □□□

propel

[prəpél]

2020 국회직 8급 외 5회

동 나아가게 하다, 추진하다 ⊜ drive, launch

어원 pro[앞으로] + pel[몰다] = 몰아서 앞으로 나아가게 하다

Inventions have **propelled** society forward. 기출

발명품들은 사회를 앞으로 나아가게 했다.

1860 □□□

repercussion

[rìpərkʌ́ʃən]

2015 서울시 9급 외 4회

명 (보통 좋지 못한) 영향, 여파 ⊜ consequence

Punishing a student in front of peers can cause long-term educational **repercussions**. 기출변형

학생을 또래들 앞에서 벌 주는 것은 장기적으로는 교육적으로 좋지 못한 영향을 야기할 수 있다.

1861 □□□

abnormality

[æbnɔːrmǽləti]

2013 국가직 7급 외 2회

명 이상, 기형 ⊜ irregularity

어원 ab[떨어져] + normal[보통의] + ity[명·접] = 보통의 것과 동떨어져 비정상적인 모양, 즉 이상

Any **abnormalities** in patterns are recorded during an official interview. 기출변형

공식 인터뷰 중에 그 어떤 패턴에서의 이상도 모두 기록되었다.

⊕ **abnormal** 형 비정상적인

1862 □□□

disconnected

[dìskənéktid]

2017 서울시 7급 외 2회

형 분리된, (연락이) 끊긴 ⊜ detached

형 일관성이 없는 ⊜ incoherent

Cindy's depression began after her mother's death, and it caused her to be **disconnected** from her childhood self. 기출변형

Cindy의 우울증은 어머니의 죽음 이후 시작되었고 이것은 그녀가 어린 시절의 자신으로부터 분리되게 했다.

1863 □□□

compass

[kʌ́mpəs]

2017 국회직 9급 외 2회

명 나침반

명 (도달 가능한) 범위 ⊜ range

어원 com[함께] + pass[통과하다] = 어딘가 통과할 때 함께 가져가는 나침반

The introduction of the **compass** to Europe opened the Age of Exploration. 기출변형

유럽으로의 나침반의 도입은 대항해 시대를 열었다.

1864 □□□

rebuke

[ribjú:k]

2019 지방직 7급 외 2회

동 비난하다

명 비난 | = reproach

She was **rebuked** by her boss for not finishing her work.

그녀는 일을 끝내지 못해서 상사로부터 비난받았다.

↔ **praise** 명 칭찬

1865 □□□

brilliance

[bríljəns]

2017 법원직 9급 외 2회

명 총명함, 탁월함 | = genius, cleverness

명 광명, 광채 | = brightness

With his **brilliance** and sharp tongue, he is going to make me look stupid. (기출변형)

그는 총명함과 날카로운 말로 나를 바보처럼 보이게 만들 것이다.

1866 □□□

curtail 

[kə:rtéil]

2019 서울시 9급 외 1회

동 줄이다, (비용을) 삭감하다 | = reduce

동 (권리 따위를) 박탈하다 | = deprive

The city hired more police officers in an effort to **curtail** crime.

그 도시는 범죄를 줄이기 위해 더 많은 경찰관들을 고용했다.

↔ **increase** 동 증가하다

1867 □□□

meager

[mí:gər]

2017 지방직 9급 외 1회

형 불충분한, 빈약한 | = insufficient

형 메마른

The ear is given a **meager** amount of information during a telephone conversation. (기출변형)

귀는 전화 중에는 불충분한 양의 정보를 받는다.

↔ **adequate** 형 충분한

1868 □□□

potable 

[póutəbl]

2017 지방직 9급 외 1회

형 마셔도 되는 | = drinkable

Because of the pollution, the water from the lake was no longer **potable**.

오염 때문에, 호수의 물은 더는 마셔도 되는 상태가 아니었다.

= 어휘 영역 출제

빈출 숙어

1869 □□□

in addition to

2020 국가직 9급 외 28회

~ 이외에도 | ㊂ besides

~에 더하여

In addition to controlling the temperature, control of the humidity is important. (기출변형)

온도를 조절하는 것 이외에, 습도의 조절도 중요하다.

1870 □□□

look forward to

2021 국가직 9급 외 14회

~을 기대하다

I **look forward to** doing business with you as soon as possible. (기출)

나는 가능하면 빨리 당신과 거래할 수 있기를 기대한다.

↔ **dread** 동 (안 좋은 일이 생길까 봐) 두려워하다

1871 □□□

as a whole

2019 국회직 8급 외 7회

전체적으로, 전체로서

The democratic ideal is that governments should exist to represent the people **as a whole.** (기출변형)

민주주의의 이상은 정부가 국민을 전체적으로 대표할 수 있도록 존재해야 한다는 것이다.

1872 □□□

take a good rest

2016 국가직 7급 외 2회

충분히 쉬다

Why don't you go home and **take a good rest**? (기출변형)

집에 가서 충분히 쉬는 게 어때?

1873 □□□

in combination with

2021 국가직 9급 외 1회

~과 결합하여, 짝지어 | ㊂ in conjunction with

Treatment with chemotherapy and radiation therapy may be used instead of or **in combination with** surgery to treat cancer. (기출변형)

화학 요법과 방사선 요법을 이용하는 치료는 암을 치료하기 위해 수술 대신에 혹은 결합하여 사용될 수 있다.

1874 □□□

break into

2021 국가직 9급

침입하다, 몰래 잠입하다 | ㊂ burst into

A group of young demonstrators attempted to **break into** the police station. (기출)

한 무리의 젊은 시위자들이 경찰서에 침입하려고 시도했다.

완성 어휘

1875	immunization	명 예방 접종, 면역 조치, 면역
1876	transverse	형 가로지르는
1877	timber	명 목재, 재목, 수목
1878	torch	명 손전등; 동 방화하다
1879	culmination 🌿	명 정점, 최고조
1880	inclusive 🌿	형 포괄적인, 폭넓은
1881	repudiate 🌿	동 거부하다
1882	apparatus	명 기구, 장치
1883	outgrow	동 벗어나다, (몸이 커져) 옷 등이 맞지 않다
1884	annul 🌿	동 (법적으로) 취소하다, 무효화하다
1885	self-contradictory	형 자기 모순적인
1886	upkeep	명 유지, 양육
1887	obediently	부 공손하게
1888	amenity	명 생활 편의 시설
1889	elongate	동 길어지다, 길게 늘이다
1890	disciplinary 🌿	형 징계의, 훈계의
1891	reassuring 🌿	형 안심시키는
1892	periodically 🌿	부 정기적으로
1893	rescind 🌿	동 철회하다, 폐지하다
1894	disrespect 🌿	명 무례; 동 실례를 하다
1895	endow	동 기부하다
1896	idiosyncratic 🌿	형 특유의, 기이한
1897	patrol	동 순찰을 돌다
1898	yearn	동 갈망하다, 동경하다
1899	bombard	동 퍼붓다, 쏟아붓다
1900	hereditary	형 유전적인, 세습되는
1901	vigilant 🌿	형 바짝 경계하는
1902	enlist	동 요청하여 얻다
1903	forfeit	동 박탈당하다
1904	surmount	동 극복하다
1905	impotent	형 무력한
1906	recant	동 철회하다
1907	henceforth	부 이후로
1908	veterinarian	명 수의사
1909	grotesquely	부 기괴하게
1910	retraction	명 철회
1911	horizontally	부 수평으로
1912	solvable	형 해결할 수 있는
1913	culminate in	결국 ~이 되다
1914	be composed of	~으로 구성되어 있다
1915	in time	이윽고
1916	leave behind	두고 가다
1917	laced with	~이 가미된
1918	think of A as B	A를 B로 생각하다
1919	stand for	~을 대표하다
1920	look back on 🌿	~을 뒤돌아보다

🌿 = 어휘 영역 출제

DAY 25

■ 1회독 ■ 2회독 ■ 3회독

DAY25 음성 바로 듣기

최빈출 단어

1921 □□□

disaster

명 재해, 재난 = calamity, tragedy

[dizǽstər]

2020 지방직 9급 외 27회

The emptying of the Aral Sea was the worst **disaster** of the 20th century. (기출변형)

아랄해가 없어지는 것은 20세기의 최악의 재해였다.

⊕ **disastrous** 형 재해를 일으키는, 비참한

1922 □□□

mobile

형 이동식의, 기동성 있는 = movable

[móubəl]

2018 국회직 9급 외 27회

어원 mob[움직이다] + ile[형·접] = 움직일 수 있는, 즉 이동식의

Some companies allow employees to bring personal **mobile** devices to their workplace. (기출변형)

몇몇 기업들은 직원들이 개인의 이동식 기기를 직장에 가져올 수 있도록 허용한다.

↔ **immobile** 형 움직이지 않는

⊕ **mobility** 명 이동성, 기동성

1923 □□□

sustain

동 유지하다, 지탱하다 = maintain

[səstéin]

2021 국가직 9급 외 23회

어원 sus[아래에(aub)] + tain[잡다] = 무너지지 않도록 아래에서 잡고 유지하다

Water is the medium for most chemical reactions to **sustain** life. (기출변형)

물은 생명을 유지하기 위한 대부분의 화학 반응의 매개물이다.

⊕ **sustainable** 형 유지 가능한, 지속 가능한

1924 □□□

succeed

[səksíːd]

2020 국가직 9급 외 23회

동 성공하다 ≡ triumph

동 (자리·지위 등을) 잇다, 계승하다 ≡ come after

어원 suc[아래로(sub)] + ceed[가다] = 왕위가 아래 후손에게 가는 데 성공하다

Recent studies show that pride and gratitude help people **succeed** in life. (기출변형)

최근 연구들은 자신감과 감사하는 마음이 사람들이 인생에서 성공하도록 돕는다는 것을 증명한다.

⊕ **succession** 명 계승

1925 □□□

immune

[imjúːn]

2018 국가직 9급 외 21회

형 면역의, 면역이 된 ≡ resistant

어원 im[아닌(in)] + mun(e)[의무] = 의무를 지지 않도록 면제된, 병에서 면제되어 면역이 된

The **immune** system in our bodies fights viruses. (기출변형)

우리 몸의 면역 체계는 바이러스와 싸운다.

⊕ **immunization** 명 면역

1926 □□□

confidence

[kɑ́ːnfədəns]

2023 법원직 9급 외 20회

명 자신감 ≡ courage

명 신뢰, 확신 ≡ trust, faith

어원 con[모두(com)] + fid[믿다] + ence[명·접] = 자신의 모든 것을 믿어 자신 있음, 자신감

Parents put their children's **confidence** at risk by giving too many empty compliments. (기출변형)

부모들은 무의미한 칭찬을 퍼부음으로써 자녀들의 자신감을 위험에 처하게 한다.

1927 □□□

barrier

[bǽriər]

2017 국회직 8급 외 16회

명 장벽, 장애물 ≡ obstacle, block

어원 bar(r)[막대] + ier[명·접] = 막대를 쌓아 만든 장벽

Some travelers feel no **barriers** to cultural differences. (기출변형)

어떤 여행객들은 문화적 차이에 대해 어떤 장벽도 느끼지 않는다.

1928 □□□

proceed

[prəsíːd]

2020 국회직 8급 외 13회

동 진행되다, 나아가다 ≡ carry on

어원 pro[앞으로] + ceed[가다(cede)] = 계속 앞으로 나아가다, 진행되다

The scientific inquiry **proceeds** by creating a hypothesis. (기출변형)

과학적 연구는 가설을 만들어냄으로써 진행된다.

⊕ **procedure** 명 절차, 방법

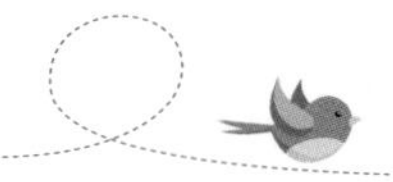

1929 □□□

pregnant

[prégnənt]

2016 법원직 9급 외 10회

형 임신한

어원 pre[전에] + gn[출생] + ant[형·접] = 출생 전의 아기가 배 속에 있는, 즉 임신한

You should expose your body to zero caffeine when **pregnant.** 기출

당신은 임신했을 때 당신의 몸을 카페인에 조금도 노출해서는 안 된다.

⊕ **pregnancy** 명 임신

1930 □□□

reserved

[rizə́:rvd]

2020 국회직 8급 외 9회

형 내성적인 = shy, reticent

형 예약한, 대절한 = booked

형 보류한, 따로 떼어둔, 예비의

Reserved people tend to keep their feelings hidden. 기출변형

내성적인 사람들은 그들의 감정을 숨기는 경향이 있다.

↔ **outgoing** 형 외향적인, 사교적인

⊕ **reservation** 명 예약

1931 □□□

suppress 

[səprés]

2018 서울시 9급 외 9회

동 억제하다, 억누르다 = inhibit

어원 sup[아래로] + press[누르다] = 아래로 눌러 나오지 못하도록 억제하다

If humans are exposed to light while sleeping, melatonin production can be **suppressed.** 기출

인간이 자는 동안 빛에 노출되면, 멜라토닌 생성이 억제될 수 있다.

↔ **encourage** 동 촉진하다

⊕ **suppression** 명 억제, 진압

빈출 단어

1932 □□□

complement

동 [ká:mpləmènt]
명 [ká:mpləmənt]

2022 법원직 9급 외 8회

동 보완하다, 덧붙이다 = add to

명 보완물, 보충물 = adjunct

Researchers have realized that one medical technique can **complement** another. 기출변형

연구원들은 한 의학 기술이 다른 의학 기술을 보완할 수 있다는 것을 깨달았다.

⊕ **complementary** 형 보완적인

1933

cooperative

형 협력하는, 협동하는 | = collaborative

[kouá:pərətiv]

2018 지방직 9급 외 8회

Cooperative efforts are valued over individualized efforts, so social relationships are important. 기출변형

개인화된 노력보다 협력하는 노력이 중시되므로, 사회적 관계는 중요하다.

1934

contingent

형 ~에 달린, ~에 의존하는 | = dependent

명 대표단, 파견대 | = delegation

[kəntíndʒənt]

2020 지방직 7급 외 7회

The offer is **contingent** on the individual passing a background check. 기출변형

그 제안은 개인이 신원조사를 통과하느냐에 달려 있다.

+ **contingency** 명 만일의 사태

1935

reciprocal

형 상호적인, 상호 간의 | = mutual

[risíprəkəl]

2018 서울시 9급 외 5회

Kind people are more likely to be recipients of **reciprocal** kindness. 기출변형

친절한 사람들은 상호적인 호의의 수혜자가 되기 더 쉽다.

+ **reciprocate** 동 보답하다, 교환하다

1936

impudent

형 무례한, 뻔뻔스러운 | = impertinent, insolent

[ímpjudnt]

2018 국회직 8급 외 4회

Internet users in cyberspace can send **impudent** messages without taking responsibility for their words. 기출변형

사이버 공간에서 인터넷 사용자들은 자신들의 말에 책임을 지지 않고 무례한 메시지를 보낼 수 있다.

↔ **polite** 형 예의 바른

1937

impede

동 방해하다, 지연시키다 | = hinder, hamper

[impí:d]

2018 지방직 9급 외 4회

Developers work to reduce bugs that **impede** the software from working. 기출변형

개발자들은 소프트웨어의 작동을 방해하는 버그들을 줄이기 위해 노력한다.

↔ **facilitate** 동 용이하게 하다, 촉진하다

+ **impediment** 명 방해

= 어휘 영역 출제

1938 □□□

portable 

형 휴대용의 | = mobile

[pɔ́:rtəbl]

2010 서울시 9급 외 3회

Cordless drills are **portable** devices used in construction work. (기출변형)

무선 드릴은 건축 공사에 사용되는 휴대용 장치이다.

1939 □□□

validate 

동 입증하다 | = prove, uphold

동 인증하다, 승인하다 | = ratify, approve

[vǽlədèit]

2020 국회직 8급 외 3회

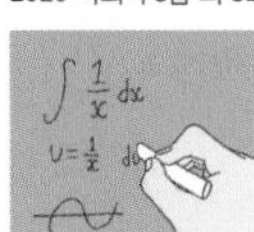

어원 val[가치 있는] + id[형·접] + ate[동·접] = 가치가 인정되게 하다, 즉 유효하게 하다, 입증하다

Plenty of evidence has arisen to help the scientist **validate** the theory. (기출변형)

그 과학자가 이론을 입증하도록 돕는 풍부한 증거들이 나타났다.

↔ **disprove** 동 반증하다

+ **validity** 명 유효성, 타당성

1940 □□□

format

명 형식, 방식 | = form

[fɔ́:rmæt]

2019 지방직 9급 외 3회

My teacher asked students to write the paper in an essay **format**.

나의 선생님은 학생들에게 과제를 에세이 형식으로 작성할 것을 요구했다.

+ **formation** 명 형성, 편성

1941 □□□

puberty

명 사춘기 | = adolescence

[pjú:bərti]

2020 법원직 9급 외 3회

After he went through **puberty** in middle school, he had to start shaving.

그는 중학교 때 사춘기를 겪은 후, 면도를 시작해야 했다.

1942 □□□

formidable 

형 어마어마한, 가공할 만한 | = tremendous

[fɔ́:rmidəbl]

2016 국회직 8급 외 3회

He faced a **formidable** union of enemies. (기출변형)

그는 어마어마한 적들의 연합을 마주했다.

1943 □□□

timely

형 시기적절한, 때맞춘 | = opportune

[táimli]

2013 지방직 9급 외 3회

To make decisions, people need **timely** information. (기출변형)

결정을 내리기 위해서, 사람들은 시기적절한 정보가 필요하다.

1944 □□□

conscience

명 양심

[kάːnʃəns]

2019 서울시 9급 외 2회

Her **conscience** prevented her from telling lies to anyone.

그녀의 양심은 그녀가 아무에게도 거짓말을 할 수 없게 했다.

1945 □□□

mighty

형 강력한 = powerful

[máiti]

2019 서울시 7급 외 2회

The sense of sight isn't **mightier** than the sense of smell. (기출변형)

후각보다 시각이 더 강력하진 않다.

↔ **weak** 형 약한, 힘이 없는

1946 □□□

stumble

동 (발이 걸려) 휘청거리다 = wobble, reel

동 우연히 발견하다

[stʌ́mbl]

2016 국회직 8급 외 2회

It is thought that the statue of a **stumbling** soldier was designed to entertain people. (기출변형)

휘청거리는 군인의 동상은 사람들을 즐겁게 하기 위해 고안된 것이라고 생각된다.

1947 □□□

approximation

명 근삿값 = estimation, guess

[əprὰːksəméiʃən]

2015 국가직 9급 외 2회

어원 ap[~에] + proxim[가까이 오다] + ation[명·접] = ~에 가까이 옴, 즉, 근사값

The Greeks could give **approximations** of distances to the sun. (기출변형)

그리스인들은 태양까지의 거리에 대한 근삿값들을 내놓을 수 있었다.

⊕ **approximately** 부 거의, 대략

1948 □□□

retaliate 

동 보복하다, 앙갚음하다 = pay ~ back

[ritǽlièit]

2017 국회직 8급 외 1회

After the attack, the army **retaliated** by taking the enemy's fortress.

공격 이후에, 군인들은 적군의 요새를 함락시킴으로써 보복했다.

⊕ **retaliation** 명 보복, 앙갚음

빈출 숙어

1949 □□□

take place

개최되다, 열리다 | 동 be held

2020 국회직 8급 외 27회

A historic public vote **took place** in the United Kingdom. (기출변형)

역사적인 국민 투표가 영국에서 개최되었다.

1950 □□□

regardless of

~과 상관없이 | 동 irrespective of

2020 법원직 9급 외 16회

Regardless of the rainy weather, I still went fishing. (기출변형)

비 오는 날씨와 상관없이, 나는 여전히 낚시를 하러 갔다.

1951 □□□

contrary to

~과 반대로 | 동 in opposition to

2021 국가직 9급 외 15회

Contrary to popular usage, myth does not mean falsehood. (기출)

일반적인 용법과 반대로, 신화는 거짓을 의미하지 않는다.

반 **in accordance with** ~에 따라

1952 □□□

take advantage of

~을 이용하다 | 동 exploit, utilize

2019 국회직 8급 외 14회

He was too kind, and the other employees **took advantage of** him. (기출변형)

그는 너무 친절했고, 다른 직원들은 그를 이용했다.

1953 □□□

spring up 

갑자기 생기다, 나타나다

2019 법원직 9급 외 4회

To keep up with increasing demand, cotton mills **sprang up** across Britain. (기출변형)

증가하는 수요를 따라잡기 위해, 면직 공장들이 영국 도처에 갑자기 생겨났다.

1954 □□□

on the move 

이리저리 이동하는, 분주한

2019 서울시 9급 외 1회

Rising temperatures set the animals **on the move.** (기출변형)

상승하는 온도는 동물들을 이리저리 이동하게 한다.

완성 어휘

1955	unrest	명 (사회·정치적인) 불안
1956	rally	명 집회
1957	deforestation	명 삼림 벌채, 삼림 파괴
1958	menace	동 위협하다; 명 위협
1959	recollection	명 기억
1960	rudimentary	형 기초의, 기본적인
1961	debacle	명 대실패
1962	asymmetrical	형 비대칭의
1963	excurse	동 거닐다, 소풍을 가다
1964	muffle	동 감싸다
1965	self-deception	명 자기기만
1966	inaction	명 휴지 상태
1967	rail	동 격분하다
1968	assuage	동 누그러뜨리다, 완화하다
1969	archetypal	형 전형적인
1970	empirical	형 실증적인
1971	logicality	명 논리성, 논리적 타당성
1972	impugnment	명 비난, 공격
1973	prolix	형 장황한
1974	unwilling	형 꺼리는
1975	pavement	명 인도, 보도
1976	annihilation	명 전멸, 소멸
1977	ferment	동 발효되다, 발효시키다
1978	deafen	동 귀를 먹먹하게 하다
1979	accomplice	명 공범
1980	editorial	형 편집의; 명 사설
1981	elastic	형 탄성의, 융통성 있는
1982	constancy	명 불변성, 절개
1983	arduous	형 몹시 힘든, 고된
1984	rightful	형 정당한
1985	dodge	동 회피하다
1986	lap	명 한 바퀴; 동 찰싹 치다
1987	wrecked	형 난파된, 망가진
1988	hesitantly	부 주저하며
1989	pasture	명 초원, 목초지
1990	exactness	명 정확함
1991	amount to	~에 이르다
1992	in tandem with	나란히
1993	be up and about	상태가 호전되다
1994	make it on time	제시간에 가다
1995	leave off	중단하다, 멈추다
1996	no later than	늦어도 ~까지는
1997	get across	이해시키다
1998	tear away from	~에서 무리하게 떼어 놓다
1999	at one's disposal	~의 마음대로, ~의 처분 하에
2000	from scratch	처음부터

= 어휘 영역 출제

Review Test DAY 21-25

1. 각 어휘의 알맞은 뜻을 찾아 연결하세요.

01. impudent •	• ⓐ 기초의, 기본적인
02. ratify •	• ⓑ (조약 등을) 비준하다, 승인하다
03. prudence •	• ⓒ 복제하다, 모사하다
04. allay •	• ⓓ 가라앉히다, 진정시키다
05. tangible •	• ⓔ 무례한, 뻔뻔스러운
06. herald •	• ⓕ 요약하다, 반복하다
07. replicate •	• ⓖ 예고하다, 알리다
08. assuage •	• ⓗ 신중함, 알뜰함
09. recapitulate •	• ⓘ 누그러뜨리다, 완화하다
10. rudimentary •	• ⓙ 실체가 있는; 분명한

2. 다음 영단어의 뜻을 우리말로 쓰세요.

01. scour ____________

02. look out ____________

03. windfall ____________

04. rally ____________

05. countenance ____________

06. punctuate ____________

07. hazardous ____________

08. be taken in ____________

09. strive ____________

10. repercussion ____________

11. sort out ____________

12. annul ____________

13. regardless of ____________

14. withdraw ____________

15. suppress ____________

16. retaliate ____________

17. validate ____________

18. reciprocal ____________

19. reserved ____________

20. incompatible with ____________

3. 다음 빈칸에 들어갈 말로 가장 적절한 것은?

Smoke and other pollution from industrial facilities can ________ breathing problems like asthma.

① plummet ② aggravate ③ distort ④ construe

4. 다음 밑줄 친 부분과 의미가 가장 가까운 것은?

The construction of the shopping center is <u>contingent</u> on the developer receiving a property tax rebate.

① portable ② blunt ③ repellent ④ dependent

5. 다음 밑줄 친 단어의 의미와 가장 가까운 것은?

Doubts about the news report <u>linger</u> in the minds of readers who distrust the reporter.

① complement ② curtail ③ remain ④ absorb

정답

1. 01. ⓔ 02. ⓑ 03. ⓗ 04. ⓓ 05. ⓙ 06. ⓖ 07. ⓒ 08. ⓘ 09. ⓕ 10. ⓐ

2. 01. 샅샅이 뒤지다 02. 조심하다; 바라보다 03. (우발적인) 소득, 낙과
04. 집회 05. 지지하다; (얼굴) 표정 06. 중단시키다; 강조하다
07. 위험한 08. 속아 넘어가다 09. 노력하다, 애쓰다
10. (보통 좋지 못한) 영향, 여파 11. 해결하다, 정리하다
12. (법적으로) 취소하다, 무효화하다 13. ~과 상관없이
14. 철수하다; (돈을) 인출하다 15. 억제하다, 억누르다 16. 보복하다, 앙갚음하다
17. 입증하다; 인증하다 18. 상호적인, 상호 간의 19. 내성적인; 예약한; 보류한
20. ~과 양립할 수 없는

3. ② 악화시키다 **[해석]** 연기와 다른 산업 시설들에 의한 오염은 천식 같은 호흡기 문제를 <u>악화시킬</u> 수 있다. **[오답]** ① 급락하다 ③ 왜곡하다 ④ 이해하다

4. ④ 좌우되는 **[해석]** 그 쇼핑센터의 건설은 개발자가 재산세 환불을 받느냐에 <u>달려 있다</u>. **[오답]** ① 휴대용의 ② 무딘 ③ 역겨운

5. ③ 남아 있다 **[해석]** 그 뉴스 보도에 대한 의심들이 그 기자를 불신하는 독자들의 마음에 <u>남았다</u>. **[오답]** ① 보완하다 ② 줄이다 ④ 흡수하다

DAY 26

DAY26 음성 바로 듣기

최빈출 단어

2001 □□□

contribute

[kəntríbjuːt]

2020 지방직 9급 외 52회

동 ~에 기여하다, 공헌하다 ≡ donate

동 원인이 되다 ≡ play a part in

어원 con[함께(com)] + tribute[배정하다] = 역할을 배정해 여럿이 함께 어떤 일에 기여하다

Wearable computing devices can **contribute** to well-being. (기출)

착용할 수 있는 컴퓨터 장치는 복지에 기여할 수 있다.

⊕ **contribution** 명 기여, 이바지

2002 □□□

station

[stéiʃən]

2020 지방직 9급 외 31회

동 배치하다, 주둔시키다 ≡ position, place

명 역, 정거장 ≡ stop

The National Assembly approved the decision to **station** foreign forces in the territory. (기출변형)

국회는 영토 내에 외국 군대를 배치시키는 결정을 승인했다.

⊕ **stationary** 형 주둔하는, 정지한

2003 □□□

universal

[jùːnəvə́ːrsəl]

2019 국회직 8급 외 24회

형 보편적인, 전 세계적인 ≡ pervasive, ubiquitous

Pollution is now a **universal** problem all over the world. (기출)

오염은 이제 전 세계적으로 보편적인 문제다.

↔ **particular** 형 특정한

⊕ **universally** 부 보편적으로

2004 □□□

candidate

[kǽndidèit]

2019 국회직 8급 외 20회

명 후보자 ≡ applicant, prospect

어원 candid[하얀] + ate[사람] = 후보자(고대 로마의 공직 후보자들이 흰옷을 입었던 것에서 유래)

Faculty were invited to nominate **candidates** for the next president. (기출변형)

교수단은 차기 총장 후보자들을 추천하기 위해 초대되었다.

2005 □□□

primitive

형 원시적인, 초기의 = crude, rudimentary

[prímətiv]

2016 국가직 9급 외 18회

어원 prim(it)[최초의] + ive[형·접] = 역사상 최초인, 즉 원시의

He gained a reputation by inventing **primitive** steam engines. 기출변형

그는 원시적인 증기 엔진을 발명한 것으로 명성을 얻었다.

↔ **recent** 형 최근의

2006 □□□

self-esteem

명 자존감, 자부심 = confidence

[selfistí:m]

2020 법원직 9급 외 16회

Some seniors experience a tremendous loss of **self-esteem.** 기출

몇몇 연장자들은 엄청난 자존감의 상실을 겪는다.

2007 □□□

modify

동 변형하다, 수정하다 = alter, change

[mɑ́:dəfài]

2023 국가직 9급 외 16회

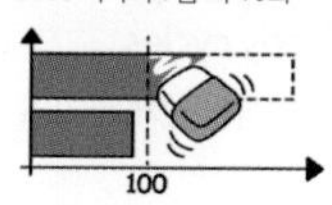

어원 mod[기준] + ify[동·접] = 기준에 맞게 변경하다, 변형하다

Crops that are genetically **modified** have genes artificially added to them. 기출

유전적으로 변형된 농작물은 그것들에 인위적으로 추가된 유전자를 가진다.

⊕ **modification** 명 수정, 변경

2008 □□□

inflation

명 물가 상승, 통화 팽창

명 팽창, 부풂 = swelling

[infléiʃən]

2016 법원직 9급 외 15회

어원 in[안에] + flat[불어넣다] + ion[명·접] = 시장 안에 많은 돈이 불어 넣어져 물가가 오르는 현상

The country went through **inflation** due to the surplus of cash.

그 나라는 현금의 과잉 때문에 물가 상승을 겪었다.

↔ **deflation** 명 통화 수축

⊕ **inflatable** 형 부풀릴 수 있는, 팽창하는

2009 □□□

comprehensive

형 종합적인, 포괄적인 = inclusive, complete

형 이해하는, 이해력 있는

[kɑ̀:mprihénsiv]

2016 국가직 7급 외 10회

MasterCard International has a **comprehensive** portfolio of widely accepted payment brands. 기출변형

MasterCard International은 널리 용인되는 결제 브랜드들의 종합적인 포트폴리오를 가지고 있다.

↔ **partial** 형 부분적인

⊕ **comprehension** 명 이해력

= 어휘 영역 출제

2010 □□□

advancement

[ædvǽnsmənt]

2020 국회직 8급 외 9회

명 발전, 진보 = progress

명 승진, 출세 = promotion

어원 adv[~로부터] + anc(e)[앞에(ante)] + ment[명·접] = 어딘가로부터 앞에 있는 목표로 나아가는 발전, 진보

Advancements in technology may lead to robots replacing humans in the workforce. 기출변형

기술에서의 발전은 노동력에서 인간을 대신하는 로봇들로 이어질 수 있다.

빈출 단어

2011 □□□

adverse

[ædvə́ːrs]

2020 국회직 8급 외 8회

형 부정적인, 불리한 = harmful

형 반대의 = opposing

어원 ad[~에] + verse[돌리다] = 어떤 일에 등을 돌린, 즉 그것에 부정적인

With respect to **adverse** health effects, many species, especially humans, are dependent on natural body cycles. 기출변형

부정적인 건강 영향과 관련하여, 많은 종들, 특히 인간은 자연적인 신체 주기에 의존한다.

↔ **beneficial** 형 이로운

+ **adverse effect** 부작용

2012 □□□

reckless

[réklis]

2018 서울시 9급 외 8회

형 무모한 = careless

The fear of getting hurt didn't prevent him from engaging in **reckless** behavior. 기출변형

다치는 것에 대한 두려움이 그가 무모한 행동에 연루되는 것을 막지는 않았다.

↔ **prudent** 형 신중한

+ **recklessness** 명 무모함

2013 □□□

magnificent

[mægnífəsnt]

2014 국회직 8급 외 5회

형 웅장한, 장엄한 = splendid

형 대단한, 위대한 = admirable

어원 magni[큰] + fic[만들다] + ent[형·접] = 크게 만들어 웅장한

After many restorations, the Louvre now has its **magnificent** look of today. 기출변형

많은 복구 작업 후에, 루브르 박물관은 이제 웅장한 오늘날의 모습을 가지고 있다.

+ **magnificence** 명 웅장함, 대단함

2014 □□□

disabled

[diséibld]
2019 국회직 9급 외 5회

형 장애를 가진 | = impaired

The charity built hardware to assist **disabled** players. (기출변형)
그 자선단체는 장애를 가진 선수들을 돕기 위한 장비를 만들었다.

⊕ **disabling** 형 (신체에) 장애를 초래하는

2015 □□□

donate

[dóuneit]
2017 국회직 9급 외 5회

동 기부하다, 기증하다 | = contribute

어원 don[주다] + ate[동·접] = 대가 없이 주다, 즉 기부하다

Developed countries **donated** large sums of money to feed the refugees. (기출변형)
선진국은 난민들을 부양하기 위해 많은 액수의 돈을 기부했다.

↔ **receive** 동 받다
⊕ **donation** 명 기부

2016 □□□

mediocre 

[mì:dióukər]
2020 법원직 9급 외 4회

형 보통의, 평범한 | = ordinary, common

Persons with **mediocre** talents have often achieved excellent results through their loyalty. (기출변형)
보통의 재능을 가진 사람들은 그들의 충실함을 통해 종종 훌륭한 성과를 달성해 왔다.

↔ **exceptional** 형 특출난, 이례적인

2017 □□□

empathy

[émpəθi]
2020 법원직 9급 외 4회

명 공감, 감정 이입 | = sympathy

어원 em[안에(en)] + path[느끼다] + y[명·접] = 마음 안에서 상대의 감정을 똑같이 느끼는 공감

The governor asked the citizens to show **empathy** to the refugees arriving from the war zone.
그 주지사는 시민들에게 전쟁 지역에서 도착하는 난민들에게 공감을 보일 것을 요청했다.

⊕ **empathic** 형 공감의, 감정 이입의

2018 □□□

radical

[rǽdikəl]
2019 서울시 7급 외 4회

형 급진적인, 과격한 | = extreme

형 근본적인 | = fundamental

Dinosaurs could not adjust to the **radical** climate changes. (기출변형)
공룡들은 급진적인 기후 변화에 적응하지 못했다.

↔ **moderate** 형 (정도 등이) 적당한
⊕ **radically** 부 급진적으로, 근본적으로

2019 □□□

gear

[giər]

2017 법원직 9급 외 4회

명 장비, 복장 ⊜ apparatus

동 준비하다, 갖추다 ⊜ equip

People seem reluctant to wear protective **gear**, such as gloves and helmets. 기출변형

사람들은 장갑과 헬멧 같은 보호장비를 착용하는 것을 꺼리는 것 같다.

2020 □□□

glare

[glɛər]

2019 지방직 7급 외 3회

동 노려보다, 쏘아보다

명 환한 빛, 섬광 ⊜ beam, flare

The horses **glared** at the man with enraged eyes. 기출변형

말들은 격분한 눈으로 그 남자를 노려보았다.

2021 □□□

peculiar

[pikjú:ljər]

2018 국회직 9급 외 2회

형 독특한, 기이한 ⊜ strange, bizarre

The man's **peculiar** behavior made the people around him nervous.

그 남자의 독특한 행동은 주변 사람들을 긴장하게 했다.

↔ **ordinary** 형 보통의

2022 □□□

compile

[kəmpáil]

2017 법원직 9급 외 2회

동 (여러 자료를) 엮다, 편집하다 ⊜ collect, organize

동 작성되다, 기록하다

When they **compiled** maps, imagination was as important as geographic reality. 기출

그들이 지도를 엮을 때, 상상력은 지리적 현실만큼이나 중요했다.

2023 □□□

retrieve

[ritrí:v]

2015 국가직 7급 외 2회

동 되찾아오다, 회수하다 ⊜ get back

He could not **retrieve** his shoe as the train was moving. 기출변형

기차가 움직이고 있었기 때문에 그는 그의 신발 한 짝을 되찾아올 수 없었다.

⊕ **retrieval** 명 회수, 검색

2024 □□□

harbinger 

[há:rbindʒər]

2018 서울시 9급 외 1회

명 전조, 조짐 ⊜ precursor, omen

The arrival of Columbus and his ships was the **harbinger** of tragedy for Native Americans. 기출변형

콜럼버스와 그의 함선들의 도착은 미국 원주민들에게 비극의 전조였다.

2025 □□□

merge

[mə:rdʒ]

2018 국회직 9급 외 1회

동 합치다, 통합하다

= integrate

어원 merg(e) = 다른 것을 흡수하여 하나로 합치다.

The two lanes of the road **merge** into one on the national highway.

그 2차선 도로는 국도에서 한 개로 합쳐진다.

↔ **separate** 동 분리하다

2026 □□□

definitive

[difínətiv]

2017 사회복지직 9급 외 1회

형 확정적인, 최종적인

= final, ultimate

The committee has no **definitive** conclusion on the issue. (기출변형)

위원회는 그 문제에 대한 확정적인 결론을 내리지 않았다.

↔ **provisional** 형 임시의, 잠정적인

+ **definition** 명 (단어·개념의) 정의, 선명도

2027 □□□

invalid

[invǽlid]

2014 서울시 7급 외 1회

형 무효한

= void, worthless

The constitutional court has declared the country's election **invalid**. (기출변형)

헌법재판소는 국가 선거를 무효하다고 선언했다.

↔ **valid** 형 유효한

+ **validate** 동 입증하다

2028 □□□

speedy

[spí:di]

2015 국회직 8급 외 1회

형 빠른, 지체 없는

= nimble, quick

In the United States, criminal suspects have a right to a **speedy** trial. (기출변형)

미국에서, 범죄 용의자들은 빠른 재판에 대한 권리를 가진다.

빈출 숙어

2029 □□□

instead of

2020 국가직 9급 외 60회

~대신에

= in place of

Factories started to use steam power **instead of** water power. (기출변형)

공장들은 수력 대신에 증기력을 이용하기 시작했다.

2030 ☐☐☐

all over

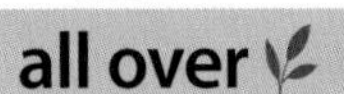

도처에서 | = throughout

2020 국가직 9급 외 24회

Signs of climate change are appearing **all over** the world. (기출변형)

기후 변화의 징후들이 전 세계 도처에서 나타나고 있다.

+ **allover** 형 전면적인

2031 ☐☐☐

refrain from

~을 삼가다, 자제하다 | = avoid

2018 지방직 9급 외 5회

Most people do not **refrain from** following emergency measures. (기출변형)

대부분의 사람은 비상조치를 따르는 것을 삼가지 않는다.

2032 ☐☐☐

integrate into

~에 통합되다 | = merge with

2019 지방직 7급 외 3회

The Migrants Center helps migrant workers to be **integrated into** society. (기출변형)

이주자 센터는 이주 노동자들이 사회에 통합될 수 있도록 돕는다.

+ **separate from** ~으로부터 떼어놓다, 분리하다

2033 ☐☐☐

shut down

멈추다, 정지하다 | = stop, halt

문을 닫다 | = close

2018 지방직 7급 외 3회

My computer just **shut down** for no reason. (기출)

나의 컴퓨터는 아무 이유 없이 멈췄다.

2034 ☐☐☐

lay out

~을 제시하다 | = set out

~을 펼치다, 배치하다

2016 사회복지직 9급 외 2회

The lawyer **laid out** all of the reasons his client was innocent.

그 변호사는 자신의 의뢰인이 무죄인 모든 이유를 제시했다.

+ **layout** 명 레이아웃, 배치

완성 어휘

2035	dehydration	명 탈수, 탈수증	
2036	rebut	동 논박하다	
2037	render	동 (어떤 상태가 되게) 만들다	
2038	toddler	명 갓난아기	
2039	stifle	동 억누르다	
2040	concretize	동 구체화하다	
2041	inconclusive	형 결론에 이르지 못하는	🌿
2042	sagacious	형 현명한, 영리한	🌿
2043	augmentative	형 증가하는, 증대하는	🌿
2044	apathetic	형 무관심한, 심드렁한	🌿
2045	accountability	명 책임, 의무	
2046	self-disciplined	형 자기 훈련이 된	🌿
2047	assent	명 찬성; 동 찬성하다	
2048	outcast	명 버림받은 사람	
2049	remission	명 차도, 완화	🌿
2050	eviction	명 퇴거, 축출	🌿
2051	enchanted	형 매혹된	
2052	masculine	형 남성의	
2053	blithe	형 태평스러운, 느긋한	🌿
2054	rookie	명 신참, 초보자	🌿
2055	frigid	형 몹시 추운, 냉랭한	
2056	insipidness	명 무미건조함, 재미없음	🌿
2057	decadence	명 타락, 퇴폐	🌿
2058	indolence	명 게으름, 나태	
2059	fallacious	형 잘못된, 틀린	
2060	assiduous	형 근면한, 끈기 있는	
2061	seductive	형 유혹하는	
2062	discord	명 불화, 다툼	
2063	refined	형 정제된	
2064	inept	형 서투른, 솜씨 없는	
2065	dope	명 약물; 동 약을 투여하다	
2066	abjure	동 포기하다, 철회하다	
2067	come under fire	비난을 받다, 빈축을 사다	🌿
2068	touch off	촉발하다	🌿
2069	go along with	~에 동의하다	
2070	be beset by	~으로 곤란을 겪다	
2071	be in a flap about	~에 대해 동요하다	
2072	supply chain	공급망	
2073	walk on air	매우 기쁘다	🌿
2074	put out	~를 내쫓다, 해고하다	
2075	shy of	~이 모자란, 부족한	
2076	leer at	~을 힐끔거리다	
2077	plow into	(일 등에) 달려들다	
2078	turn over (to)	~에게 넘기다, 맡기다	
2079	yearn for	~을 갈망하다, 동경하다	
2080	go into business	사업에 나서다	

🌿 = 어휘 영역 출제

DAY 27

■1회독 ■2회독 ■3회독

DAY27 음성 바로 듣기

최빈출 단어

2081 □□□

concentrate
[kάːnsəntrèit]
2019 서울시 9급 외 32회

동 집중하다 = focus on

동 모으다 = centralize

어원 con[모두(com)] + centr[중심] + ate[동·접] = 중심에서 모두의 관심을 집중시키다

Successful people are able to **concentrate** on one thing. 기출변형
성공한 사람들은 한 가지 일에 집중할 수 있다.

2082 □□□

evolve
[ivάːlv]
2020 국가직 9급 외 31회

동 진화하다, 발달하다 = develop

어원 e[밖으로(ex)] + volv(e)[말다] = 말려 있던 것을 밖으로 펼쳐 점점 크게 진화하다

Predators have **evolved** to pay attention to warnings. 기출변형
포식자들은 경고에 주의를 기울이도록 진화해왔다.

⊕ **evolution** 명 진화, 발달

2083 □□□

demonstrate
[démənstrèit]
2019 법원직 9급 외 19회

동 보여주다, 증명하다 = reveal, indicate

동 시위하다

어원 de[완전히] + monstr[가리키다] + ate[동·접] = (완전한 증거를 가리켜) 보여주다, 증명하다

Her work **demonstrates** her strong determination in life. 기출변형
그녀의 작품은 삶에 있어서 그녀의 강한 결의를 보여 준다.

⊕ **demonstrator** 명 시위 참가자

2084 □□□

obstacle
[άːbstəkl]
2019 서울시 9급 외 16회

명 장애물, 방해물 = impediment

어원 ob[맞서] + sta[서다] + cle[명·접] = 가는 길에 맞서서 막고 서 있는 장애물

Some people give up the moment an **obstacle** is placed in front of them. 기출
어떤 사람들은 장애물이 그들 앞에 나타나는 그 순간 포기한다.

↔ **advantage** 명 유리한 점

2085 □□□

cognitive

[ká:gnitiv]

2020 국회직 8급 외 16회

형 인지의, 인식에 의한 　 = intellectual

어원 cogn(it)[알다] + ive[형·접] = 아는 것과 관련한, 즉 인지의

Being bilingual can improve **cognitive** skills related to language. (기출변형)

이중언어 구사자가 되는 것은 언어와 관련된 인지 능력을 향상시킬 수 있다.

+ **cognizant** 형 인지하고 있는

2086 □□□

capability

[kèipəbíləti]

2019 서울시 7급 외 13회

명 능력, 역량 　 = ability, capacity

어원 cap[취하다] + abl(e)[할 수 있는] + ity[명·접] = 어떤 것을 취할 수 있는 능력, 역량

The U.S. maintains its naval **capability** in East Asia. (기출변형)

미국은 동아시아에서 자신의 해군력을 유지하고 있다.

↔ **inability** 명 무능력

+ **incapable** 형 ~을 할 수 없는

2087 □□□

recipient

[risípiənt]

2019 국가직 9급 외 13회

명 수취인, 수혜자 　 = receiver, beneficiary

To send an invoice, just enter the **recipient**'s e-mail address. (기출변형)

송장을 보내기 위해서는, 그저 수취인의 이메일 주소를 입력하세요.

+ **receipt** 명 영수증

2088 □□□

reluctant

[rilʌ́ktənt]

2020 국가직 7급 외 11회

형 주저하는, 달갑지 않은 　 = hesitant, loath

Many people are **reluctant** to seek help in managing depression. (기출변형)

많은 사람들이 우울증을 다루는 데 있어서 도움을 청하기를 주저한다.

↔ **willing** 형 기꺼이 ~하는

+ **reluctance** 명 싫음, 꺼림

2089 □□□

equivalent

[ikwívələnt]

2022 국가직 9급 외 10회

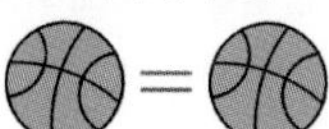

명 같은 것, 등가물 　 = counterpart, match

형 동일한, 동등한 　 = equal, identical

According to modern writers, clothes are the physical **equivalent** of remarks. (기출변형)

현대 작가들에 따르면 옷은 발언과 물리적으로 같은 것이다.

↔ **dissimilar** 형 다른

= 어휘 영역 출제

빈출 단어

2090 □□□

undermine

동 기반을 약화시키다, 손상시키다 ▤ ruin, damage

[ə̀ndərmáin]

2020 국회직 9급 외 7회

어원 under[아래에] + mine[땅굴을 파다] = 아래에 땅굴을 파서 기반을 약화시키다

The tobacco industry financed biased studies to **undermine** the anti-smoking research. (기출변형)

담배 업계는 흡연에 반대하는 그 연구를 약화시키기 위해 편향된 연구에 자금을 댔다.

↔ **enhance** 동 강화시키다

2091 □□□

discern

동 파악하다, 분간하다 ▤ distinguish

[disə́:rn]

2024 국가직 9급 외 6회

어원 dis[떨어져] + cern[분리하다] = 섞여 있던 것을 떨어지도록 분리해서 각각을 파악하다

The operators should be able to **discern** trends among consumers. (기출변형)

경영자들은 소비자들 사이의 경향을 충분히 파악할 수 있어야 한다.

↔ **overlook** 동 간과하다, 놓치다

⊕ **discernment** 명 분간, 식별

2092 □□□

intimate

형 친밀한, 사적인 ▤ close

형 정통한, 조예가 깊은

형 상세한 ▤ detailed

[íntəmət]

2023 국가직 9급 외 6회

He is an **intimate** friend who I can share my secrets with.

그는 나의 비밀들을 같이 공유할 수 있는 친밀한 친구이다.

⊕ **intimacy** 명 친밀함

2093 □□□

incur

동 초래하다, 발생시키다 ▤ provoke, arouse

[inkə́:r]

2018 국가직 9급 외 6회

어원 in[안에] + cur[달리다] = 어떤 상황 안으로 달려가 그 상황을 초래하다

Biologists hope the genetically engineered rice will reduce the damage **incurred** in the typhoon. (기출변형)

생물학자들은 유전자 변형된 쌀이 태풍으로 초래된 손해를 줄일 것이라고 희망한다.

↔ **prevent** 동 방지하다

⊕ **incursion** 명 급습

2094 □□□

scheme

[skiːm]

2017 서울시 9급 외 6회

명 제도, 계획 ■ plan

명 계략, 책략 ■ maneuver

The employees mentioned its reward **schemes** when asked why they loved working for the company. 기출변형

그 직원들은 왜 그 회사를 위해 일하는 것을 좋아하는지 질문 받았을 때, 그곳의 보상제도를 언급했다.

⊕ **schema** 명 개요

2095 □□□

affection

[əfékʃən]

2020 지방직 7급 외 6회

명 애정, 애착 ■ attachment

People are social animals that need an occasional hug or some form of physical **affection.** 기출변형

사람은 때때로 포옹이나 어떤 형태의 신체적인 애정을 필요로 하는 사회적 동물이다.

⊕ **affectionate** 형 다정한, 애정 어린

2096 □□□

faithful

[féiθfəl]

2019 국회직 8급 외 6회

형 충실한, 충직한 ■ loyal

어원 fai[믿다] + th[명·접] + ful[형·접] = 어떤 대상에 대한 믿음이 있는, 즉 충실한

Despite his belief in the independence of science, Galileo remained a **faithful** Catholic. 기출변형

과학의 독립성에 대한 그의 믿음에도 불구하고 갈릴레오는 충실한 가톨릭 신자로 남았다.

↔ **unfaithful** 형 충실하지 못한

⊕ **faithfully** 부 충실하게

2097 □□□

hinder

[híndər]

2022 법원직 9급 외 5회

동 방해하다, 저지하다 ■ obstruct, hamper

Low attention time can **hinder** learning later in life. 기출변형

짧은 주의 지속 시간은 앞으로의 삶에서 학습을 방해할 수 있다.

↔ **facilitate** 동 용이하게 하다, 촉진하다

⊕ **hindrance** 명 방해, 저지

2098 □□□

implant

동 [implǽnt]
명 [ímplænt]

2017 국회직 9급 외 5회

동 이식하다, 심다 ■ insert

명 이식, (심는) 물질

Dr. Denton Cooley **implanted** the first artificial heart into a human body. 기출변형

Denton Cooley 박사는 첫 인공 심장을 인간의 몸 속에 이식했다.

2099 □□□

contradict

[kὰ:ntrədíkt]

2019 서울시 7급 외 5회

동 모순되다 = conflict with

동 (어떤 주장을) 반박하다 = rebut

The two witnesses' accounts of the accident **contradicted** each other.

그 사고에 대한 두 목격자의 이야기는 서로 모순되었다.

↔ **corroborate** 동 (사실임을) 입증하다

⊕ **contradictory** 형 모순되는

2100 □□□

restrain

[ristréin]

2019 서울시 7급 외 5회

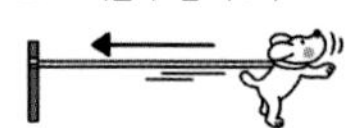

동 억제하다, 제지하다 = control, curb

어원 re[뒤로] + strain[팽팽히 당기다] = 뒤로 팽팽히 당겨 어떤 일을 못 하게 억누르다

The country's well-planned economic policies were able to **restrain** inflation.

그 나라의 잘 계획된 경제 정책들은 인플레이션을 억제할 수 있었다.

↔ **encourage** 동 장려하다

⊕ **restraint** 명 규제, 통제

2101 □□□

contempt

[kəntémpt]

2019 법원직 9급 외 4회

명 무시, 개의치 않음 = scorn, disdain

명 경멸, 멸시 = disrespect, disregard

The fact that the teacher reacted to my presentation with **contempt** offended me.

선생님이 나의 발표에 무시로 반응했다는 사실이 나를 서운하게 했다.

↔ **respect** 명 존경

2102 □□□

spontaneous

[spɑ:ntéiniəs]

2019 지방직 9급 외 4회

형 자발적인, 마음에서 우러난 = voluntary, natural

형 즉흥적인 = impromptu

The crowd broke into **spontaneous** applause several times during the speech.

군중은 그 연설 동안 몇 차례 자발적인 박수갈채를 터뜨렸다.

↔ **planned** 형 계획된

2103 □□□

staple

[stéipl]

2018 국가직 9급 외 4회

형 주된, 주요한 = principal

명 주요 산물

Seals are the **staple** food of polar bears. 기출

물개는 북극곰의 주된 먹이이다.

2104 □□□

renovation

명 보수, 수리 | = restoration

[renəvéiʃən]

2019 국회직 9급 외 3회

어원 re[다시] + nov[새로운] + at(e)[동·접] + ion[명·접] = 낡아진 것을 다시 새롭게 하는 보수

Heavy exposures to dust occur during **renovation** or demolition at the construction sites. (기출변형)

먼지로의 심한 노출은 공사장에서 보수나 폭파 도중에 발생한다.

2105 □□□

intrinsic

형 본질적인, 고유한 | = inherent, innate

[intrínsik]

2019 국회직 8급 외 3회

Critics warn that cryptocurrencies have no **intrinsic** value.

비평가들은 암호화폐가 본질적인 가치를 가지지 않는다고 경고한다.

↔ **acquired** 형 습득한, 후천적인

2106 □□□

aspire

동 열망하다, 염원하다 | = desire

[əspáiər]

2018 국가직 9급 외 2회

어원 a[~쪽으로(ad)] + spir(e)[숨 쉬다] = 원하는 것 쪽으로 간절한 숨을 쉬다, 즉 그것을 열망하다

Many young athletes **aspire** to compete in the Olympic games.

많은 젊은 운동선수들이 올림픽 경기에서 경쟁하기를 열망한다.

⊕ **aspiration** 명 열망

2107 □□□

intimidating

형 위협적인 | = frightening

[intímədèitiŋ]

2018 지방직 7급 외 1회

Too much eye contact can seem **intimidating**. (기출변형)

과도한 시선의 마주침은 위협적으로 보일 수 있다.

⊕ **intimidate** 동 겁을 주다

2108 □□□

requisite

형 필수적인 | = indispensable

명 필수 조건

[rékwəzit]

2018 서울시 9급 외 1회

She has the **requisite** experience to be hired as a manager.

그녀는 관리자로서 고용되기 위한 필수적인 경험을 가지고 있다.

⊕ **prerequisite** 형 전제 조건의; 명 전제 조건

= 어휘 영역 출제

빈출 숙어

2109 □□□

at the same time 동시에, 함께 = simultaneously

2021 지방직 9급 외 18회

I can watch TV and talk on the phone **at the same time.**

나는 TV 시청과 전화를 동시에 할 수 있다.

2110 □□□

in favor of ~에 찬성하여, 지지하여 = in support of

2022 지방직 9급 외 14회

The Judge abandoned traditions **in favor of** new procedures. (기출변형)

그 판사는 새로운 절차들에 찬성하여 기존의 관례들을 폐지했다.

2111 □□□

a couple of 두세 개의, 몇 개의

2019 서울시 7급 외 14회

If I jog every day, I'll be able to enter the marathon in **a couple of** months. (기출변형)

만약 내가 매일 조깅을 하면, 나는 두세 달 안에 마라톤에 참가할 수 있을 것이다.

2112 □□□

come across 우연히 만나다 = run into

2020 국회직 9급 외 6회

Celebrities learn how to deal with random fans they **come across** in public. (기출변형)

유명인들은 공공장소에서 우연히 만나는 팬들을 상대하는 방법을 학습한다.

2113 □□□

get along with ~와 잘 지내다 = be on good terms with

2020 지방직 7급 외 4회

The interviewers want to know how you **get along with** people. (기출변형)

인터뷰하는 사람들은 당신이 다른 사람들과 어떻게 잘 지내는지 알고 싶어 한다.

↔ **be in conflict** 갈등을 빚다

2114 □□□

line up  줄을 서다 = get in order

2021 국가직 9급 외 3회

Termites **line up** along the magnetic field's cardinal axes. (기출변형)

흰개미들은 자기장의 중심축을 따라 줄을 선다.

완성 어휘

2115	admittedly	부 인정하건대
2116	multiplication	명 증식, 증가, 곱셈
2117	inconsiderately	부 경솔하게
2118	conciliatory	형 회유적인, 달래는
2119	miscarriage	명 유산
2120	demographic	형 인구 통계의
2121	decipher	동 판독하다, 이해하다
2122	expulsion	명 추방, 제명
2123	nosy	형 참견하기 좋아하는
2124	coherent	형 일관성 있는
2125	satirical	형 풍자적인
2126	armored	형 갑옷을 입은
2127	endearment	명 애정을 담은 말
2128	masterwork	명 걸작, 명품
2129	snore	동 코를 골다
2130	sanity	명 온전한 정신, 분별력
2131	vex	동 성가시게 하다
2132	polling	명 여론조사, 투표
2133	garment	명 의복, 옷
2134	pier	명 부두
2135	abolish	동 폐지하다
2136	perpetuity	명 영속, 불멸
2137	akin	형 ~과 유사한
2138	wilderness	명 황무지
2139	skim	동 걷어 내다, 훑다
2140	flare	동 확 타오르다
2141	fraction	명 부분
2142	mend	동 고치다, 수리하다
2143	solicit	동 간청하다
2144	catalyst	명 촉매
2145	sentient	형 지각이 있는
2146	credulous	형 잘 믿는
2147	dispersion	명 확산, 분산
2148	patronage	명 후원
2149	engulf	동 휩싸다
2150	treadmill	명 러닝 머신
2151	come in handy	쓸모가 있다, 도움이 되다
2152	at no charge	무료로
2153	make a face	얼굴을 찌푸리다
2154	win hands down	쉽게 이기다
2155	lend oneself to	~에 도움이 되다, 적합하다
2156	go awry	실패하다
2157	on track	제대로 진행되고 있는
2158	make it a rule to	~하기로 정하다
2159	leave out	~을 빼다
2160	pin one's faith on	~을 굳게 믿다

(✓ marked: multiplication, inconsiderately, conciliatory, decipher, expulsion, nosy, abolish, come in handy, make a face, leave out)

✓ = 어휘 영역 출제

DAY 28

■ 1회독 ■ 2회독 ■ 3회독

DAY28 음성 바로 듣기

최빈출 단어

2161 □□□

ground

[graund]

2020 국회직 9급 외 46회

명 이유, 근거 ≡ reason, cause

명 땅, 지면

The company decided to stop the project on the **grounds** that funding was insufficient.

그 회사는 자금이 불충분하다는 이유로 그 프로젝트를 멈추기로 결정했다.

2162 □□□

largely

[lá:rdʒli]

2020 국회직 8급 외 33회

부 대체로, 주로 ≡ mostly, mainly

부 대규모로

These traditional ways of raising crops are disappearing **largely** because of modern technology. 기출변형

이러한 전통적인 작물 재배 방식은 대체로 현대 기술 때문에 사라지고 있다.

2163 □□□

foundation

[faundéiʃən]

2020 국회직 8급 외 25회

명 설립 ≡ establishment

명 토대, 기초, 기반 ≡ basis

명 재단 ≡ institution

More than 20,000 students have graduated from the school since its **foundation**.

학교의 설립 이래로 2만 명이 넘는 학생들이 그 학교를 졸업했다.

⊕ **founder** 명 설립자

2164 □□□

recession

[riséʃən]

2020 국회직 9급 외 18회

명 불경기, 불황 ≡ depression

명 후퇴, 물러남

Over five million Americans lost access to health care in the **recession**. 기출변형

500만 명이 넘는 미국인들이 불경기 속에서 의료 서비스에 대한 접근성을 잃었다.

2165 □□□

resolve 

[rizά:lv]

2018 법원직 9급 외 16회

동 **해결하다** ≡ settle

어원 re[다시] + solve[느슨하게 하다] = 엉킨 것을 다시 느슨하게 풀어 해결하다

Scientists devoted a great deal of effort to **resolving** the problem. (기출변형)

과학자들은 문제를 해결하는 것에 많은 노력을 쏟았다.

2166 □□□

prosperity

[prɑ:spérəti]

2020 지방직 9급 외 16회

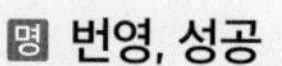

명 **번영, 성공** ≡ success

어원 pro[앞으로] + sper[희망] + ity[명·접] = 희망차게 앞으로 발전해 나감, 즉 번영

People throughout the world aim for economic development and greater **prosperity**. (기출변형)

전 세계 사람들은 경제적인 발전과 더 큰 번영을 목표로 한다.

2167 □□□

mankind

[mǽnkáind]

2018 서울시 7급 외 15회

명 **인류** ≡ humanity

The philosopher considers ignorance the primary enemy of **mankind**. (기출변형)

그 철학자는 무지가 인류의 주요한 적이라고 생각한다.

2168 □□□

conscious

[kά:nʃəs]

2018 법원직 9급 외 14회

형 **의식적인, 의식이 있는** ≡ awake

어원 con[함께(com)] + sci[알다] + ous[형·접] = 어떤 것이 함께 있다는 것을 알고 그것을 의식하는

An action can be called 'altruistic' only when it is done with the **conscious** intention of helping another. (기출변형)

어떠한 행동은 다른 사람을 도우려는 의식적인 의도를 가지고 행해질 때만 '이타주의적'이라고 불릴 수 있다.

2169 □□□

dominate

[dά:mənèit]

2020 지방직 9급 외 13회

동 **지배하다** ≡ rule

어원 domin[다스리다] + ate[동·접] = 어떤 곳을 다스릴 수 있게 장악하여 지배하다

Nowadays, the clock **dominates** our lives so much. (기출변형)

요즘, 시계가 우리 삶을 너무나 많이 지배한다.

2170 □□□

register

[rédʒistər]

2019 서울시 9급 외 11회

동 **(정식으로) 등록하다, 기록하다** ≡ enroll

명 **기록, 등록부**

어원 re[다시] + gist(er)[나르다] = 다시 볼 수 있도록 날라온 정보를 등록하다

You will want to **register** a trademark to protect your rights. (기출변형)

당신은 자신의 권리를 보호하기 위해 상표를 등록하기를 원할 것이다.

🌿 = 어휘 영역 출제

2171 ☐☐☐

comprise | 동 구성하다, 포함하다 | = consist of

[kəmpráiz]

2020 국회직 8급 외 10회

어원 com[함께] + pris(e)[붙잡다] = 함께 붙잡힌 여럿으로 어떤 것 하나가 구성되다

The Renaissance movement **comprised** many different painting styles. (기출변형)

르네상스 운동은 많은 다양한 화풍을 구성했다.

빈출 단어

2172 ☐☐☐

instinct | 명 본능, 직감 | = intuition, insight

[ínstiŋkt]

2018 국회직 9급 외 9회

어원 in[안에] + stinct[찌르다] = 머리나 마음 안에 쿡 찌르고 들어오는 본능, 직감

Democracy lives in the **instincts** and expectations of citizens. (기출변형)

민주주의는 시민들의 본능과 기대 속에 살아있다.

⊕ **instinctive** 형 본능적인

2173 ☐☐☐

disgust | 명 역겨움, 혐오감 | = aversion, loathing

동 혐오감을 유발하다 | = repel

[disgʌ́st]

2020 국회직 8급 외 8회

어원 dis[반대의] + gust[맛] = 맛있어하는 것의 반대인 혐오, 역겨움

There are ways to nonverbally show your **disgust** for a situation. (기출변형)

어떤 상황에 대한 당신의 역겨움을 말로 하지 않고 보여주는 방법들이 있다.

2174 ☐☐☐

sediment | 명 침전물, 앙금 | = accumulation

[sédəmənt]

2013 국회직 8급 외 6회

The sandstone was originally deposited as sandy **sediment** in rivers or beaches. (기출변형)

사암은 원래 강이나 해변에 모래 침전물로 퇴적되었다.

2175 ☐☐☐

nocturnal  | 형 야행성의

[nɑːktə́ːrnl]

2020 법원직 9급 외 6회

Moths are **nocturnal** and butterflies are active during the day. (기출변형)

나방은 야행성이고 나비는 낮 동안에 활동한다.

2176 ☐☐☐

dissolve

[dizά:lv]

2020 지방직 9급 외 6회

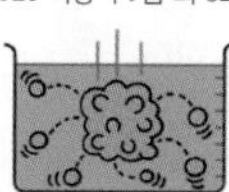

동 용해되다, 녹이다 = break down, melt

동 해체시키다 = disband, dismiss

어원 dis[떨어져] + solv(e)[느슨하게 하다] = 뭉친 것들이 느슨하게 떨어져 풀어지다, 즉 용해되다

A pill can be chewed or quickly **dissolved** in hot or cold water. (기출변형)

알약은 씹거나 뜨겁거나 차가운 물에 빨리 용해될 수 있다.

↔ **condense** 동 응결되다

+ **dissolution** 명 용해, 해산

2177 ☐☐☐

denounce 

[dináuns]

2024 서울시 9급 외 5회

동 맹렬히 비난하다, 고발하다 = condemn 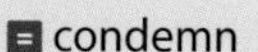

동 파기하다, 종료를 통고하다

The next day, the newspaper carried headlines that students had **denounced** the British professor. (기출변형)

다음날, 그 신문은 학생들이 영국인 교수를 맹렬히 비난했다는 헤드라인을 실었다.

2178 ☐☐☐

inspect

[inspékt]

2021 지방직 9급 외 5회

동 점검하다, 검사하다 = examine

어원 in[안에] + spect[보다] = 안에 문제가 없는지 살펴보다, 즉 점검하다

City officials must **inspect** all new structures to ensure they meet current building codes.

시 공무원들은 현재의 건축 법규를 준수하는지 확실히 하기 위해 모든 새로운 건축물을 점검해야 한다.

+ **inspector** 명 조사관

2179 ☐☐☐

buoyant

[bɔ́iənt]

2019 지방직 7급 외 5회

형 부력이 있는, (물에) 뜰 수 있는 = floating

형 경기가 좋은, 활황인 = vigorous, thriving 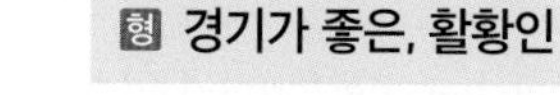

The air becomes lighter and more **buoyant** when heated. (기출변형)

공기는 뜨거워졌을 때 더 가벼워지고 더 부력이 있게 된다.

+ **buoyancy** 명 부력, 회복력

2180 □□□

vigorous

[vígərəs]

2019 서울시 7급 외 5회

형 활발한, 격렬한 | = strenuous, mettlesome

Children and teens should get 60 minutes of **vigorous** physical activity every day. 기출변형

어린이들과 청소년들은 매일 60분씩 활발한 신체 활동을 해야 한다.

↔ **weak** 형 약한, 미미한

⊕ **vigor** 명 활기

2181 □□□

deposit

[dipá:zit]

2009 지방직 9급 외 5회

동 예금하다 | = entrust, save

동 침전하다, 침전시키다

명 예금, 보증금

The government requires tourists to **deposit** $1,000 in a special account before leaving the country. 기출변형

정부는 여행객들에게 나라를 떠나기 전에 특수한 통장에 1,000달러를 예금할 것을 요구한다.

2182 □□□

delegate

명 [déligət]
동 [déligèit]

2019 법원직 9급 외 4회

명 대표, 사절단 | = representative

동 (권한을) 위임하다 | = authorize, appoint

어원 de[떨어져] + leg[위임하다] + ate[동·접] = 일을 위임해서 멀리 떨어진 곳에 파견하는 대표

Korean broadcast authorities sent **delegates** to promote their cultural contents overseas. 기출변형

한국의 방송 관계자들은 해외에 그들의 문화 콘텐츠를 홍보하기 위해 대표단을 파견했다.

⊕ **delegation** 명 대표단, 위임

2183 □□□

corroborate

[kərá:bərèit]

2015 지방직 9급 외 3회

동 확증하다, (증거나 정보를) 제공하다 | = confirm

The researchers performed additional tests to **corroborate** their previous findings.

연구원들은 자신들의 이전 연구 결과들을 확증하기 위해 추가적인 테스트를 수행했다.

2184 □□□

barter

[bá:rtər]

2017 법원직 9급 외 2회

동 물물교환하다 | = exchange

When people **bartered**, they knew the values of the objects they exchanged. 기출변형

사람들은 물물교환할 때, 자신들이 교환한 물건의 가치를 알았다.

2185 □□□

lapse

[læps]

2016 국회직 8급 외 2회

명 경과 = interval

동 쇠퇴하다 = decline

Unpopular opinions can make more impact after a **lapse** of time. 기출변형

인기가 없는 의견은 시간의 경과 후에 더 큰 영향을 미칠 수 있다.

2186 □□□

willpower

[wílpauər]

2017 지방직 9급 외 2회

명 의지력 = self-control

The student exercised **willpower** to grab a dictionary for word study. 기출변형

그 학생은 단어 공부를 하기 위해 사전을 잡는 의지력을 발휘했다.

2187 □□□

affiliation

[əfìliéiʃən]

2014 국가직 9급 외 1회

명 소속, 가입

명 제휴 = partnership

Individualistic cultures put more emphasis on achievement than on **affiliation**. 기출변형

개인주의 문화는 소속보다는 성취를 더 강조한다.

⊕ **affiliate** 동 가입하다, 연계되다

2188 □□□

cardinal

[kɑ́:rdənl]

2017 사회복지직 7급 외 1회

형 기본적인, 아주 중요한 = principal, leading

명 추기경

The **cardinal** rule is to do everything you can to satisfy a customer. 기출변형

기본적인 규칙은 고객을 만족시키기 위해 할 수 있는 모든 것을 하는 것이다.

빈출 숙어

2189 □□□

take on

2020 국가직 9급 외 19회

(일·책임을) 맡다, 지다 = be in charge of

~를 고용하다 = employ

태우다, 싣다 = give a ride

I can't **take on** any more work at the moment. 기출

나는 지금으로서는 더 이상의 일을 맡을 수 없다.

= 어휘 영역 출제

2190 □□□

make up for  만회하다, 보충하다 ⊜ compensate for, complete

2020 지방직 9급 외 10회

I tried to **make up for** lost time, focusing on sentence completions. (기출변형)

나는 문장 완성에 집중하면서, 허비한 시간을 만회하기 위해 노력했다.

2191 □□□

take ~ for granted ~을 당연히 여기다

2018 국가직 9급 외 7회

Scientists warn that we cannot **take** our forests **for granted.** (기출변형)

과학자들은 우리가 우리의 숲을 당연히 여겨서는 안 된다고 경고한다.

2192 □□□

let alone ~은 고사하고, ~은 커녕

2018 국회직 9급 외 6회

Building the new museum takes up too much time, **let alone** the expenses. (기출변형)

그 새로운 박물관을 짓는 것은 비용은 고사하고, 시간이 너무 오래 걸린다.

2193 □□□

see eye to eye 의견을 같이하다 ⊜ agree

2019 서울시 9급 외 3회

The two politicians don't **see eye to eye** on the regulation of Korea's financial markets. (기출변형)

그 두 정치인들은 한국의 금융 시장 규제에 대해 의견을 같이하지 않는다.

2194 □□□

give off (냄새·열·빛 등을) 내뿜다, 발산하다 ⊜ emit, exude

2012 서울시 9급 외 2회

Laws were passed to reduce or eliminate pollution **given off** by buildings. (기출변형)

건물들에 의해 내뿜어지는 오염을 줄이거나 없애기 위한 법안들이 통과되었다.

완성 어휘

2195 □□□	pinpoint	동 딱 집어내다
2196 □□□	indistinguishable	형 구분하기 어려운
2197 □□□	vain	형 헛된, 소용없는
2198 □□□	derivative	형 파생된; 명 파생 상품
2199 □□□	hindsight	명 뒤늦은 깨달음
2200 □□□	thrust	동 밀다, 찌르다
2201 □□□	declaim 🌿	동 열변을 토하다
2202 □□□	beguile	동 (마음을) 끌다, 구슬리다
2203 □□□	condescending 🌿	형 거들먹거리는, 생색을 내는
2204 □□□	explicate 🌿	동 설명하다, 해명하다
2205 □□□	slander 🌿	동 중상모략하다; 명 모략, 비방
2206 □□□	intention	명 의도, 목적
2207 □□□	perish	동 소멸되다
2208 □□□	pseudo	형 허위의, 가짜의
2209 □□□	intermittent 🌿	형 간헐적인
2210 □□□	metaphorical	형 비유의
2211 □□□	mindset	명 사고방식
2212 □□□	anguish 🌿	명 괴로움
2213 □□□	fortitude	명 불굴의 용기
2214 □□□	trickery	명 속임수, 사기
2215 □□□	vociferous 🌿	형 소리 높여 표현하는
2216 □□□	temporal	형 시간의, 속세의
2217 □□□	blizzard	명 눈보라
2218 □□□	covert 🌿	형 비밀의, 은밀한
2219 □□□	subsidiary	형 부수적인
2220 □□□	predate	동 ~보다 앞서다
2221 □□□	congestion	명 혼잡
2222 □□□	counterfeit	형 위조의, 모조의
2223 □□□	volatile	형 휘발성의, 변덕스러운
2224 □□□	discriminating	형 안목 있는
2225 □□□	fickle	형 변덕스러운
2226 □□□	crooked	형 비뚤어진
2227 □□□	outlive	동 ~보다 더 오래 살다
2228 □□□	humidity	명 습도
2229 □□□	payoff	명 지불, 청산
2230 □□□	bilateral	형 쌍방의
2231 □□□	put in mind 🌿	상기시키다
2232 □□□	deem to	~으로 여기다, 생각하다
2233 □□□	out of control	통제 불능의
2234 □□□	put one's feet up	누워서 쉬다
2235 □□□	lose sight of	~을 잊다, 망각하다
2236 □□□	out of reach	힘이 미치지 않는 곳에
2237 □□□	weigh down 🌿	~을 짓누르다
2238 □□□	call up	~을 불러일으키다
2239 □□□	come into play	작동하기 시작하다
2240 □□□	had better	~하는 것이 좋다

🌿 = 어휘 영역 출제

DAY 29

■ 1회독 ■ 2회독 ■ 3회독

DAY29 음성 바로 듣기

최빈출 단어

2241 □□□

access

[ǽkses]

2020 법원직 9급 외 53회

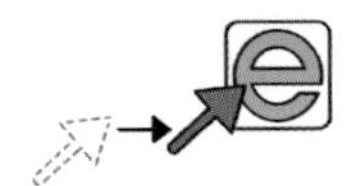

명 접근, 입장 = admission, entry

동 접근하다, 접속하다

어원 ac[~에(ad)] + cess[가다] = ~에 가까이 가다, 즉 접근

Computerized lectures give students remote **access** to their classes. 기출변형

컴퓨터화된 강의는 학생들에게 그들의 수업에 대한 원격 접근을 허용한다.

⊕ **accessible** 형 접근 가능한

2242 □□□

accumulate

[əkjú:mjulèit]

2022 서울시 9급 외 20회

동 축적하다, 모으다 = collect, assemble

어원 ac[~쪽으로] + cumulat(e)[쌓다] = ~쪽으로 무언가를 쌓아 올리다, 즉 축적하다

It is easy to think of work simply as a means to **accumulate** money. 기출변형

직업을 단순히 돈을 축적하기 위한 수단으로 생각하기 쉽다.

↔ **dissipate** 동 낭비하다, 없애다

⊕ **accumulation** 명 축적

2243 □□□

ethical

[éθikəl]

2020 지방직 9급 외 19회

형 윤리적인, 도덕적인 = moral, virtuous

Ethical considerations can be an essential element of biotechnology. 기출변형

윤리적인 고려 사항들은 생명 공학의 필수적인 요소일 수 있다.

⊕ **ethics** 명 윤리학

2244 □□□

protest

명 [próutest]
동 [prətést]

2014 서울시 9급 외 18회

명 **항의, 반발** ⊜ objection

동 **항의하다, 반발하다** ⊜ challenge, revolt

어원 pro[앞에] + test[증언하다] = 앞에 나서서 잘못된 것을 증언하는 것, 즉 항의

Government plans to close the harbor provoked **protests**. (기출변형)

항구를 폐쇄하려는 정부의 계획이 항의를 일으켰다.

↔ **support** 명 지지, 옹호

2245 □□□

remarkable

[rimά:rkəbl]

2020 국가직 9급 외 17회

형 **놀랄 만한, 주목할 만한** ⊜ outstanding

The Internet is one of the most **remarkable** things human beings have ever made. (기출)

인터넷은 인간이 지금까지 만들어낸 가장 놀랄 만한 것들 중 하나이다.

↔ **ordinary** 형 평범한

⊕ **remarkably** 부 놀랄 만하게, 주목할 만하게

2246 □□□

adjust

[ədʒʌ́st]

2020 지방직 9급 외 16회

동 **조정하다, 조절하다** ⊜ modify, alter

동 **적응하다** ⊜ adapt, accommodate

어원 ad[~에] + just[올바른] = 어떤 것에 올바르게 맞추다, 맞게 조정하다

Social practices should be **adjusted** for the greater benefit of humanity. (기출변형)

사회의 관행들은 인류의 더 큰 이익을 위해 조정되어야 한다.

2247 □□□

exceed

[iksí:d]

2019 서울시 9급 외 14회

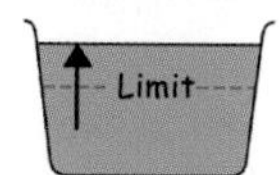

동 **초과하다, 능가하다** ⊜ surpass, beat

어원 ex[밖으로] + ceed[가다] = 정해진 범위 밖으로 가서 그것을 넘다, 초과하다

New hiring in companies does not **exceed** three percent of total employment. (기출변형)

기업의 새로운 고용은 전체 고용의 3퍼센트를 초과하지 않는다.

↔ **fall short of** ~이 부족하다

⊕ **excessive** 형 과도한

2248 □□□

organ

[ɔ́:rgən]

2020 국가직 9급 외 14회

명 **장기, 기관**

어원 organ[기관] = 몸 내부의 기관인 장기 또는 특정 목적을 위해 운영되는 기관

Blood carries hormones to the different **organs** of the body. (기출변형)

혈액은 호르몬을 신체의 다른 기관들로 운반한다.

⊕ **organize** 동 조직하다

2249 □□□

confront

[kənfrʌ́nt]

2018 국회직 9급 외 12회

동 직면하다, 맞닥뜨리다 = tackle, address

동 상황 등에 맞서다 = challenge, oppose

어원 con[함께(com)] + front[앞쪽] = 둘이 함께 서로의 앞쪽에 있다, 즉 서로 직면하다

Some species become extinct when **confronted** with a sudden change to their environment. 기출변형

어떤 종들은 자신의 환경에 대한 급격한 변화에 직면했을 때 멸종하게 된다.

↔ **avoid** 동 피하다

+ **confrontation** 명 대치, 대립

2250 □□□

deadly

[dédli]

2019 서울시 9급 외 11회

형 치명적인, 생명을 앗아가는 = fatal, lethal

Tornadoes are **deadly** columns of wind destroying everything in their path. 기출변형

토네이도는 그것의 경로에 있는 모든 것을 파괴하는 치명적인 바람기둥이다.

2251 □□□

electrical

[iléktrikəl]

2020 국가직 9급 외 11회

형 전자의, 전기를 사용하는 = electronic

Large multinational corporations produce many everyday items, such as clothes and **electrical** products. 기출변형

거대한 다국적 기업들은 의류와 전자 제품과 같은 일상용품들을 생산한다.

빈출 단어

2252 □□□

debris

[dəbríː]

2019 지방직 7급 외 8회

명 잔해, 파편 = waste, remains

Plastic bags make up a large percentage of the marine **debris** that pollutes our oceans.

비닐봉지는 우리의 바다를 오염시키는 해양 잔해의 많은 부분을 차지한다.

2253 □□□

highlight

[háilàit]

2019 국회직 9급 외 7회

동 강조하다 = emphasize

명 가장 흥미로운 부분

Our mind **highlights** evidence that confirms what we already believe. 기출변형

우리 마음은 우리가 이미 믿고 있는 것을 확인하는 증거를 강조한다.

2254 □□□

perpetual

[pərpétʃuəl]

2020 국가직 9급 외 7회

형 끊임없는, 계속되는 ＝ continuous

Communities in desert regions face a **perpetual** struggle to get water.

사막 지역의 공동체들은 물을 얻기 위한 끊임없는 투쟁에 직면해 있다.

2255 □□□

addiction

[ədíkʃən]

2019 국가직 9급 외 6회

명 중독 ＝ dependency

어원 ad[~에] + dict[말하다] + ion[명·접] = 어떤 것에 대해서 계속 말해 그것에 중독됨

Some may want to quit smoking, but the power of nicotine **addiction** is too great. (기출변형)

어떤 사람들은 담배를 끊고 싶어 할지 모르지만 니코틴 중독의 힘은 너무 크다.

⊕ **addictive** 형 중독성의

2256 □□□

reproduce

[rìprədúːs]

2015 국가직 9급 외 6회

동 번식하다 ＝ breed, spawn

동 복제하다, 모조하다 ＝ copy, duplicate

동 재생하다, 재현하다 ＝ repeat, remake

Wildlife officials have a plan to **reproduce** bears in a controlled situation. (기출변형)

야생동물 관리인들은 통제된 상황에서 곰을 번식시킬 계획을 가지고 있다.

⊕ **reproduction** 명 생식, 번식, 복제

2257 □□□

gradual

[grǽdʒuəl]

2017 지방직 9급 외 5회

형 점진적인 ＝ incremental

어원 grad[단계] + ual[형·접] = 단계적으로 서서히 일어나는, 즉 점진적인

The fall of the Roman Empire was a **gradual** process.

로마 제국의 몰락은 점진적인 과정이었다.

↔ **sudden** 형 갑작스러운

⊕ **gradually** 부 점진적으로, 서서히

2258 □□□

conspicuous

[kənspíkjuəs]

2020 국가직 9급 외 4회

형 뚜렷한, 눈에 띄는 ＝ salient, noticeable

The most **conspicuous** acts of animal altruism are done by parents towards their children. (기출변형)

동물적 이타주의의 가장 뚜렷한 행위들은 부모들에 의해 자녀들에게 행해진다.

↔ **inconspicuous** 형 눈에 잘 안 띄는

(잎 아이콘) = 어휘 영역 출제

2259 □□□

detain

[ditéin]

2019 지방직 9급 외 4회

동 구금하다, 억류하다 ■ take into custody

동 지체하다 ■ delay, set back

The suspect was **detained** at the airport and prevented from leaving the country.

그 용의자는 공항에서 구금되었고, 그 나라를 떠나는 것을 저지당했다.

↔ **release** 동 풀어주다

2260 □□□

aerospace

[érouspèis]

2018 국가직 9급 외 3회

형 항공 우주의

명 항공 우주 산업

NASA hired the world's best **aerospace** engineers to design the spacecraft.

NASA는 그 우주선을 설계하기 위해 세계 최고의 항공 우주 기술자를 고용했다.

2261 □□□

bewilder

[biwíldər]

2017 국회직 8급 외 3회

동 당황하게 하다 ■ baffle

Understanding a country's culture is **bewildering** and complex. (기출변형)

한 나라의 문화를 이해하는 것은 당황스럽고 복잡하다.

2262 □□□

misfortune

[misfɔ́rtʃən]

2019 지방직 9급 외 3회

명 불운, 불행 ■ bad luck

Some injuries occur because of **misfortune**. (기출변형)

몇몇 부상은 불운 때문에 일어난다.

↔ **luck** 명 행운

2263 □□□

shortly

[ʃɔ́:rtli]

2017 지방직 9급 외 2회

부 (~한지) 얼마 안 되어, 곧 ■ soon

Shortly after the accidental discovery, engineers went to work on the new idea. (기출변형)

그 우연한 발견 이후 얼마 안 되어, 기술자들은 그 새로운 아이디어에 착수하기 시작했다.

2264 ☐☐☐

reconstruct

동 재건하다, 복원하다 　 = restore, rebuild

[rìkənstrʌ́kt]

2014 법원직 9급 외 2회

어원 re[다시] + con[함께(com)] + struct[세우다] = 여러 재료를 함께 사용해 건물을 다시 세우다, 즉 재건하다

The evidence allows us to **reconstruct** aspects of the Indus culture. (기출변형)

그 증거는 우리가 인더스 문명의 모습을 재건할 수 있도록 한다.

2265 ☐☐☐

desperate

형 절박한, 필사적인 　 = despairing

[déspərət]

2016 서울시 7급 외 2회

어원 de[떨어져] + sper[희망] + ate[형·접] = 희망에서 떨어진 상태인, 즉 절박한

There were **desperate** efforts to trace the last signals from the missing plane. (기출변형)

실종된 비행기로부터 나온 마지막 신호들을 추적하기 위한 절박한 노력들이 있었다.

⊕ **desperately** 부 절망적으로

2266 ☐☐☐

recurring

형 반복되는, 되풀이되는

[rikə́:riŋ]

2020 지방직 7급 외 1회

A **recurring** knee injury affected his chances of winning the tournament. (기출변형)

반복된 무릎 부상은 그가 대회에서 우승할 가능성에 영향을 끼쳤다.

2267 ☐☐☐

spurious

형 거짓된, 위조의 　 = false, specious

[spjúəriəs]

2014 서울시 7급 외 1회

She began to think about **spurious** reasons for spending evenings without him. (기출변형)

그녀는 그 없이 저녁을 보내기 위한 거짓된 이유들을 생각해내기 시작했다.

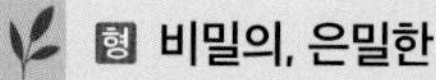

↔ **genuine** 형 진실된, 진짜의

2268 ☐☐☐

clandestine

형 비밀의, 은밀한 　 = surreptitious, covert

[klændéstin]

2017 사회복지직 9급

The secret society held **clandestine** meetings to discuss ways to take power.

그 비밀 결사 조직은 집권할 방법을 논의하기 위해 비밀회의를 열었다.

↔ **open** 형 공개된

= 어휘 영역 출제

빈출 숙어

2269 ☐☐☐

be interested in ~에 관심이 있다

2019 법원직 9급 외 34회

My son **was interested in** outer space. (기출변형)

나의 아들은 우주에 관심이 있었다.

2270 ☐☐☐

carry out 수행하다, 이행하다 = conduct, implement

2020 지방직 9급 외 16회

The personnel department **carried out** a management analysis of the last quarter. (기출변형)

인사부는 지난 분기의 관리 분석을 수행했다.

2271 ☐☐☐

in an effort to ~하기 위한 노력으로

2018 지방직 7급 외 9회

They have assessed all available sources **in an effort to** help the hurricane victims. (기출변형)

그들은 허리케인 피해자들을 돕기 위한 노력으로 구할 수 있는 모든 자원들을 검토했다.

2272 ☐☐☐

rule out 배제하다, 제외시키다 = exclude, eliminate

2024 지방직 9급 외 5회

Tests **ruled out** dirt and poor sanitation as causes of fever. (기출변형)

검사는 열의 원인으로 먼지와 열악한 위생을 배제했다.

2273 ☐☐☐

for good 영원히 = forever

2014 법원직 9급 외 2회

He gave up smoking **for good**, vowing to never have another cigarette.

그는 절대로 담배를 갖고 있지 않겠다고 맹세하며 영원히 담배를 끊었다.

2274 ☐☐☐

take a day off 하루 쉬다

2016 국가직 7급 외 1회

She **took** the rest of the **day off**. (기출)

그녀는 남은 하루를 쉬었다.

완성 어휘

2275	transient 🌿	형 일시적인, 순간적인
2276	depraved	형 타락한, 부패한
2277	afflict	동 피해를 입히다, 괴롭히다
2278	lofty 🌿	형 고귀한, 고결한
2279	irascible	형 화를 잘 내는
2280	deduction	명 공제, 추론
2281	infallible 🌿	형 확실한, 틀림없는
2282	specious	형 허울만 그럴듯한
2283	laid-back 🌿	형 느긋한, 태평스러운
2284	swirl	동 소용돌이치다
2285	nag	동 잔소리하다
2286	sequel	명 속편
2287	profuse	형 많은, 사치스러운
2288	dissemble	동 (감정·의도를) 숨기다
2289	connive	동 묵인하다
2290	epochal	형 획기적인
2291	advisory	형 조언하는, 자문의
2292	plenitude	명 풍부함, 완전함
2293	thrilled 🌿	형 신이 난, 흥분한
2294	admonition 🌿	명 책망, 경고
2295	glorious	형 영광스러운
2296	personnel	명 직원, 인사과
2297	blush	동 얼굴을 붉히다
2298	methodically	부 체계적으로
2299	subsist	동 근근이 살아가다
2300	intelligible	형 이해할 수 있는
2301	grieve	동 비통해하다
2302	hectic	형 정신없이 바쁜
2303	voracious	형 게걸스러운
2304	forestall	동 미연에 방지하다
2305	salvation	명 구원, 구조
2306	stomp	동 발을 구르다
2307	humming	명 콧노래
2308	peacemaking	명 조정, 중재
2309	live on	~으로 먹고 살다
2310	be treated with	치료를 받다
2311	an array of	~의 무리, 집합
2312	be fond of	~을 좋아하다
2313	take measure	조치를 취하다
2314	go for	~을 선택하다
2315	slam into	~에 쾅 하고 충돌하다
2316	do a good turn	남에게 친절하게 하다
2317	be survived by	~보다 먼저 죽다
2318	parcel out	(여러 부분으로) ~을 나누다
2319	stand up to	~에 맞서다
2320	stick up for	~를 변호하다, ~을 방어하다

🌿 = 어휘 영역 출제

DAY 30

■ 1회독 ■ 2회독 ■ 3회독

DAY30 음성 바로 듣기

최빈출 단어

2321 □□□

convince

[kənvíns]

2020 지방직 7급 외 41회

동 설득하다, 확신시키다 ≡ induce, persuade

어원 con[모두(com)] + vinc(e)[이기다] = 논쟁의 모든 쟁점에서 이겨 상대를 설득하다

I did my best to **convince** them that I am not in a cult. 기출변형

나는 내가 사이비 종교에 속하지 않는다는 것을 그들에게 설득하기 위해 최선을 다했다.

⊕ **convincingly** 부 납득이 가도록

2322 □□□

disorder

[disɔ́ːrdər]

2020 국회직 8급 외 39회

명 장애 ≡ disability

명 엉망, 어수선함 ≡ mess, confusion

The couple decided not to have a child because of the high risk of inheriting their **disorder.** 기출변형

부부는 그들의 장애를 물려줄 높은 위험 때문에 아이를 갖지 않기로 결정했다.

2323 □□□

incident

[ínsədənt]

2019 지방직 9급 외 25회

명 사건, 일 ≡ occurrence

어원 in[안에] + cid[떨어지다] + ent[명·접] = 본래 있어서는 안 될 범위 안에 떨어진 것, 즉 사건

I still remember the **incident** that happened last summer. 기출

나는 지난 여름에 일어났던 사건을 아직도 기억한다.

⊕ **incidental** 형 부수적인

2324 □□□

portion

[pɔ́ːrʃən]

2020 국가직 9급 외 18회

명 일부, 부분 ≡ fragment

동 나누다, 분배하다

One's opinions tend to include only a **portion** of the truth. 기출변형

사람의 의견은 진실의 일부만을 포함하는 경향이 있다.

2325 □□□

illegal

[ilíːgəl]

2018 지방직 9급 외 18회

형 불법적인 ≡ illicit, illegitimate

The authorities have no measures to regulate **illegal** private tutoring by foreigners. (기출변형)

당국은 외국인들의 불법 과외를 규제할 어떠한 조치도 가지고 있지 않다.

↔ **legal** 형 합법적인, 법의

+ **illegally** 부 불법적으로

2326 □□□

procedure

[prəsíːdʒər]

2020 국회직 8급 외 16회

명 과정, 절차 ≡ process, proceeding

어원 pro[앞으로] + ced(e)[가다] + ure[명·접] = 순서대로 일을 진행해 앞으로 나가는 절차

An algorithm is a **procedure** for solving a problem. (기출)

알고리즘은 문제를 해결하기 위한 과정이다.

2327 □□□

elaborate

[ilǽbərət]

2023 국가직 9급 외 12회

형 정교한, 섬세한 ≡ exquisite, intricate

형 화려한 ≡ ornate, fancy

동 자세히 설명하다

Ants dig **elaborate** networks of tunnels. (기출변형)

개미들은 정교한 터널망을 판다.

↔ **simple** 형 단순한

2328 □□□

hostile

[hάːstl]

2022 국회직 9급 외 12회

형 적대적인 ≡ antagonistic

어원 host[낯선 사람] + ile[형·접] = 낯선 사람을 대하듯 적대적인

It was discovered that the conditions on Mars are **hostile** to organic life. (기출변형)

화성의 조건이 유기 생물들에게 적대적이라는 사실이 밝혀졌다.

↔ **mild** 형 온화한, 유순한

+ **hostility** 명 적의, 적대감

2329 □□□

celebrity

[səlébrəti]

2019 국회직 9급 외 12회

명 유명인 ≡ personality

Some Hollywood **celebrities** also joined a long waiting list for the car. (기출변형)

몇몇 할리우드 유명인들도 그 자동차의 긴 대기자 명단에 이름을 올렸다.

2330 □□□

fragile

형 깨지기 쉬운, 취약한 　= unstable, flimsy

[frǽdʒəl]

2018 국회직 9급 외 10회

어원 frag[부수다] + ile[형·접] = 부서지기 쉬운, 깨지기 쉬운

The product was considered too **fragile**. (기출변형)

그 제품은 매우 깨지기 쉽다고 여겨졌다.

↔ **durable** 형 내구성이 있는

⊕ **fragility** 명 여림, 부서지기 쉬움

빈출 단어

2331 □□□

ambivalent

형 상반되는, 반대 감정이 엇갈리는 　= unsure, conflicting

형 불확실한

[æmbívələnt]

2019 서울시 7급 외 9회

어원 ambi[양쪽의] + val[가치 있는] + ent[형·접] = 모순된 양쪽의 가치나 감정을 동시에 가져 양면적인, 상반되는

The public has an **ambivalent** attitude toward scientific research. (기출변형)

대중은 과학 연구에 대해 상반되는 태도를 취한다.

2332 □□□

trivial

형 사소한, 하찮은 　= small, unimportant

[tríviəl]

2018 지방직 7급 외 9회

어원 tri[셋] + vi[길] + al[형·접] = 길이 셋으로 갈라져 작고 사소한

You might have failed to decide on priorities because of everyday **trivial** matters. (기출변형)

당신은 매일의 사소한 문제들 때문에 우선순위를 결정하는 데 실패해 왔을 수도 있다.

↔ **important** 형 중요한

2333 □□□

trail

명 등산로, 오솔길 　= path

동 질질 끌다, 따라가다 　= drag, sweep

[treil]

2017 법원직 9급 외 9회

어원 trai(l)[끌다] = 어떤 것을 끌고 가서 생긴 자국 또는 길, 즉 등산로

The ranger warned hikers against taking the **trail** because of the bear. (기출변형)

그 관리인은 곰 때문에 등산객들에게 그 등산로로 가지 말 것을 경고했다.

2334 □□□

exclusive

[ikisklú:siv]

2019 국회직 8급 외 8회

형 독점적인, 전용의 | = sole, undivided

Netflix creates **exclusive** content for subscribers. 기출변형

넷플릭스는 구독자들을 위한 독점적인 콘텐츠를 만든다.

⊕ **exclusively** 부 독점적으로

2335 □□□

revive

[riváiv]

2018 국회직 8급 외 8회

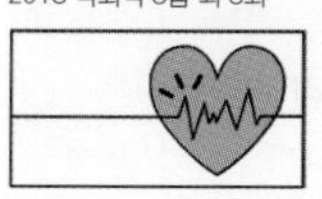

동 활기를 되찾게 하다, 소생시키다 | = refresh, energize

어원 re[다시] + viv(e)[살다] = 분위기 등이 다시 살아나다, 즉 활기를 되찾게 하다

The auto industry has **revived** and is flourishing now. 기출변형

자동차 산업은 활기를 되찾았고 현재는 번영하고 있다.

⊕ **revival** 명 회복, 부활

2336 □□□

designate

[dézignèit]

2018 서울시 7급 외 7회

동 지정하다, 임명하다 | = appoint, nominate

동 명시하다, 나타내다 | = specify

어원 de[아래로] + sign[표시] + ate[동·접] = 누군가의 아래에 특별히 표시하여 어떤 역할을 지정하다

The Taj Mahal was **designated** a UNESCO World Heritage Site in 1983. 기출변형

타지마할은 1983년에 유네스코 세계 문화유산 보호구역으로 지정되었다.

2337 □□□

patience

[péiʃəns]

2020 지방직 7급 외 6회

명 인내심, 참을성 | = tolerance, tenacity

Waiting in line requires a lot of **patience**. 기출변형

줄을 서서 기다리는 것은 많은 인내심을 필요로 한다.

2338 □□□

recruit

[rikrú:t]

2016 국가직 7급 외 5회

동 모집하다, (사람을) 뽑다 | = assemble, enroll

명 신병

어원 re[다시] + cruit[자라다] = 규모를 다시 자라게 하기 위해 인원을 모집하다, 뽑다

Most of the employees were **recruited** from the long-term unemployed. 기출변형

대부분의 직원들은 장기 실업자 중에서 모집되었다.

⊕ **recruitment** 명 채용, 신규 모집

= 어휘 영역 출제

2339 □□□

humble

[hʌ́mbl]

2020 지방직 9급 외 5회

형 겸손한 ■ modest

형 보잘것없는, 초라한 ■ lowly

어원 hum(b)[땅] + le[형·접] = 몸을 땅 쪽으로 낮게 숙이는, 즉 겸손한

A person who is very **humble** may make friends uncomfortable. (기출변형)

매우 겸손한 사람은 친구들을 불편하게 만들 수도 있다.

2340 □□□

affordable

[əfɔ́:rdəbl]

2019 지방직 9급 외 4회

형 (가격이) 적당한, 알맞은 ■ economical

Plans to develop an **affordable** electric car were delayed. (기출변형)

가격이 적당한 전기 자동차를 개발하려는 계획은 지연되었다.

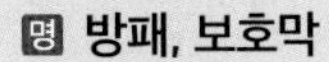

⊕ **affordability** 명 적당한 가격으로 구입할 수 있는 것

2341 □□□

shield

[ʃi:ld]

2015 국가직 9급 외 3회

동 막다, 보호하다 ■ protect, cover

명 방패, 보호막 ■ protection, guard

Being bilingual can **shield** against dementia in old age. (기출변형)

이중 언어를 사용하는 것은 노년에 치매를 막을 수 있다.

↔ **expose** 동 드러내다

2342 □□□

shrewd

[ʃru:d]

2015 지방직 7급 외 3회

형 기민한, 상황 판단이 빠른 ■ canny, astute

She was a **shrewd** businesswoman, leading her company to success.

그녀는 기민한 사업가로, 그녀의 회사를 성공으로 이끌었다.

↔ **stupid** 형 어리석은

2343 □□□

lifelong

[láiflɔ́:ŋ]

2011 지방직 9급 외 3회

형 일생의, 평생 동안의 ■ enduring

There still remain many issues, even after her **lifelong** devotion to the poor in this village. (기출변형)

이 마을의 가난한 사람들을 위한 그녀의 일생의 헌신 후에도 여전히 많은 문제들이 남아있다.

2344 □□□

aftermath

명 여파 | = effects

[ǽftərmæ̀θ]

2016 국회직 8급 외 3회

If a terrible earthquake hits the area, no one knows how awful the **aftermath** will be. (기출변형)

만약 끔찍한 지진이 지역을 강타한다면, 그 여파가 얼마나 무서울지 아무도 알지 못한다.

2345 □□□

hospitable

형 친절한 | = welcoming, friendly

형 쾌적한, 지내기 좋은

[hɑ́:spitəbl]

2017 국가직 9급 외 3회

어원 hospit[손님] + able[할 수 있는] = 손님을 잘 대할 수 있는, 즉 친절한

She is a **hospitable** host, who makes her guests feel comfortable.

그녀는 손님들을 편안하게 해주는 친절한 주인이다.

↔ **inhospitable** 형 지내기 힘든, 불친절한

⊕ **hospitality** 명 환대, 접대

2346 □□□

ripe

형 익은, 숙성한 | = ready, mature

[raip]

2019 법원직 9급 외 2회

Rice stalks lower their heads when they are **ripe**. (기출변형)

벼 줄기는 익으면 고개를 숙인다.

2347 □□□

collateral

명 담보물

[kəlǽtərəl]

2017 서울시 9급 외 1회

He was asked to provide **collateral** when he tried to take out the loan.

그는 대출할 때 담보물을 제공할 것을 요구 받았다.

2348 □□□

elucidate

동 설명하다, 해명하다 | = explain, make clear

[ilú:sədèit]

2020 지방직 7급

My professor provided much more details to **elucidate** topics from the textbook.

나의 교수님은 교재의 주제들을 설명하기 위해 훨씬 더 많은 세부 사항을 제공했다.

↔ **confuse** 동 혼란스럽게 하다

빈출 숙어

2349 □□□

cope with 대처하다 ■ deal with

2018 국가직 9급 외 22회

The spacecraft had to **cope with** the lack of oxygen. (기출변형)
그 우주선은 산소 부족에 대처해야 했다.

2350 □□□

go[do] without ~없이 지내다

2018 국회직 8급 외 10회

Many poor people **go without** food every other day. (기출변형)
많은 가난한 사람들은 하루걸러 하루씩 음식 없이 지낸다.

2351 □□□

take off 이륙하다

(옷 등을) 벗다

2017 국가직 9급 외 7회

The plane could not **take off** because of the heavy fog. (기출변형)
짙은 안개 때문에 비행기가 이륙할 수 없었다.

↔ **land** 동 착륙하다

2352 □□□

get rid of ~을 처리하다, 없애다

2020 국회직 9급 외 7회

I **got rid of** old stuff when I moved to a new house.
나는 새집으로 이사할 때 오래된 물건들을 처리했다.

2353 □□□

be far from 전혀 ~이 아닌

2019 서울시 9급 외 6회

It **is far from** cost-effective to build the power lines. (기출변형)
전력선을 건설하는 것은 전혀 비용 효율적이지 않다.

2354 □□□

long for 열망하다, 갈망하다 ■ yearn for

2017 법원직 9급 외 3회

She **longs for** the time when she was healthy and had more energy.
그녀는 자신이 건강했고 더 많은 활력을 가졌던 때를 열망한다.

완성 어휘

2355	substandard	형 표준 이하의
2356	sovereignty	명 자주권, 통치권
2357	patronizing	형 거만한, 거드름 피우는
2358	self-complacency	명 자아도취
2359	markup	명 가격 인상
2360	naughty	형 버릇없는
2361	degenerate	동 악화되다, 퇴보하다
2362	stark	형 황량한, 음산한, 극명한
2363	side-by-side	형 나란히 있는
2364	derogatory	형 경멸적인, 무례한
2365	lax	형 허술한, 느슨한
2366	prejudge	동 속단하다
2367	serenity	명 고요함
2368	rehabilitate	동 갱생시키다, 복구하다
2369	refutation	명 반박, 논박
2370	pique	동 화나게 하다, 화내다
2371	expel	동 쫓아내다, 추방하다
2372	middling	형 중간의, 중간급의
2373	strangle	동 억압하다, 묵살하다
2374	muddle	동 뒤죽박죽을 만들다
2375	acclaim	동 칭찬하다
2376	philanthropist	명 자선가
2377	cascade	동 폭포처럼 흐르다
2378	transfusion	명 수혈
2379	bid	명 입찰, 입찰가격
2380	gullible	형 잘 속아 넘어가는
2381	impenitent	형 부끄러워하지 않는
2382	abrupt	형 돌연한, 갑작스런
2383	pendulous	형 축 늘어져 대롱거리는
2384	incontrovertible	형 반박의 여지가 없는
2385	renewed	형 재개된, 새로워진
2386	ailment	명 질병
2387	idiomatic	형 관용구의
2388	make a fortune	재산을 모으다
2389	go green	친환경적이 되다
2390	weigh on	압박하다, 괴롭히다
2391	rush into	급하게 ~하다
2392	bear out	지지하다, 증명하다
2393	be in progress	진행 중이다
2394	take precedence	우선권을 얻다
2395	go under	파산하다, 가라앉다
2396	root for	~를 응원하다
2397	get ~ off the hook	곤경을 면하다
2398	get by	그럭저럭 해 나가다
2399	be in league with	~와 한통속인
2400	in the absence of	~이 없을 때에

= 어휘 영역 출제

Review Test DAY 26-30

1. 각 어휘의 알맞은 뜻을 찾아 연결하세요.

01. undermine •	• ⓐ 경과; 쇠퇴하다
02. eviction •	• ⓑ 퇴거, 축출
03. reluctant •	• ⓒ 잘 속아 넘어가는
04. expulsion •	• ⓓ 허술한, 느슨한
05. solicit •	• ⓔ 거짓된, 위조의
06. lapse •	• ⓕ 기반을 약화시키다, 손상시키다
07. transient •	• ⓖ 일시적인, 순간적인
08. spurious •	• ⓗ 간청하다
09. gullible •	• ⓘ 추방, 제명
10. lax •	• ⓙ 주저하는, 달갑지 않은

2. 다음 영단어의 뜻을 우리말로 쓰세요.

01. adverse ____________

02. mediocre ____________

03. comprehensive ____________

04. prosperity ____________

05. rebut ____________

06. remission ____________

07. contradict ____________

08. primitive ____________

09. conciliatory ____________

10. delegate ____________

11. corroborate ____________

12. condescending ____________

13. blithe ____________

14. admonition ____________

15. detain ____________

16. lofty ____________

17. make up for ____________

18. cope with ____________

19. patronizing ____________

20. stark ____________

3. 다음 빈칸에 들어갈 말로 가장 적절한 것은?

> The early disagreement between the two parties was a ________ of the trouble that was to come.

① reproduction ② harbinger ③ collateral ④ discord

4. 다음 밑줄 친 부분과 의미가 가장 가까운 것은?

> Although he pretended that he had played the piece perfectly, the pianist had made several conspicuous errors.

① salient ② elaborate ③ gradual ④ requisite

5. 다음 밑줄 친 단어의 의미와 가장 가까운 것은?

> Social media companies analyze user data to discern who to target with particular advertisements.

① recede ② exhilarate ③ rehabilitate ④ distinguish

정답

1. 01. ⓕ 02. ⓑ 03. ⓙ 04. ⓘ 05. ⓗ 06. ⓐ 07. ⓖ 08. ⓔ 09. ⓒ 10. ⓓ

2. 01. 부정적인; 반대의 02. 보통의, 평범한 03. 종합적인; 이해하는 04. 번영, 성공
05. 논박하다 06. 차도, 완화 07. 모순되다; (어떤 주장을) 반박하다
08. 원시적인, 초기의 09. 회유적인, 달래는 10. 대표; (권한을) 위임하다
11. 확증하다, (증거나 정보를) 제공하다 12. 거들먹거리는, 생색을 내는
13. 태평스러운, 느긋한 14. 책망, 경고 15. 구금하다; 지체하다 16. 고귀한, 고결한
17. 만회하다, 보충하다 18. 대처하다 19. 거만한, 거드름 피우는 20. 황량한, 음산한

3. ② 전조 **[해석]** 양당 사이의 이른 의견 불일치는 곧 다가올 문제의 전조였다. **[오답]** ① 복제 ③ 담보물 ④ 불화

4. ① 두드러진 **[해석]** 비록 그는 그 곡을 완벽하게 연주한 척했지만, 그 피아니스트는 몇몇 눈에 띄는 실수를 했다. **[오답]** ② 정교한 ③ 점진적인 ④ 필수적인

5. ④ 분간하다 **[해석]** 소셜 미디어 회사들은 특정한 광고를 통해 누구를 목표로 삼을지를 파악하기 위해 사용자의 데이터를 분석한다. **[오답]** ① 물러나다 ② 아주 기쁘게 만들다 ③ 복구하다

MEMO

MEMO

2025 대비 최신개정판

해커스공무원
기출 보카
4000+
1권 | DAY 01-30

지은이 해커스 공무원시험연구소 펴낸곳 해커스패스 펴낸이 해커스공무원 출판팀
주소 서울특별시 강남구 강남대로 428 해커스공무원
ISBN 1권: 979-11-6999-981-6 (14740)
세트: 979-11-6999-980-9 (14740)

다음 **합격의 주인공**은
바로, **여러분**입니다.

공무원 교육 1위*

해커스공무원

gosi.Hackers.com

*[공무원 교육 1위] 한경비즈니스 2024
한국품질만족도 교육(온·오프라인 공무원학원) 1위

5천 개가 넘는

해커스토익 무료 자료!

대한민국에서 공짜로 토익 공부하고 싶으면 해커스영어 Hackers.co.kr 검색

RC 정수진 RC 이상길

강의도 무료

베스트셀러 1위 토익 강의 150강 무료 서비스,
누적 시청 1,900만 돌파!

문제도 무료

토익 RC/LC 풀기, 모의토익 등
실전토익 대비 문제 3,730제 무료!

LC 한승태 RC 김동영

최신 특강도 무료

2,400만뷰 스타강사의
압도적 적중예상특강 매달 업데이트!

공부법도 무료

토익 고득점 달성팁, 비법노트,
점수대별 공부법 무료 확인

*미션 달성 시

가장 빠른 정답까지!

615만이 선택한 해커스 토익 정답!
시험 직후 가장 빠른 정답 확인

[5천여 개] 해커스토익(Hackers.co.kr) 제공 총 무료 콘텐츠 수(~2017.08.30)
[베스트셀러 1위] 교보문고 종합 베스트셀러 토익/토플 분야 토익 RC 기준 1위(2005~2023년 연간 베스트셀러)
[1,900만] 해커스토익 리딩 무료강의 및 해커스토익 스타트 리딩 무료강의의 누적 조회수(중복 포함, 2008.01.01~2018.03.09 기준)
[2,400만] 해커스토익 최신경향 토익적중예상특강 누적 조회수(2013-2021, 중복 포함)
[615만] 해커스영어 해커스토익 정답 실시간 확인서비스 PC/MO 방문자 수 총합/누적, 중복 포함(2016.05.01~2023.02.22)

더 많은 토익무료자료 보기 ▶